行動経済学

経済は「感情」で動いている

友野典男

JN263050

光文社新書

はじめに

経済は感情で動いている。

流行遅れと言われるのがイヤだからはやりの洋服を着て、はやりの音楽を聴き、はやりのレストランに行き、はやりの本を買う。ＢＳＥが怖いから、牛肉はなるべく食べない。株に投資する時にも最後は直感で決める。景気の良し悪しは肌で感じる……。

老後に備えて計画的に貯金すれば、年金に頼らなくても困らないのに、つい衝動買いしてしまう。ダイエットした方が健康でいられることはわかっているのに、つい甘いものの誘惑に負けてしまう。掃除当番をサボって他の人に任せてしまえば楽なのに、サボると不快だからサボれない。たとえ誰も見ていなくても、良心が許さないからゴミのポイ捨てはしない。

経済行動を感情や直感で決め、経済を直感で把握する例は数多い。しかし、経済は感情だけで動いていると言っているのではない。

経済は心で動いている。

心と言っても、思いやりとか優しさとか人間性で経済が動いているというのではないし、道徳を主張するのでもない。心は知覚、認知、記憶、判断、決定、感情、意志、動機などを担っている。ハートというよりマインドである。

心は合理的推論や計算もするし、感情や直感も生み出す。心が人間行動を決定し、人間行動が経済を動かしているのであるから、経済は心で動いている。標準的経済学では、人は合理的な計算や推論によって行動を決定するとされている。

しかし感情や直感も重要な役割を果たしていることが次第に明らかになってきた。抜け目ない人々の合理的な損得勘定から、感情の役割も重視する方向への変化である。いわば「勘定から感情へ」という転換だ。

二〇〇二年一〇月、小柴昌俊さんの物理学賞と田中耕一さんの化学賞というノーベル賞ダブル受賞に日本中がわきかえっていた頃、ノーベル経済学賞の記事が新聞の片隅に載った。受賞者は米国人二人で、そのうち一人がプリンストン大学のダニエル・カーネマン教授であった。

カーネマンは、共同研究者にして親友であった故エイモス・トヴェルスキーと共に本書のテーマである行動経済学の最大の立役者である。しかし、わが国ではあまり知られておらず、経済学者からでさえ「カーネマンって誰？」という声が聞かれた。それから三年半の歳月が流れたが、わが国では事情はそれほど変わっているとは思われず、行動経済学はまだ市民権を獲得したとはいいがたい。

本書は、「勘定から感情へ」というテーマを通奏低音としつつ、行動経済学という新しい経済学の基礎について広く紹介し、検討することを目的としている。基礎といっても単なる入門という意味ではなく、構築物の土台・根元という意味を持つ。本書は、行動経済学の入門書であると同時に、経済行動の背後にある心理的・社会的・生物的基盤を探り、行動経済学の基礎を固めることを目指す。

行動経済学はまさに現在進行形の学問であり、今こうしている間にも新しい重要な貢献が生まれているに違いないから、このような小さな書物でそのすべてをカバーすることはできない。しかし本書によって行動経済学に関心を持つ人が少しでも増えてくれれば幸いである。

目次

第1章　経済学と心理学の復縁……行動経済学の誕生

「この世界には現実のハムレット、マクベス、リア王、オセロがいる。教科書に出てくるのは、すべて冷徹で合理的なタイプであるが、この世にはもっと様々なタイプの人がいる」アマルティア・セン『経済学の再生：道徳哲学への回帰』（徳永、松本、青山訳、麗澤大学出版会）

「身を切るような体験を通して、わたしたちは学びました。合理的に思考したからといって、社会生活に生じる問題がすべて解決できるわけではない、ということを」アルバート・アインシュタイン（『アインシュタイン150の言葉』、ディスカバー21）

経済人・神のような人物

「経済人」（ホモ・エコノミカス）という特別の人々をご存じだろうか？

経済人というのは、超合理的に行動し、他人を顧《かえり》みず自らの利益だけを追求し、そのためには自分を完全にコントロールして、短期的だけでなく長期的にも自分の不利益になるようなことは決してしない人々である。自分に有利になる機会があれば、他人を出し抜いて自分の得となる行動を躊躇《ちゅうちょ》なくとれる人々である。

禁煙も禁酒もダイエットも成功せず、しょっちゅう電車の中に傘を忘れたり、ダブルブッキングをして友人を不愉快な気持ちにさせたり、当たるはずのない宝くじに大金を投じているのが、ありふれたわれわれの姿であるから、経済人というのは、まったくうらやましい限りだ。しかしそのような知人がいたら、決して友達にはしたくない人々である。

この神のような人物が、標準的経済学が前提としている経済人の姿なのである。

このような特別な人物が果たして一人でもいるのだろうかという疑問がすぐにわくのに、それどころか経済活動を行なっている人、つまりわれわれすべてがこのような人物であるという想定の下で、経済学は構築されている。

ホモ・エコノミカスという語は、ホモ・サピエンスをもじって作られた造語である。ホモ・サピエンスとはもともとラテン語で「賢い人」という意味であるが、賢さにも程があるというのが、ホモ・エコノミカスだ。
どうせもじるなら、オランダの歴史家ヨハン・ホイジンガの創った「ホモ・ルーデンス」（遊戯人）とか、アリストテレスの「ホモ・ファーベル」（制作人）の方が、はるかに魅力的な人たちである。

合理的に判断できるか？

この経済人という超合理的な人間像をもう少し詳しく見てみるために、まずはじめに次の問題に答えてみて頂きたい。正解は第2章まで取っておくことにしよう。

問題1　今、あなたはテレビのクイズ番組に出演しているとする。何題かの問題に正解し、最後の賞金獲得のチャンスがやって来た。ドアが3つあり、どれでもいいからドアを開けるとその後ろにある賞品がもらえることになっている。1つのドアの後ろには車が置かれているが、残りの2つのドアの後ろにはヤギがいるだけだ。

あなたは、A、B、C3つのドアから見当をつけてAのドアを選んだとしよう。まだドアは開けていない。
すると、どのドアの後ろに車があるのか知っている司会者は、Cのドアを開けた。もちろん、そこにはヤギがいるだけだ。ここで司会者はあなたに尋ねた。
「ドアAでいいですか？　ドアBに変えてもいいですよ。どうしますか？」
さあ、あなたならどうするだろうか。Aのままでもよいし、まだ開けられていないBのドアに変更してもよい。どちらを選ぶか？

確率に関する問題をもう一題。

問題2　ある致命的な感染症にかかる確率は1万分の1である。あなたがこの感染症にかかっているかどうか検査を受けたところ結果は陽性であった。この検査の信頼性は99％である。実際にこの感染症にかかっている確率はどの程度であろうか？

次は論理に関する問題である。

問題３　次のような４枚のカードがあり、表にはアルファベットが、裏には数字が書かれている。今、「母音が書いてあるカードの裏には偶数が書かれていなければならない」という規則が成立していることを確かめるためには、どのカードの反対側の面を確かめなければならないだろうか？

E	K	4	7

次の二つは他の人の行動を推し量らなければならない問題である。

問題４　この問題は１００人のグループに対して出題されているとする。今、各人に、１以上１００以下の好きな整数を１つ選んでもらい、全員の数値の平均値の２／３倍に最も近い数を選んだ人が勝者であるというゲームをする。あなたは勝つために、どの数を選ぶだろうか？

問題5　あなたは1000円渡され、見知らぬ誰かと分けるようにと言われた。自分の分として全額手元に置いてもいいし、一部を自分で取り、残りを相手に渡してもよい。ただし相手には拒否権があり、相手がその額を受諾したらあなたの提案どおりに分配されるが、相手がそれを拒否したら2人とも一銭ももらえないとする。あなたなら相手にいくら渡すと提案するだろうか？

合理的で利己的な経済人

標準的経済学が前提としている人間像である経済人とは、認知や判断に関して完全に合理的であって意志は固く、しかももっぱら自分の物質的利益のみを追求する人のことである。

この認知や判断の合理性という概念と物質的私益追求という概念の両者を合わせた意味で、単に「合理性」という用語を用いている文献や研究者もあるが、本書では両者を別々の内容を持つものとして扱う。なぜなら、私益追求とは行動の目的であり、合理性はそのための手段・方法であるから、概念としては別のものと捉えるべきだからである。

合理的かつ私益追求ばかりでなく、「合理的かつ利他的」「非合理的かつ私益追求」「非合理的かつ利他的」という組み合わせも可能だ。

たとえば、利他的に行動しようとしている人が、非合理的であるがゆえに他者の行動を読み違え、その結果利他的とは見えない結果を生み出すこともありうる。利他的に見える行動も、実は合理的な判断ができないために、私益追求に失敗しているだけなのかもしれない。

経済人の条件

経済人とは、いったいどういう人間であるのかをもう少し詳しく見てみよう。

そもそも、合理的とはどういうことであろうか。

日常的なあるいは辞書的な使い方では、合理的とは、理性的、論理的、損得勘定が巧み、などの意味を持っているであろうが、経済学では合理性という語にかなり限定した意味を付している。まず、自分の嗜好（好み）が明確であり、それには矛盾がなく、常に不変であること。そして、その嗜好に基づいて、自分の効用（満足）が最も大きくなるような選択肢（たとえば商品）を選ぶということである。

一見すると妥当で納得のいく仮定に思えるが、実はかなり強い条件である。

たとえば、買い物に行ったら、すべての商品について知識があり、ありとあらゆる商品の組み合わせを考慮に入れて、もしそれらを消費したら得られる効用をすばやく計算し、効用を最大にするような商品の組み合わせを知ることができるとされているのである。

しかし、まず、意思決定に必要なありとあらゆる情報を入手することはコスト的にも物理的にも不可能であろう。そして、たとえ情報が入ったところでそれを解析することはさらに難しい。

たとえば、デパートにはおよそ20万点くらいの商品があるとされている。その全商品のリストを手に入れることはあるいは可能かもしれない。しかし、今度は、それらすべての商品について、もし消費したら得られるはずの効用を計算することは到底できない相談である。

塩沢由典によると、最適な解を見つける計算には、きわめて高性能のコンピュータを用いても、商品数が10の時には0・001秒で済むが、30では、17・9分かかり、商品数が40になると12・7日必要となり、50の場合にはなんと35・7年経たないと計算が終わらないのである。高性能のコンピュータでこれであるから、ふつうの人の場合には推して知るべしである。

また、経済人は、コーヒー1杯と紅茶1杯ではどちらが好きであるといつでもはっきり言うことができ、その好みは時間や状況によって変化してはならない。そこで、コーヒーと紅茶の好みが、朝と夜では違うとか、昨日はコーヒーばかり10杯飲んだから、今日は紅茶にしておこう、というのは排除されるのである。

さらに意志は固く、禁煙やダイエットに失敗するなんてことはありえない。その上、体に悪いとわかっているから若い頃からタバコは吸わず、ダイエットが必要となるような脂肪分や糖分の過剰摂取はしないはずだから、そもそも経済人は、禁煙、禁酒、ダイエットという言葉とは無縁である。

いわば経済人は、知覚、注意、記憶、推論、計算、判断などの脳や心が行なう認知作業に関して無限の能力を持っていて、さらにいったん決意したことを必ず実行する超自制的な意志の持ち主でもあり、まさにスーパーマンだ。

経済人を、ソースティン・ヴェブレンは「快楽と苦痛のいなづま計算機」と言い、ハーバート・サイモンは「全知全能の神のような存在」と例えたのであり、「この全知全能モデルの見解は、おそらく、神の心のはたらきのモデルとしては役立つが、……人間の心のはたらきのモデルとしては役に立たない」（サイモン　一九八三、訳書37頁）ような代物なのである。

このような意味で合理的であるばかりか、さらに重大なもう一つの概念が、経済人には付け加えられる。

それは他人のことは一切顧みず、自己の物質的利益を最大にすることだけを追求する利己的な人間だということである。もし、このような私益追求人が、たとえば他人のためになるような行動をとったならば、見返りを期待しているからでしかない。いわゆる倫理、道徳という概念は経済人は持ち合わせていないのである。

さらに、私益が得られる機会があれば、どんな小さなチャンスであっても見逃さないという性質が上の二つの性質から派生的に導かれる。得をする機会があれば、それが犯罪でもない限り利用するのが経済人である。経済人は、法は守るであろうが（処罰を避けるため）、法の枠を超えたモラルという概念は存在しないのである。

さて、もしあなたが経済人であれば、問題1～5には正解が出せるはずである。正解を導く過程の説明ができなくても、直感でよいから正解を得なければならないが、どうだろうか（正解は第2章）。

経済人仮説擁護論

このような経済人の前提は、日常の経験によっても、あるいは数々の実証研究によっても全面的に棄却されている。

それにもかかわらず、標準的経済学ではなお合理性と利己心の仮定に基づいて有効な理論を構築できるという擁護論が根強くある。以下で四つの擁護論について順番に却下していこう。

まず第一に、経済学者ミルトン・フリードマンによる「あたかも」論がある。

合理性の仮定は、主体が実際に合理的であることを必要とせず、主体が「あたかも（as if）」合理的に計算して選択したかのようにみなせるから、主体が合理的であるとして理論モデルを作ることには何の問題もない。理論モデルが妥当であるかどうかは、その予測可能性、つまりその理論モデルから経済や経済行動に関する適切な予測ができればよいのであって、前提そのものの現実妥当性を論ずる必要はない、というのがこの立場の考え方である。

フリードマンは、具体的な例を挙げてこれを説明している。たとえば、木の葉が、「あたかもそれぞれの葉が……受けとる陽光量を慎重に最大化することを追求するかのような位置をとっている」かのように木の枝につき（訳書20頁）、熟練した玉突きの競技者は「あたかもかれが球の走るコースの最適な方向を決める複雑な数学的公式を知っており、球の位置を示すその角度などを眼で精確に見積もることができ、公式を用いて素早く計算することができ、それから公式が指示する方向に球を走らせることができるように玉を突く」（訳書21頁）のである。

木の葉が実際に受け取る陽光量を最大にするように計算しているはずはないし、いくら熟達したビリヤードのプレイヤーでも、実際に球の転がりぐあいに関する数学的計算をしているのではない。イチローや松井は、微分方程式を解いてバットを振っているわけではない。それでも、「あたかも」そのような最適な計算をしているかのように行動しているとみなしても何ら不都合はない。ビリヤードの球がポケットに入るという予測、イチローや松井がヒットを打つだろうという予測はよく当たるから（7割ははずれるが）、合理性の前提に問題はないとするのである。要するに、予測の結果がよければ、仮定の現実性は問わないという考え方である。

では、経済人の仮定に立脚した標準的経済学による予測は正確なのだろうか？　これは実証的問題であるが、反例は簡単に見つかる。

都市近郊では農家が自分の家で作った野菜や果物を無人の販売所に置いておき、買い手は代金を傍らに置かれた箱に入れて欲しいものを手に入れるというやり方がしばしば見られるが、このシステムが存続しているのは、たとえ監視者がいなくても、ふつう買い手はずるいことをしないものだという売り手の推測があり、実際にそうなるという確証があるからだ。

第8章で詳しく検討するように、標準的経済学では、無償ボランティアや献血はありえないと予測され、無人野菜売り場は成り立たないと予測されることになる。つまり標準的経済学は現実に起こっていることを予測できないのであり、予測可能性によって仮定の非現実性を度外視する「あたかも」論は、実証的に却下されるのである。

第二の擁護論は、非合理的に行動する主体は市場から排除されてしまうから、実質的に経済に影響を及ぼすのは合理的に行動する主体だけであり、したがって経済や市場の働きについて調べるために合理性を前提とすることに何の問題もないという、市場における淘汰論である。これについては、かなり以前からそうはならないことが指摘されている。

たとえば、ラッセルとセイラーは、効用最大化からは逸脱するがまったくランダムというわけではないような行動を準合理的行動と呼んで、合理的主体と準合理的主体が共存する経済においては、すべての主体が合理的であるときに存在する均衡とは異なる均衡が存在することを示した。またそのような市場で、完全合理的な場合と同じ均衡が成立する条件を求めているが、それはきわめて限定的なものである。「個人の非合理性は市場に影響を及ぼさないと忠実に信じることは、経済学における「口伝」の主要部分である」（キャメラー　一九八

七、981頁)。

第三に、確かに経済人の仮定は強すぎるが、さりとて他に適当な理論が見当たらないから、暫定的にせよ合理性理論によって立つことにしようという暫定論である。この主張は擁護論の中では最も一理あるものだろう。

初期の行動経済学は標準的経済学の批判としては一定の力を示したが、まだそれに取って代わるまでには至っていなかったし、現在の行動経済学も、まだ標準的理論を全面的に駆逐するだけの理論体系は備えていないと言えるだろう。しかし、多くの経済学者が行動経済学の研究に資源を投入すれば、標準的経済理論に代わる理論体系が建設されるであろうし、遠からずその日が来ると予想できる。

第四に、経済理論は規範理論であって、記述理論ではないという擁護がある。すなわち、経済理論が対象としているのは人々の実際の行動ではなく、人々はどう行動すべきかを示しているというものである。このような理論は規範理論と言われるが、しかし、人が経済人であること、すなわち、認知や判断に関して合理的でかつ純粋に私益追求することが、「行動すべきこと」のリストに含まれているとは考えられない。

トヴェルスキーとカーネマンは、規範的アプローチは失敗に終わった、なぜなら、人々は、優越性（同一の結果をもたらす選択肢が二つあり、一方が他方より生じる確率が高ければ、そちらが選好される）や不変性（意思決定問題の解は、その提示のされ方や文脈には左右されない）に反するという、規範的見地からは正当化することが全くできないような定型的な選択を行なうからであると論じている。そもそも「どうすべきか」を主張するためには、「どうであるか」がわかっていなければ、有効な議論はできないだろう。

以上のように、標準的理論を擁護する見解は崩れたと言ってもよい。

行動経済学とは

行動経済学とは何かについて研究者の間でも一致した定義があるわけではないが、人は実際にどのように行動するのか、なぜそうするのか、その行動の結果として何が生じるのかといったテーマに取り組む経済学であると言ってよい。つまり人間行動の実際、その原因、経済社会に及ぼす影響および人々の行動をコントロールすることを目的とする政策に関して、体系的に究明することを目指す経済学である。

新しい対象や領域を開拓するのではなく、経済に対する新しい視点からの研究、つまり新たな研究プログラムである。この意味で行動経済学は、既存の経済学と同じ研究領域を扱う、いわば「古い酒を新しい革袋に入れる」という性格を持っている。

行動経済学は、人間の合理性、自制心、利己心を否定するが、人間が全く非合理的、非自制的、非利己的であるということを意味しない。完全合理的、完全自制的、完全利己的であるということを否定しているにすぎない。

「人間の合理性は一つだが、非合理性は無数にあり理論化できない」という反論もあるが、行動経済学でいう「非合理性」とはハチャメチャな、あるいはランダムな行動傾向のことではなく、合理性（経済人）の基準からはずれるという意味で非合理的であるが、一定の傾向を持っており、したがって予測可能な行動である。そのような行動が、経済に及ぼす影響は大きい。

カーネマンはノーベル賞受賞の際に発表した回顧の中で、「われわれ（カーネマンとトヴェルスキー）の仕事を、人間の非合理性を証明したのだとする言い方は、直ちに拒否している。ヒューリスティクスとバイアスの研究は、合理性という非現実的な観念を否定しているだけだ」と述べている。

ここで、「ヒューリスティクスとバイアス」とは、合理的ではない人間が意思決定するときによりどころとする簡便な、手がかりとなる方法とその結果生じる判断や決定の偏りのことであり、これについては第3章で詳細に検討する。

また同様に人間は私益追求をまったくせずに、純粋に利他的であると言っているのでもない。第8章で詳しく見るように、純粋に私益追求をする利己的な人間と、しばしば他者に配慮する利他的人間が共存している。また、一人の人間が場合や状況によって利己的であったり利他的であったりすることも考えられる。後者の点に関する研究はまったく不十分であるが、すべての人が物質的私益追求型人間であるという前提は否定するのである。

人が実際にどのように行動するのかを知るために、さまざまな被験者による実験やフィールド・ワークから、コンピュータ・シミュレーションさらには脳の画像解析に至るまでの、従来の経済学ではあまりなじみのなかった手法が用いられる。

また人がなぜそのような行動をとるようになったのかを明らかにするために、特に進化論的思考が強力な武器となる。人間も動物であって、進化・淘汰の影響から逃れることはできないのであり、その結果として、人間のさまざまな認知的、社会的性質にある一定の傾向が現われると考えるのである。

さらに、経済・社会政策や企業などの組織内でのさまざまな方策は、従来は合理的な人間を前提として考えられていたが、そうではなく人間が限定合理的である場合にはそれらはどうあるべきかを考える必要がある。実証・理論・政策という、経済学が対象とすべきすべての領域に新しい光を当てようとするのが行動経済学である。

行動経済学は、人間を研究対象とするきわめて多くの学問、とりわけ認知心理学、社会心理学、進化心理学、社会学、倫理学、哲学から人類学、進化生物学、行動生態学、さらに生理学や脳神経科学に至るまでの広範囲の学問から多大な影響と示唆を受けているきわめて学際的な学問である。進化生物学や脳神経科学からの影響については、第9章で紹介する。

経済学と心理学は一つだった

行動経済学にとって心理学、特に認知心理学からの影響は計り知れないが、現実の人間行動を対象とせず経済人だけを扱っている標準的経済学は、当然ながら心理学的分析とは縁が遠かった。

しかし、そのような傾向は標準的経済学が確立された比較的最近のことであり、経済学はもともと心理学とはなじみ深いものであった。経済学が確立した18世紀には心理学はまだ科学としては独立したものではなく、当時の経済学者は心理学者を兼業していたとみなすことができる。

アダム・スミスは『国富論』（一七七六）の中で、リスクや不確実性が人間の経済行動に及ぼす影響に言及しており、「だれもが利得の機会を多少とも過大評価し、またたいていの人は損失の機会を多少とも過小評価する」（訳書１９０頁）という合理性に反する心理的要因の重要性を指摘していた。

またよく知られているようにスミスの最初の著作は『道徳感情論』（一七五九）であり、その書名からも窺えるように、自制心や共感、利他心の重要性を強調している。それにもかかわらず、スミスは、「利己心」の追求こそが人間の姿であり、それが実際に望ましい結果を引き起こすという主張をしているように後世の人々からみなされている。

確かにスミスは次のように述べている。「われわれが食事を期待するのは、肉屋や酒屋やパン屋の慈悲心からではなく、彼ら自身の利害に対する配慮からである。われわれが呼びかけるのは、彼らの人類愛にたいしてではなく、自愛心にたいしてであり、われわれが彼らに語るのは、けっしてわれわれ自身の必要についてではなく、彼らの利益についてである」（スミス　一七七六、訳書39頁）。

この一節は、分業と市場の働きについて言及しているのであって、自愛心（＝利己心）を持つべきだ、あるいは自愛心のみが重要であると言っているのではない。利己心という言葉だけが一人歩きしてしまったのである。

その原因はもちろんスミスにあるのではなく、標準的経済学が成立してきた歴史の中で、経済学と心理学が異なる道を歩んでしまったことによるのだろう。「動機と市場に対するスミスの複雑な見解が誤って解釈され、また感情と行動に関する倫理的分析が看過されたことは、現代経済学の発展とともに生じた倫理学と経済学の乖離と呼応している」というセン（一九八七、訳書47頁）の見解は、「倫理学」を「心理学」に置き換えてもそのまま当てはまる。

スミス以降の経済学者にも現実の人間の心理の重要性について洞察している経済学者は少なくない。

アルフレッド・マーシャルは主著『経済学原理』（馬場啓之助訳、一八九〇、東洋経済新報社）の冒頭で、「経済学は日常生活を営んでいる人間に関する研究である。それは、個人的および社会的行動のうち、福祉の物質的要件の獲得とその使用にきわめて密接に関連している側面を取り扱うものである」（一八九〇、訳書1頁）と述べ、経済学は一つの心理科学、人間科学なのであると論じている。

「経済学は一面においては富の研究であるが、他の、より重要な側面においては人間の研究の一部なのである」（マーシャル　一八九〇、訳書1頁）。

さらに人間心理を経済学に取り入れた点ではジョン・メイナード・ケインズは傑出しており、人間の非合理性が経済行動や経済の運行にとって大きな影響を及ぼすことは熟知していた。彼の著書『雇用・利子および貨幣の一般理論』（一九三六）は人間行動に関する炯眼《けいがん》に満ちている。たとえば、本書の後の章で一部検討する認知バイアス、互酬性、公正、群衆行動、社会的地位やさらに感情、野心等の心理学的、社会学的事実の役割が繰り返し登場し、強調されている。

サイモンは、ケインズの『一般理論』はさっぱりわからなかったが、企業家が「アニマル・スピリット」を持っているという記述だけには非常に感心したという。

また、フリードリッヒ・フォン・ハイエク、ヴェブレン、アーヴィング・フィッシャーらの経済学者の著作には心理学からの洞察が数多く見られる。ヴェブレンは制度派経済学者として知られるが、その制度とは「個人と社会の特定の関係なり、特定の機能なりに関する支配的な思考習慣」（ヴェブレン　一八九九）のことであった。ハイエクには『感覚秩序』（一九五二）というほとんど心理学の領域に入ると言ってもよい著作まである。

その後、自ら経済心理学者と名乗ったのがアメリカのジョージ・カトーナである。彼の主著は『経済行動の心理学的分析』（一九五一）であり、「私たちが知りたいのは、人間行動

――消費者や経営者の動機・態度・希望・心配など――が、繁栄とか、インフレとか、景気後退などの出現に、どのように関係しているか、ということである。そこから、経済不安を和らげたり、避けたりするためにはどうすればよいか、を学ぶことができるだろう」（カトーナ 一九六〇、訳書6頁）と述べ、経済的要因と心理的要因の相互関係に多大な関心を寄せていた。

しかしカトーナの研究は、それほど影響力を持つことができず、社会学者ニール・スメルサーによって、「全体としてカトーナは消費行動についての一般理論はなに一つ語っていない」（カトーナ 一九六〇、訳書 所収の石川弘蔵による後書き358頁）と酷評される始末であった。

異才ハーバート・サイモン

その後経済学に心理学の知見を取り入れようとする試みは、少数の例外を除けばほぼ途絶えてしまった。そのような潮流の中にあってひときわ異彩を放つのが、一九七八年のノーベル経済学賞を受賞したハーバート・サイモンである。

現代の経済学者のなかで、経済人仮説に最も強く異議を唱え、代替的な考え方を提唱したのがサイモンである。サイモンは多才・多能な人で、最初政治学を学んで博士号を取得したが、後に、経営学、組織学、コンピュータ科学、人工知能、認知科学、経済学等を研究して、それらの分野に多大な影響を与えた。

彼は、標準的経済学が仮定している合理性に対して、人間の認知能力の限界という観点から体系的な批判を行なった最初の経済学者である。完全に合理的であることができない人間を捉えるのに、「限定合理性」という概念を生み出し、経済学は限定合理的な人間を研究すべきだと主張した。また、現実の人間の選択は最適化基準で行なわれているのではなく、一定水準以上のものであればそれを選択するという「満足化」原理や、合理性は選択の結果ではなく、選択の過程や方法について論じるべきだという「手続き的合理性」という革新的なアイディアを次々と創った。

また、サイモンは意思決定における進化の影響を重視した点でも先駆的であったし、人間の意思決定を考察する際には、感情の役割の果たす大きさを無視することはできないと主張した点でも画期的であった。一般に社会科学者は人間の合理性や意志の力あるいは社会の個人への影響を重視する傾向にあるから、サイモンは社会科学者のなかで最初に感情の重要性を主張した人物ではなかろうか。さらにサイモンは利他性について考察している点でも革新的である。

しかし残念なことに、当時サイモンの主張は、経済学者にはそれほど受け入れられたわけではなかった。サイモンの業績は、いわば経済学と心理学の復縁の兆しであったが、当時は実を結ばなかったと言えるであろう。

その頃、現在の標準的経済学は確立期を迎えており、ヒックス、サミュエルソン、アローといった数理経済学者が活躍し、物理学を範とする一般均衡理論などの厳密な数学的分析がもてはやされていた時代であった。サイモンの論点は非常に説得力に富んでいたが、きわめて概念的・理念的なものに留まっており、操作可能なモデル化が難しいために標準的経済学者の間には広まらなかったと考えられる。数学的理論を好む経済学者には、「定理なき理論」(ゼルテン 一九九〇)は耐え難いものだった。

つまり、サイモンの主張の正当性と重要性は認識されていたが、非合理性や非利己性を上手く扱う理論もモデルも存在しなかったために、経済学者はそれを無視せざるを得なかったのである。

サイモンは二〇〇一年に亡くなったが、彼の研究の精神は行動経済学の中に全面的に引き継がれているといってよいであろう。サイモンは、「心の性質を理解することは、社会制度と社会行動、経済学や政治学における、活気に満ちた理論の構築に欠かせないものである。経済学は、人間の理性についての〈アプリオリな〉仮定のもとで、二世紀にもわたって問題をごまかしてきた。しかし、そういう仮定はもはや実のあるものではない。そうした仮定は、人間の心についてのもっと真実性のある理論にとって代わられなければならない」（サイモン　一九九六、訳書５２１頁）と述べている。

現代の経済学史の中では、サイモンやジョージ・アカロフ（二〇〇一年ノーベル経済学賞受賞）、アマルティア・セン（二〇〇三年ノーベル経済学賞受賞）、トーマス・シェリング（二〇〇五年ノーベル経済学賞受賞）のような一部の異才を除けば、経済学と心理学に関して特別の関心を払う経済学者は現われなかったのである。

認知心理学の誕生

行動経済学は心理学と経済学の復縁から生まれた研究分野であるから、心理学の側にもその推進に向かった流れがあった。その流れの中心にあるのが、一九五〇年頃に創始された、今日、認知心理学とか認知科学と呼ばれる研究分野である。

何と認知心理学には公式の誕生日があるという。一九五六年九月一一日がその日である。

その日にマサチューセッツ工科大学で開催されたシンポジウムで、今日の認知心理学の扉を開いた三つの重要な論文が報告されたからだ。ちなみにその三つの重要論文の中には、ハーバート・サイモンと共同研究者のアラン・ニューウェルによる「一般問題解決法」という人工知能プログラムについての論文が含まれている。それは、コンピュータによって数学の定理を証明するという斬新なものであった。

認知心理学はその日に劇的に誕生したとされ、「認知革命」(ガードナー 一九八五)と呼ばれたのである。認知心理学の考え方は、それまでの心理学の主流であった「人間は刺激に対して反応する刺激―反応系である」という考え方を一変させ、「人間は情報処理をする系である」とみなす点で画期的であった。

その後、認知心理学は進化論の影響により進化心理学が派生し、脳科学との交流により認知神経心理学が生まれた。これらの分派も行動経済学に大きな影響を及ぼしている。

行動経済学の成立

このような流れの中で、心理学の一派とみなされている意思決定理論も認知革命の影響を受けてきた。それは行動的意思決定理論と呼ばれるが、源流は一九五〇年代のウォード・エドワーズにまで遡ることができる。一九七〇年代になって認知心理学者たちが判断や意思決定の問題について実験を駆使して多くの研究を始めた。

その後、トヴェルスキー、カーネマンの他にも、ポール・スロビックやバルック・フィシュホフらの認知心理学者たちが研究を展開し、経済学に徐々に影響を及ぼしてきたのである。

行動経済学には公式の誕生日は認定されていないが、一九七九年を「行動経済学元年」とみなしてよいであろう。その年に発行された、理論計量経済学の世界最高水準の雑誌の一つと評されている『エコノメトリカ』誌に、カーネマンとトヴェルスキーの記念碑的な論文「プロスペクト理論：リスクの下での決定」が掲載されたからである。行動経済学は、誕生以来現在までにまだ30年ほどしか経ていない若い学問なのである。

その後、認知心理学者たちの研究の流れに経済学者リチャード・セイラーが加わり、経済学者と心理学者の協働によって行動経済学という分野が確立されていく。

その中の主導的推進者としては、セイラーの他に、経済学出身で行動経済学のすべての領域にわたって独創性を発揮しているカリフォルニア大学バークレー校のマシュー・ラビン、心理学出身で行動ゲーム論の創始者とも言えるカリフォルニア工科大学のコリン・キャメラー、心理学出で行動経済学全般にわたり探究しているカーネギー・メロン大学のジョージ・

ローワンスタイン、社会的行動について独創的な実験研究を数多く行なっている、スイスのチューリッヒ大学の（元）労働経済学者エルンスト・フェールらの名前を挙げることができよう。

さらに、行動経済学陣営に加わる以前から著名であった、サンタ・フェ研究所のサミュエル・ボウルズとハーバート・ギンティスの名前も欠かすことはできない。彼らは主に進化論的観点を重視し、人の社会的行動についての独創的な研究を行なっている。

行動経済学の認知心理学から受けた影響の大きさを強調すると、「では行動経済学は認知心理学の一部なのか。その単なる応用にすぎないのか」という声が聞こえてきそうである。それに対しては、断じて「ノー」と言える。

経済学で長年にわたり蓄積されてきた理論に認知心理学の成果を取り入れて改良するというのが行動経済学の目指す方向であって、標準的な経済学を全面的に放棄あるいは解体して、新しい経済学を一から建設するというものではない。

実験経済学との相違

二〇〇二年のノーベル経済学賞をカーネマンとともに共同受賞したのが、実験経済学者のヴァーノン・スミスであった。実験経済学という学問は研究対象ではなく研究方法につけられた名称である。今まで経済学ではあまり馴染みのなかった実験的方法を用いて、経済理論の検証をするのが目的である。

行動経済学も実験的方法は多用するが、それは研究方法のうちの有力な一つにすぎない。実験的方法なくしては行動経済学の発展は考えられなかったから、その意味では実験経済学に多くを負っているが、行動経済学と実験経済学は別のものと理解しておいた方がよい。

第二段階の行動経済学

さて、行動経済学は新しい学問であるが、既に「第二の段階」を迎えているとラビンは言う。行動経済学はもはや離陸のための滑走期間を終え、今まさに大空に向かって上昇飛行を続けている最中なのである。

一般に確立された理論やパラダイムに反する実例をアノマリー（反例、例外）というが、行動経済学の第一段階は、標準的経済学に対するアノマリーに着目し、人が経済人とはいかに違うかを示す証拠を系統的に収集する段階であった。今やアノマリーは、実験的方法や日常の観察によって、汗牛充棟《かんぎゆうじゆうとう》という言葉がぴったり当てはまる程数多く収集・蓄積されてきた。

第二段階は、そのような行動の体系化・理論化を図り、経済への影響を分析し、政策立案のための提言を行なうという段階なのである。

行動経済学の研究上で注意すべきは、アノマリーの集積は、それが単なる事実の積み重ねであったとしたら、それ自体では何の意味もなく、アノマリーが意味を持つためにはそれが新しい理論創出のきっかけとならなければならないということである。

事実の積み重ねから帰納的に理論が生まれることもあるだろうし、逆に理論の検証のために事実が用いられることもあるが、いずれにせよ「人が事実を用いて科学を作るのは、石を用いて家を造るようなものである。事実の集積が科学でないことは、石の集積が家でないのと同様である」（ポアンカレ『科学と仮説』河野伊三郎訳、岩波文庫）という警句を常に心に留めておかなくてはならない。

第2章　人は限定合理的に行動する……合理的決定の難しさ

「人間のあやまちこそ人間をほんとうに愛すべきものにする」ゲーテ「格言と反省」（『ゲーテ格言集』高橋健二訳、新潮文庫）

「生にも死にも、あらゆる場合に偶然の要素がはいってくる。問題はそれをどう計算するかだ」ダレル・ハフ『確率の世界』（国沢清典訳、講談社）

モンティ・ホール・ジレンマ

「マリリンへ　女は、数学の問題に対する見方が、男と違うのだろう」

「マリリンへ　やっぱり間違っていると思う。女の理屈ってやつだな」

という手紙を出したドン・エドワーズは、

「ドンへ　もう黙りなさい」

という返信をマリリンからもらうはめになった（ヴォス・サヴァント　一九九七、訳書15頁）。

マリリンこと、マリリン・ヴォス・サヴァントは、世界最高のＩＱ２２８の持ち主として『ギネスブック』にも掲載されたという有名な才女である。

彼女は、『パレード』という雑誌で「マリリンに聞いてみよう」という人気コラムを担当し、読者からのいろいろな質問に答えているが、そこに読者の一人から投稿されたのが、第1章の問題1である。

この問題を簡単に言い換えれば次のようになる。

ドアが3つあり当たりは1つだけである。ドアを1つ選ぶと、残りの2つのドアのうちはずれの方が知らされる。そして、最初の選択を変更するチャンスが与えられる。ドアの選択を変更するかしないか、というものである。

この問題は、アメリカで30年近く続いている「駆け引きしよう」という人気のあるショー番組の中で実際に行なわれていたものとほぼ同じで、その司会者の名前をとって、「モンティ・ホール・ジレンマ」と呼ばれている。

多くの人のこの問題に対する解答は、「選択を変えない」である。変更しない根拠は、最初にAを選んでいて、今Cがはずれだとわかった場合、AかBが当たる確率は1／2ずつだから、変更しても有利になるわけではないから変更しない、というものである。あなたの答えはどうだっただろうか。筆者が学生に質問したところ、多数がこれと同じ答えであった。

しかし、この解答は誤りである。正解は、選択を変えれば当たる確率は2／3に上がり、したがって「選択を変える」のが正しい。この正解は意外に思えるかもしれないが、次のように説明すれば納得できよう。

まずAが当たる確率は1／3、BまたはCが当たる確率は2／3である。そして、Cははずれであることがわかったのだから、Bが当たる確率が2／3になり、選択を変えた方がよい。この説明でわかりにくければ、次ページの表を基に考えて欲しい。

今起こっているのは次ページの①～③の場合のどれかである。そして、あなたの選択はA

	A	B	C
①	当たり	はずれ	はずれ
②	はずれ	当たり	はずれ
③	はずれ	はずれ	当たり

であり、はずれのドアが必ず開けられる。そこで実際に生じたのが①であった場合には、変更するとはずれることになる。②の場合には、変更すると当たり、③も変更すると当たりとなって、3通りあるうち2通りで変更すれば当たるのであるから、確率2／3で当たりとなる。

逆に変更しない場合を考えよう。

①の場合には、変更しないと当たり、②、③の場合には、変更しないとはずれとなって、確率2／3ではずれとなる。変更しない場合には確率2／3ではずれるのである。

さて、『パレード』誌のコラム「マリリンに聞いてみよう」でマリリンが与えた答はもちろん「変更しなさい」であった（ただ答の説明の仕方は上とは違ってもっと簡単なものだった）。

ところが、この答が誌面に掲載されるや、全米からマリリンの答は間違っているという抗議が殺到し、その中にはドン・エドワーズもいたし、数学で博士号を取得した研究者や大学の数学教授も含まれていたために物議を醸したのであった。抗議の大半は、１／２が正解でありマリリンの答は間違っているというものだ。この問題には、史上最も多産で生涯に論文を１５００本も書いたとされる、そして数々の奇行でも知られる伝説の数学者、ポール・エルデシュも間違えたし、わが国の著名な経済学者も誤答してしまった。

確率の理解の難しさ

どうやらわれわれは、確率の理解はきわめて苦手なようである。進化心理学者のロビン・ダンバーは「人間は、確率を注意深く計算するように進化していない。そうしなければならないような差し迫った必要はなかったからだ」（『科学がきらわれる理由』、松浦俊輔訳、青土社、１７１頁）と言う。

次の問題を考えてみよう。

隣家に新しく一家が引っ越してきた。子供が２人いることはわかっているが、男の子なのか女の子なのかはわからない。

(1)隣家の奥さんに「女の子はいますか」と聞いたところ、答は、「はい」であった。
もう1人も女の子である確率はいくつか？

世の中に男女は半々いるのだから、1／2と答えそうになるが、正解は1／3である。子供の組み合わせは、女女、女男、男女、男男の4通りあり、女の子が1人いることがわかっているので、男男はない。したがって、この一家の子供の組み合わせは、女女、女男、男女の3通りのうちのどれかであり、もう1人も女の子であるのはこのうちの1通りであって、その確率は1／3である。

次は少し異なる問題である。

(2)隣家の奥さんに「上の子は女の子ですか」と聞いたところ、答は「はい」であった。
もう1人も女の子である確率はいくらか？

(1)と同じように見えるが、そうではない。正解は1／2である。上が女の子の場合の子供の組み合わせは、女女、女男しかない。下も女の子であるのは1通り、つまり確率は1／2である。

次の問題は似てはいるが、また少し違っている。

(3)隣家の奥さんが女の子を1人つれて歩いているのを見た。もう1人の子供も女の子である確率はいくらか？

正解は1／2である。(1)とほとんど同じ情報が与えられているのに、何やら妙な、矛盾した感じのする答えである。しかしこれも(2)と同様に、目撃した1人は女の子とわかっているので、残りの1人は、女の子か男の子のどちらか。つまり確率は1／2である。

人はベイズ・ルールに従うか

次にやはり確率に関する問題2である。

信頼性が99％の検査で陽性と判定されたら、たいていの人はこの感染症にかかってしまった確率が99％だと考えるであろう。ほとんど絶望的である。しかしこの直感も間違いなのである。

もともと、この感染症にかかる確率は1万分の1であるから、１００万人当たり１００人の感染者がいる。検査の信頼性が99％であるということは、１００人の感染者のうち99人が陽性と判定されるわけである。

また、１００万人当たり９９９９００人は感染していないが、この検査を受けるとこの中の1パーセントの人は誤って陽性と判定される。つまり９９９９００人の非感染者のうち９９９９人は誤って陽性となってしまう。

すると、陽性と判定された人は 99 ＋ 9999 ＝ 10098 人いるが、この中で「感染していて陽性の人」は99人だから、

（感染していて陽性の人／陽性と判定された人） ＝ 99/10098 ≒ 0.0098

したがって、実際に感染している確率は、ほぼ1％しかないのである。

これは１００分の1だから、最初の感染率1万分の1と比べると１００倍になったわけであるが、感染してない可能性の方が99倍も大きいのである。最初の絶望とは逆に大きな望み

が出てきたことになる。これが品質検査の結果であったら、不良品と判定されてもすぐに廃棄する必要はなく、追加の検査をした方がよい。

ここで用いた確率の計算法は、「ベイズ・ルール」と言われ、生起確率に関する事前の情報（この場合は感染率）がある時に、ある新しい情報（検査の信頼性）が得られた場合には、事態の生じる確率をどのように更新したら合理的なのかを示している。このような場合に、人は事前確率を無視する傾向にあるというのが、カーネマンとトヴェルスキーの結論である。経済人はもちろんベイズ・ルールに従った結論を出すことができ、陽性と判定されてもうろたえることはないだろう。

この誤りは、確率判断における「基準率の無視」と言われる間違いであり、確率を判断する際に、ある事象の全体に占める割合（基準率）を無視してしまうという誤りである。

次の文について考えてみて欲しい。「ある小学校では冬の間風邪をひいた人の数を調べたところ、99％は12歳以下の子供であった。したがって子供は風邪をひきやすい」。まずふつうの人は当たり前だと思うだろう。小学校なんだからもともと子供ばっかりじゃないかと。そう、このような表現では基準率は無視されないのである。

ところが感染症問題では無視されてしまう。感染症問題のような確率の推定問題はカーネマンとトヴェルスキーが考案、実験をした問題であり、それ以来さまざまなヴァリエーションも含めて数多くの実験がされている。

このような「基準率の無視」については第3章で改めて扱うことにしよう。

論理的推論

問題3はどうだろうか。

E、K、4、7と書かれたカードがあり、「母音が書いてあるカードの裏には偶数が書かれていなければならない」というルールが満たされているかどうかを確認するためにはどのカードをめくって、反対側の面を確かめなければならないかという問題であった。これは簡単な論理の問題であり、正解は、Eと7である。

これもわかりづらい問題の一つで、典型的な誤答は、Eのみ、またはEと4を選ぶものである。正解は、Eは当然であるが、もう一枚、7の裏面も確かめなければならない。もしそこにたとえばAと書いてあったら、ルールに反するからである。4の裏面はどんなアルファベットでもいいのである。

これは形式論理学でいう対偶に関する規則を適用すれば容易に確かめられる。「Pならば

Q」という命題がある時、「Qでないならば P ではない」という命題を対偶といい、もとの命題が真であれば、対偶命題も必ず真であり、逆に対偶が真であれば、もとの命題も真である。この問題に適用すると、「片面が母音ならばもう一方の面は偶数」の対偶は「片面が偶数でない（つまり奇数）ならばもう一方の面は母音ではない」となり、これが満たされているかどうかを、７のカードをめくって、裏面を見て、それが母音ではないことを確認する必要がある。

この問題は心理学者ウェイソンによって考案された問題で「四枚カード問題」と呼ばれている。この問題では、さまざまな被験者を対象に数多くの実験が行なわれているが、多くの場合に正解率は10％以下である。筆者も学生を対象に何回か試みたが、正解率は15％程度であった。ただ、入試で数学を選択した学生の正答率はもう少し高いので、当然と言うべきかほっとしたと言うべきか……。

ここで用いられている推論は論理学のイロハであるが、このような論理的推論についても、われわれ人間はあまり得意でないようである。

しかし、日常生活ではまず出会うことのないこのような内容で、かつ普段あまり使わない純粋に論理学の形式に則った推論は不得手であるが、もっと日常生活と関わりのある内容に関する推論であると正解率ははるかに上昇することが知られている。これについては第9章で述べる。

美人投票ゲーム

問題4は、1以上100以下の好きな整数を1つ選んだ場合に、その数が皆が選んだ数の平均値の2／3倍に最も近い予想をした者が勝つというものであった。この問題では、他の人がどのように考えているのかということを合理的に推測しなければならないという難しさがある。この推測が適切にできればその人は合理的と言えるであろう。

さて、この問題では全員がランダムに選んだときの平均値は50である。そこで、その2／3を考えると33となるが、皆がそう判断できるとすると、勝つためにはその2／3すなわち22がまず候補となるが、ここでも全員が同じ推論をすれば、さらにその2／3に最も近い整数つまり15でなければ勝てない。しかし全員が同じならそれでも勝てないから、その2／3である10なら勝てるであろうか。この思考プロセスを続けていくと、7、5、3と続き、最終的には1でなければ勝者にはなれないことがわかる。

すべての人が合理的であれば同じ推論をするだろうから、全員1という数を提示し、全員が勝者となる。これが合理性を前提とする理論の予測である。つまり、他者の思考を8ステップにわたって考えないと正解には達しないのであるが、さらに難しいのは、他の人も皆そんなに合理的であると考えていいのか、つまり他の人は何ステップくらい考えるであろうかということを推測しなければならないことである。読者の皆さんはこの答えに到達しただろうか？

この問題は古くて新しい問題であり、ケインズの有名な美人投票の話が基になっている。ケインズは、『雇用・利子および貨幣の一般理論』の中で株式投資を美人投票になぞらえて、次のように述べている。鋭い洞察が見られるので、少し長くなるが引用しよう。

「投資は、投票者が百枚の写真のうちから最も美しい六人を選択し、その選択が投票者の平均的な好みに最も近かった者に賞品が与えられる新聞投票に見立ててもよいであろう。この場合には各投票者は彼自身が最も美しいと思う容貌を選ぶのではなく、他の投票者の好みに最もよく合うであろうと思う容貌を選択しなければならないのであって、しかも投票者のすべてが同じ観点から眺めているのである。ここで問題なのは自己の最もよい判断から真に最も美しい容貌を選ぶことでもなければ、いわんや平均的な意見が最も美しいと真実に考える容貌を選択することでもないのである。われわれが平均的な意見は如何なる平均的な意見を期待するかを予見することにわれわれの知力を集中する場合、われわれは第三次の領域に達しているのである。さらに第四次、第五次およびそれ以上の高次を実践する人もあると私は信じている」(ケインズ 一九三六、訳書174頁)。

このゲームを実際にやってみたら、どうなるだろうか? キャメラーは、高校生、大学生、大学院生、大学の理事、ポートフォリオ・マネージャー、経営者などに対してこの実験を行なった。また、セイラーや他の研究者は新聞(イギリスの『フィナンシャル・タイムズ』)や雑誌(スペインの『エクスパンシオン』という経済誌)の読者に呼びかけ、郵便で回答してもらった。

回答の平均値は回答者群別に25~40であり、最も平均値が小さい(15~20)グループは、入試がきわめて難しいカリフォルニア工科大学の学生と、新聞への回答を行なった読者であった。前者は理科系で分析力が高い学生集団であり、後者は、新聞読者を代表する者というより、このような問題に特に関心と知識のある人々だと考えられる。一方、経営者のグループには大会社の経営者や理事などが含まれ、地域経済への影響力も強く「最も合理的」と考えられる人々であったが、成績は最も悪かった。

筆者もほぼ同じ実験を、「ミクロ経済学」を受講している短大1年生201名に対して行なってみた。その結果、平均値は24で、その２／３に最も近い整数である16と答えた者４名が勝者となった（賞金ではなく、成績評価の際にボーナス得点５点をプラスした）。16前後の答えを出した数名に後でインタビューしたところ、３ステップ程度の推論を行なったという返答であった。１という回答も３名からあったが、残念ながらその根拠は明確ではなかった。

最終提案ゲーム

問題５は、１０００円を自分と見知らぬ人に分配する問題であるが、相手には拒否権があり、あなたの提案どおりに分配されるかまたは２人とも一銭ももらえない。相手にいくら渡すかという問題であり、「最終提案ゲーム」と呼ばれている。

この問題には確たる正解はないが、あなたが経済人であり、相手も経済人であると予想するならば、自分が９９９円得て、相手には１円だけ渡すのが正解となる。相手も経済人であるから、０円より１円でももらう方がいい。したがって、あなたからの提案が１円以上であれば拒否しないはずである。あなたは、そのことを正確に予測しているから、自分の取り分がなるべく多くなるように９９９円手元に置くことになる。相手の取り分は１円である。

この答えで納得しただろうか?

このゲームは単純で、参加者が問題を誤解する心配もないので実に数多くの実験がなされ、多数の論文が公刊されている。初期には学生の参加による実験が多かったが、やがて、社会人ならどうか、社長ではどうかとか、男女差を見たり、子供で試したりとか、金額が給料何ヶ月分にもなるほど多かったらどうなるかとか、国際比較してみようとか、先進資本主義だけではなく狩猟採集民族ならばどう行動するか、個人でなくグループだったらどうか、といったほぼ考えられる限りのヴァリエーションが試されている。そしてほとんどすべての実験結果で共通しているのは、経済人と同じ行動(1円の提案)をする人はほぼまったく見られず、大半の人は相手に30~50%の金額を提案することである。

筆者が40人の学生に対して行なった実験でも、平均提案額は482円であり、500円の提案を行なった学生が一番多く、500円未満の提案を行なった者は1/4しかいなかった。しかも最低額は250円であった。

人は標準的経済理論が予想するような利己的な行動をとらないのである。しかしだからといって、「人は利己的ではない」と単純に結論するわけにもいかない。

この話題も含めて、最終提案ゲームについては、第8章で詳しく検討する。

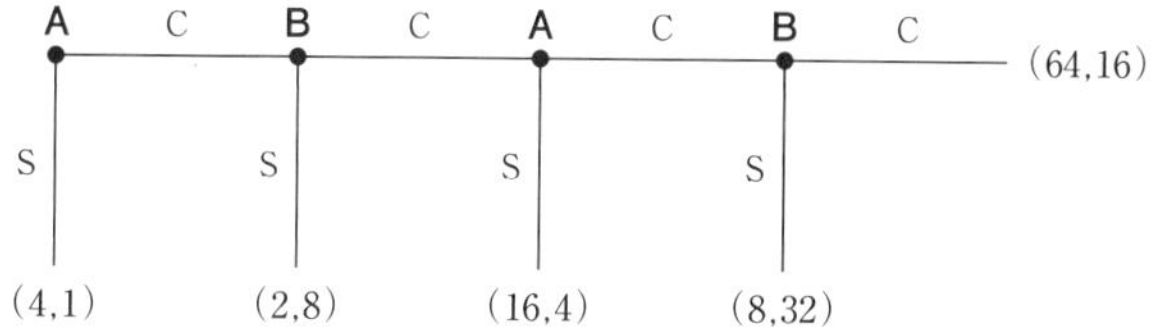

図2-1　ムカデ・ゲーム

ゲーム理論と合理性

次の図２－１のようなゲームを考えよう。

こんどは、ゲーム理論が予想するような合理的行動を、人が実際に行なうかという問題である。

このゲームは、Ａ、Ｂ２人のプレイヤーが交互に手を選び、選んだ手によって２人の配分額が決まるゲームである。

最初にＡが手を選ぶが、続行（Ｃ）を選ぶと次はＢの番となり、終了（Ｓ）を選ぶと、Ａは４、Ｂは１の利得が得られゲームはそこで終わる。

図の（４、１）は、カッコ内の左の数字がプレイヤーＡの利得が４であることを、右の数字がプレイヤーBの利得が1であることを表わしている。

もし最初の番でAがCを選べば、次はBの番であり、やはり続行（C）か終了（S）を選ばなければならない。Cなら次はAの番、Sならそれぞれが（2、8）の利得を得て終了である。これが第4段階まであるのが、図2−1のゲームである。

このゲームは、さらに右に長く続くと足がたくさんある虫のように見えるので、「ムカデ・ゲーム」と呼ばれている。

プレイヤーA、Bの2人とも経済人である、つまり合理的でかつ私益追求するとしたら、このゲームはどこで終わると予想されるであろうか？　つまりどちらがどの段階で、「終了」を選択するであろうか。

最初はAの番であるから、Aの立場で考えよう。

もし最後の4段階まで行ったとしたら、BはS（終了）を選ぶだろうと合理的に推測できる。なぜならBは経済人であるから、C（続行）を選ぶと自分の利得は16であるが、Sなら32得られるからである。

Aはこれを予測しているから、その前の第3段階でS（終了）を選ぶことになる。なぜなら、そこで止めれば利得は16であるが、続行を選ぶと、先ほどの推論により、利得は8に減ってしまうからである。

もちろんBも経済人であるから、そんなことはわかっている。その前に自分の番である第2段階で止めれば8の利得が得られるが、第3段階まで行っても4しか得られないから、終了を選ぶ。

すると、Aはもちろんこれを見抜いていて、続行を選んで第2段階に行けば利得は2に減ってしまうから、最初の段階で終了させるのである。そうすれば利得4が得られる。かくして、Aは4、Bは1の利得を得てこのゲームは終了となる、と予測できるのである。

このような推論の方法を「後ろ向き推論」という。スタートからではなく、逆に最後の分岐点からスタートに向かって推論していくからである。

これは論理的には納得がいくが、直感的にはしっくりこない方法である。最終点まで行けば2人とも16倍もの利得が得られるのに、なぜそれを放棄して（4、1）で満足してしまうのだろうか。こんな結果に終わってそれでも合理的といえるのか、経済人として恥ずかしくないのか、と言いたくならないだろうか。

このゲームを実際に試行させてみるというマッケルヴィとパルフリーによる実験では、第1段階で終了となった頻度から順に言うと、それぞれ7、36、37、15％であり、最後の段階で続行を選んだのは、わずかに5％であった。合理性信奉者による予想は見事にはずれたようだ。

このゲームは、有名な「囚人のジレンマ」の動学版である。つまり、囚人のジレンマでは、2人のプレイヤーが同時にプレイするが、ムカデ・ゲームでは、プレイが交互に進められていくという違いがあるだけである。このようなゲームは、交互進行ゲームと言われる。

よくご存じの読者も多いと思うが、念のため囚人のジレンマを簡単に解説しておこう。

囚人のジレンマ

このゲームが囚人のジレンマと呼ばれているのは、あまり現実的ではないが、次のようなストーリーが与えられているからだ。

ある事件の容疑者としてA、Bの2人が逮捕され、検事の取り調べを受けている。検事は、A、Bを別々の部屋で取り調べ、それぞれに次のように言う。

「自白しろ。おまえが自白して、あいつが黙秘すれば、おまえは捜査に協力したのだから無罪放免、あいつは懲役8年だ。あいつが自白しておまえが黙秘すればその逆。2人とも黙秘すれば、別件の微罪で2人とも懲役1年。ただし2人とも自白したら、反省していると解し

		B 黙秘	B 自白
A	黙秘	(−1, −1)	(−8, 0)
A	自白	(0, −8)	(−5, −5)

表2-1　囚人のジレンマ

て懲役は5年ずつだ」。

このことが利得として表2－1に表わされている。数字は懲役の年数だが、不効用をもたらすのでマイナスをつけてある。先ほどの例と同様に、カッコ内の前の数字はAの、後の数字はBの効用を表わしている。

さてこの容疑者A、Bはどうすればよいだろうか？

まずAの立場で考えると、Bが黙秘したら自分も黙秘すると懲役1年だが、自白すれば無罪放免だから自白した方がよい。

ではBが自白した場合にはどうか。自分が黙秘すれば懲役8年だが、自白すれば5年ですむ。だから自白した方がよい。つまり、Bの態度にかかわらず自白を選ぶことになる。

この論理はBにとっても同じだから、Bも自白することになる。結局、2人とも自白してしまい、仲良く5年ずつの懲役となるのである。もし、2人とも黙秘できれば、1年の刑で済んだのに……。

これはムカデ・ゲームと同じ構造である。合理的に推論したばかりにかえって、最悪ではないけれど悪い結果になってしまった。

2つの戦略の「黙秘」を「協力」、「自白」を「裏切り」に置き換えれば、利得構造は同一であっても、社会における協力関係を表わしていると考えることができる。

たとえば、2人で協力して仕事をすれば高い成果が得られるが、2人とも他方の仕事にただ乗りして怠けることで、より高い利得が得られるからである。経済人ならば当然裏切りを選択するはずである。

しかし、主に心理学者や経済学者によって行なわれた実験によると、およそ30~70%の人が協力行動を選択することがわかっている。

囚人のジレンマは経済学ばかりでなく、心理学、社会学、政治学から生物学まで多くの研究者の関心を引いている。

人は合理的か

さて、以上の議論を見ると、人はどうみても合理的ではなさそうだという結論を出したくなるであろう。たいていの人は、標準的経済学が前提としている経済人ではありえないような解答をしてしまうと予想できるからである。

しかし、ここで強調しておくべきことは、本章で挙げたような問題で間違えたり、経済人とは違う決定をすることが多いというのは事実であっても、そこから「人は合理的ではない」という、人間の非合理性を決めつけるような結論を安易に出すことは（実際にそのような文献も見られるが）、はっきり言って間違いだということである。

人は、完全に合理的ではないが、そこそこは上手くできるという意味で「限定合理的である」と言うのが一番適切である。その内容については次章以降で詳しく見ていくことにしよう。

人間のすばらしい能力

以上では人間が上手く判断できなかったり、間違ってしまうことばかり取り上げてきたので、まるで、人間はアホであると言わんばかりで、人間はいかに非合理的であるかを述べ立ててきたように思えるかもしれない。

悪い面だけ並べると人間に対して失礼なので、逆にすばらしい能力についても触れよう。

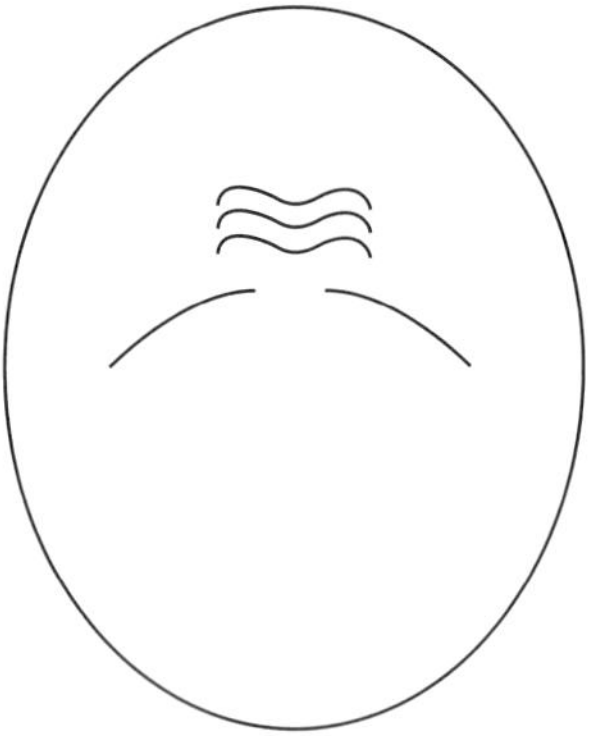

図2－2

図2－2は、何に見えるだろうか。

そう、多くの人がわかったように、これは沈鬱な、悩んでいる顔である。この絵には目も鼻も口も描かれていないのに顔であると認識でき、しかもそれが喜んでいるのでも笑っているのでもなく、沈んでいる顔であると直ちに見抜くことができる。これはすばらしい能力である。

家族や知人などの顔を思い出して欲しい。絵に描くことや言葉で説明することは上手くできないかもしれないが、顔を思い浮かべることはすぐできるだろう。声を聞いただけで誰であるかわかるし、足音を聞いただけでわかる人もいる。30年ぶりに会った友人の顔を直《す》ぐに見分けることもできる。その理由を上手く説明できないとしても、顔を見たり声のトーンを聞いただけで人が今どんな気持なのかがある程度は推測できる。子供は、凸型の積み木を車に見立てて遊ぶこともできる。明示されていない情報を読みとることができるのは人間のきわめて優れた能力である。この能力のために、子供は「ごっこ遊び」や「見立て遊び」ができるのだ。母国語の習得能力もすばらしく巧みだ。これらの能力は人が生まれながらにして持っているものである。

このような優れている点を見逃して、単に「人間は非合理的だ」と断定することはなんと非合理的であることか、それればかりか、まったく間違った結論である。そのことも順次見ていくことにしよう。

第3章　ヒューリスティクスとバイアス……「直感」のはたらき

「世界が確率の法則に従うのはあきらかだ。けれども、われわれの心は確率の法則にもとづいて作動するようには創られていない」　スティーヴン・ジェイ・グールド『がんばれカミナリ竜』（廣野他訳、早川書房）

「もっとも偉大な人とは、自分自身の判断を思いっきり信じられる人たちのこと——もっとも馬鹿な人も同じだが」　ポール・ヴァレリー（東・松田訳、『ヴァレリー・セレクション』上巻、平凡社）

ヒューリスティクスとは何か

入試数学の勉強をしていて『チャート式』という参考書を使ったことのある人は少なくないだろう。

チャートというのは本来は海図のことであるが、ここでは問題解決の指針を意味している。筆者が受験生時代にお世話になった『チャート式　数学I』（教研出版）には、因数分解のところで「まず、次数最低の文字について整理する」と赤字で大書してある。この方針によって、どこから手をつけていいかわからない問題を解くための鍵が手に入る。このような方針はしばしばヒューリスティクスと呼ばれている。

ヒューリスティクスは、問題を解決したり、不確実なことがらに対して判断を下す必要があるけれども、そのための明確な手掛かりがない場合に用いる便宜的あるいは発見的な方法のことであり、日本語では方略、簡便法、発見法、目の子算、さらには近道などと言われる。

アルバート・アインシュタインは、ノーベル賞を受賞した一九〇五年の論文で、ヒューリスティクスを「不完全であるが役に立つ方法」という意味で用いているし、著名な数学者であるG・ポリアは、ヒューリスティクスを「発見に役立つ」という意味で用いて、数学的な問題解決においてもヒューリスティクな方法はきわめて有効であることを示すために、一冊の書物を著わした。

ヒューリスティクスに対比されるのがアルゴリズムであり、手順を踏めば厳密な解が得られる方法のことである。たとえば三角形の面積を求める公式がアルゴリズムの好例であり、（底辺×高さ）÷2という公式に当てはめれば三角形の面積は必ず求めることができる。「急がば回れ」とか「兎に角やってみよう」といった諺や格言の類はヒューリスティクスであり、日常生活で役立つ一面の真理を捉えている。

ヒューリスティクスを用いる方法は、多くの場合にはある程度満足のいく、場合によっては完全な答が素早くかつたいした労力もなしに得られるという点でサイモンの「満足化」原理（31頁参照）と同様の考え方である。しかし、ヒューリスティクスは完全な解法ではないだけに、時にはとんでもない間違いを生み出す原因ともなってしまう。

不確実性がある場合の意思決定を理論化する場合には確率が必要であるから、人々が確率をどのように捉えているのかは重要である。

われわれはふつう確率という言葉で、ある人が選挙に当選する見込み、景気が良くなる見込み、試合で一方が勝つ公算というような「見込み」を表現する場合に用いる。通常そのような確率は何らかの根拠に基づいて客観的に判断されることもあるが、大部分は直感的に判断される。直感的な判断によって得られる主観確率は、果たして正確なものであろうか。

カーネマンとトヴェルスキーは一連の研究の中で、人間が確率や頻度についての判断を下す時にはいくつかのヒューリスティクスを用いるが、それによって得られる判断には客観的な正しい評価とは大きく隔たるという意味で、しばしば「バイアス（偏《かたよ》り）」が伴うことを明らかにした。

利用可能性ヒューリスティク

ヒューリスティクスの第一のものは「利用可能性」である。利用可能性とは、ある事象が出現する頻度や確率を判断する時に、その事象が生じたと容易にわかる事例（最近の事例、顕著な例など）を思い出し、それに基づいて判断するということである。

ここで重要な役割を果たしているのは記憶、特に長期記憶である。貯蔵した記憶から直ちに使えそうな事例が浮かび、それによって判断を行なうのが、利用可能性ヒューリスティクなのである。しかし、記憶した内容がさまざまな原因に影響されて改変されたり、一部しか覚えていなかったりといったことは日常よく経験する。そこで、容易に頭に浮かぶことが、必ずしもその対象の頻度や確率を正しく表わしていない時にはバイアスが生じることになる。

トヴェルスキーとカーネマンは次のような質問を被験者にした。

> ①小説の4ページ分（約2000語）の中に7文字の単語で末尾がｉｎｇで終わるものはいくつあると思うか。
> ②小説の4ページ分（約2000語）の中に7文字の単語で6番目がｎのものはいくつあると思うか。

回答の平均は、①では13・4個、②では4・7個であった。

回答者が、ｉｎｇで終わる単語の方が、6番目がｎである単語より多いと見積もったのは、後者よりも前者の方がその形の単語（たとえばrunning、evening）が思い出しやすい（すなわち入手が容易だ）からである。しかし、①に当てはまる単語は当然のことながら②の条件を満たしていて、逆に②を満たしているが①を満たさない例（たとえば、daylong、payment）は数が多いから、②の方が単語数は必ず多い。しかし回答者の答は逆になっている。

この実験結果は確率が満たさなければならない性質のうち連言事象に関する規則に反する

ことになる。つまりA、Bを2つの事象とするとAかつBが生じる確率は、Aが生じる確率とBが生じる確率のどちらよりも大きいことはありえない。

たとえば、家を出た時に最初に出会う人が女性で眼鏡をかけている確率は、最初に出会う人が女性である確率と、眼鏡をかけている人である確率それぞれより高いことはありえないのである。このようなバイアスはしばしば「連言錯誤」と呼ばれており、確率に関するバイアスの中で最も多く生じるとされている。

利用可能性から生じるバイアスの例は、セイラーも報告している。アメリカでは、自殺と他殺はどちらが多いかと尋ねると、大部分の人は他殺と答えるそうである。このバイアスも利用可能性が原因である。

他殺事件の記事はマスコミを通じて毎日のように接するためすぐに頭に浮かぶが、自殺の例は思い当たることが少なく、マスコミの記事もはるかに少ないからである。セイラーによると一九八三年にはアメリカで、年間に自殺者27300人、他殺者20400人だそうである。

最近の日本では自殺が明らかに多く、また自殺の増加が問題となっていて報道も多いことから、このような誤りは生じないであろう。

メディアや親しい友人、家族、権威（がありそうな）者などからもたらされた情報、自分の感情に強く訴えかける出来事や情報などは印象や記憶に残りやすく、情報の信憑性や出来事が生じる確率は高いと判断されやすいのである。

最近、大きな地震が頻発しているが、大地震の直後には防災グッズの購入者や地震保険の加入者が増加することはよく知られている。日本ではＢＳＥに感染した牛が見つかった直後に牛肉忌避騒動があった。これらは利用可能性ヒューリスティクが確率の見積もりを増加させて、さらに行動を変えさせた例である。

現実のイメージ

利用可能性を生み出す要因の一つに、対象となっている事態や出来事が現実のものとしてイメージしやすいことがある。

シャーマンらは次のような興味深い実験を行なっている。女子大学生１２０名に対して、学内で仮想的なある病気が蔓延する兆しがあるので、その症状が書かれている紙を読んで、自分がこの病気にかかる可能性の程度を判定するよう依頼した。

学生は４つのグループに分けられ、グループ１には、この病気にかかると、活力低下、筋肉痛、しばしばひどい頭痛が起こるなど症状について具体的で以前に経験のありそうな記述がされている紙が渡された。

グループ2には、もっと抽象的な記述がされている紙を読んでもらった。つまり症状は、方向感覚の若干の喪失、神経系の機能不全、肝臓の炎症などである。そして被験者は、症状を読んだ後で自分が3週間後にこの病気にかかっていそうな程度を10段階で評価した。

グループ3と4に対しては、症状の記述はグループ1、2とそれぞれ同じであるが、この病気になったとしたら3週間後に自分がどのような症状を示しているのかを具体的にイメージしてから、この病気になる程度を判定するように求めた。

結果は、この病気にかかる可能性が最も高そうだと判断したのは、グループ3のメンバーであり、次にグループ1、グループ2と続き、グループ4のメンバーが最もかかる程度が小さいと判定した。

つまり、症状の記述が具体的で自分がかかっているところをイメージしたグループは、最もかかりやすいと思い、逆に症状があいまいなために、自分がかかっているところがイメージしにくいグループが病気に最もなりにくいと判断したのである。

喫煙や飲酒などの習慣がなかなか止められないのは、行為時点とその結果が現われる時点とが時間的に大きく隔たっており、行為する時点では、長い間たった後にどんな結果が引き起こされるのかについて想像するのが難しいことが原因の一つである。したがって政策的に禁煙を推進するとしたら、喫煙はガンにかかる確率を上昇させると主張するより、ガンになった場合の悲惨さをアピールする方がキャンペーンとしては効果的であろう。

運転免許証の更新時講習では、交通事故現場の模様をビデオで見せることが多いが、この方法は事故の確率を数値で示すより有効である。

さらに、利用可能性ヒューリスティクによって、社会的な情報がどのように伝達され、人がそれをどのように学習するかに関して影響が及ぼされる可能性がある。入手しやすい情報は人から人へと伝達されやすく、ある考えや判断が社会に広く行きわたることもある。特にインターネットの普及によって、その速度は速くなっている。

後知恵バイアス

利用可能性ヒューリスティクが引き起こす他のバイアスの一つが「後知恵バイアス」である（後述のアンカリング効果であると考えることもできる）。起こってしまった後で「そうなると思ってた」とか「そうなることは初めからわかっていた」などと言うことはよくある。

このように結果を知ってから、あたかも事前にそれを予見していたかのように考えてしまうバイアスを、後知恵バイアスという。

ポールが行なった実験では、46人の被験者に、アガサ・クリスティの書いた本の数を推定させた。推定の平均値は51冊であった。後日、被験者に正解（67冊）を知らせ、自分のもともとの予想を思い出すように言ったところ、その平均値は63冊に上昇した。つまり、結果を知った後では、自分が正解により近い予測を行なったと考える人が多かったのである。この後知恵バイアスは、利用可能性ヒューリスティクによって生まれる。事態が生じた後では、そのことが事実として印象に残り、そこで、事前に予測した値を過大評価してしまうのである。

後知恵バイアスは経済行動に影響を及ぼす可能性がある。

ある銘柄の株価が下落した後で、「こうなるのはわかっていたんだから、他の株に投資すればよかった」とか、「素人の自分でさえそう思うのだから、株を薦めた証券会社の専門家には当然わかっていたはずだ」などと考え、訴訟にまで発展するかもしれない。

あるいは、良さそうに見える物が安く買えたので喜んでいたのに、実際には粗悪品だったとき、「安いから悪い物だと思ったんだ」などと考えるのも後知恵バイアスの例である。

代表性のワナ

人々がよく用いるヒューリスティクスの二番目が「代表性」である。これは、ある集合に属する事象がその集合の特性をそのまま表わしているという意味で「代表している」と考えて、頻度や確率を判断する方法である。これはある事象がそれが属する集合と「類似している」と考えてしまうこととも言い換えられる。その集合の持つ特性と現実の事象の特性の関連性が薄い場合には、さまざまなバイアスが生じることになるのである。次の例もトヴェルスキーとカーネマンによる。

> ４面が緑、２面が赤のサイコロがある。このサイコロを何回か振った場合に、次の３つの系列のうちどれが最も生じやすいと思うか。Ｇは緑色の面、Ｒは赤色の面を表わす。
>
> ①　ＲＧＲＲＲ
>
> ②　ＧＲＧＲＲＲ
>
> ③　ＧＲＲＲＲＲ

多くの人は②を選び、次に①であり、③を選んだのはごくわずかであった。
つまり②の順番が最も起こりやすい、すなわちサイコロの面の出現系列として「代表的」であるという判断がされたからである。ところが、②は①の先頭にGを付け加えたものであるから、①の方が②より出現頻度は高いと考えなくてはならない。この例でも連言錯誤（70頁参照）が生じている。

ある町に大、小2つの病院がある。平均して大病院では1日に45人、小病院では15人の子供が生まれる。当然だいたい50％が男児である。しかし正確な割合は日によって異なり、男児が50％より多い日もあれば少ない日もある。60％以上も男児が生まれたという日数は、1年間に大病院と小病院のどちらが多いだろうか。

カーネマンらによる実験では、大病院という答が21％、小病院が21％、ほぼ同じが53％であった。
確率論に基づいて正解を計算すると、このような日は大病院では約27日、小病院では約55日となる。標本が大きいと母集団の平均値（50％）に近い値が得られるのがふつうである。

このように、標本が大きい方が母集団の性質をよりよく表わしているという法則が「大数の法則」であり、確率論の基本定理の一つである。たとえば、偏りのないサイコロを振った時に出る目は、振る回数が少ない時には特定の目に偏ることがあるが、振る回数を多くすれば、どの目が出る割合も1／6に近づくことである。

この例での誤りは、男児の出生率が50％というのが「代表性」を持つ数値であるので、それを病院の大きさ（標本の大きさ）とは無関係なものとして適用したため生じた。つまり、少数からなる標本であっても、母集団の性質を代表すると考えてしまうバイアスであり、「少数の法則」と呼ばれる。

ギャンブラーの誤謬

トヴェルスキーとカーネマンが、「ヒューリスティクスとバイアス」研究プログラムを開始するきっかけとなったのは、数理心理学者や統計学者といった専門家でさえ、時には少数の法則の誤りに陥ってしまうことに気づいたからだそうである。

学校の教員は、少人数のクラスであっても、成績の良い生徒から悪い生徒まで一様に分布していると思い込むことがある。また毎週株価の予測をしているアナリストが3週連続で予測を的中させるとそのアナリストは優秀だと判断したり、逆に3週連続で予測をはずすと、無能だと判断したりしがちであるが、その事実だけでアナリストの優劣を判断するのは早計である。これは少数の法則によってバイアスがかかった例である。

同様に、20回のコイン投げの途中で5回続けて表が出たら、次は裏となる確率が高いと判断してしまうのも同じ間違いである。この例は「ギャンブラーの誤謬」として知られている。野球の試合中継で、シーズン2割5分打っているバッターがその試合ではそれまで3打数無安打だと、解説者が「確率からいっても次の打席ではヒットが出るはずだ」と言ったりするが、これもギャンブラーの誤謬の一例である。

平均への回帰

プロ野球の試合で、その日に一軍に昇格したばかりの新人がヒットを3本打ち、イチローが同じ日に無安打ということもありうる。この事実だけで、この新人は優秀でイチローは無能であると判断したら間違いであることはすぐわかる。長期的に見れば、新人は打率2割3分でイチローは3割以上をマークすることがありそうだ。ある1日だけではこの新人はイチローを上まわる成績を残したとしても、他の日の試合ではそうはいかず実力が徐々に現われてくるのである。

つまり短期的には打率は上下しても、大数の法則により長期的には平均値（打率）に収束するのである。この現象を「平均への回帰」という。

平均への回帰を無視するのも、少数の法則による誤りである。１試合という小さなサンプルから実力を評価してしまう誤りである。二〇〇五年シーズンに99敗して断トツ（？）で最下位だった楽天ゴールデンイーグルスでさえ、中日ドラゴンズに３連勝したことがある。短期のデータだけから実力を推し量るのは間違いのもとなのだ。

プロ野球の世界では「二年目のジンクス」があり、一年目に活躍した選手は二年目には成績が落ちると言われる。この現象は事実であるとしても、その原因として、一年目は一生懸命だったのに成績が良かったら慢心して二年目は怠けるせいだとか、二年目は相手投手が警戒して厳しい球が多くなるから打てなくなるのだといったような解釈がされている。そういった要因を全く否定するのではないが、平均への回帰であると考えるのが妥当である。

一年目に良い成績をあげた選手は二年目には成績が落ちるのが、逆に一年目に成績が悪かった選手は二年目には成績が上がるのがふつうなのである。二年目に一年目の好成績を維持したり、さらに上がる選手は、それだけの高い実力を持っているのだ。ただこの場合には二年目のジンクスとは無縁だと言われるのである。

学校の教師は、生徒の実力を一回の試験の成績で判断しがちであり、中間試験ですばらしい成績をとった生徒が期末試験で悪くなると怠けていたからだと推測し、逆に中間試験が悪くても期末試験で良くなれば頑張ったからだと結論したくなるが、これも平均への回帰で説明がつくことが多い。

カーネマンは一時期、軍隊に勤務していたが、そこで次のような経験をしている。

戦闘機の操縦訓練ですばらしい曲技飛行をした訓練生を褒めると、次の飛行はあまり上手くいかず、逆に下手な飛行をした訓練生を叱ると、次には上手くできることが多く、そこから、「褒めると成績は悪化し、叱ると上昇する」という法則（?・）を導き出した教官がいた。教育学や心理学の研究からこの法則は否定されており、これはまさに平均への回帰を見誤った好例と言えるだろう。

学校や企業における教育訓練や仕事の成果の評価と、生徒や従業員の動機づけに関して、このような例は重要な示唆を与える。

基準率を無視した思い込み

代表性ヒューリスティクから生み出される第二のバイアスが、第1章、第2章で検討した確率判断における基準率の無視あるいは過小評価である。

重い感染症にかかっているかどうかの検査で陽性であっても、その病気がきわめて稀なものであるならば、そして検査の信頼性が100%ではない限り、感染していない可能性が直感的予想よりはるかに高いのである。病気である確率は、その病気がどの程度の発生率であるかに依存するから、基準率は無視できないはずである。

それなのに、検査で陽性であるということはまさにその病気にかかっているということを代表していると考えてしまう。たとえ基準率を考慮したとしても、陽性であるという事実が代表的であることには変わりない。したがって、検査で陽性であるという代表性のある事実だけが着目されて基準率は無視され、その結果、病気に感染していると過大に信じ込んでしまうのである。

同様に、夜中に全身黒ずくめの服装で目つきの悪い人間に路上で出くわしたとしたら、すぐに泥棒か何かの犯罪者ではないかと思ってしまうだろう。いかにも泥棒を「代表している」ような格好だからである。しかし、その直感は正しいとは限らない。犯罪者の一般的な存在割合（基準率）を考慮に入れれば、その人が犯罪者である確率は直感的判断より割引いて考えなければならない。
警視庁の発表によると、歩行者の交通死亡事故のうち約半数は被害者の自宅周辺で起こる。したがって、「なるべく遠出する方が安全である」。この推論のどこがおかしいのだろうか。答は読者にお任せしよう。

ある雑誌で見つけた記事にこういうのがあった。「日記をつけるのが成功の秘訣!」「会社の社長たちにインタビューしたところ、彼らの70%は毎日日記をつけていた。日記をつけてその日あったことを振り返り、反省したり決意を新たにすることが成功につながったのだろう」。これを読んで「オレも今日から日記をつけよう!」と思った人がいるかもしれない。

では次は筆者の発見(創作?)だがどうだろうか。「会社の社長たちにインタビューしたところ、彼らの90%が毎日歯を磨いていた。歯を丈夫に保てば、乾坤一擲《けんこんいってき》、ここ一番という時に歯をくいしばって頑張ることができるから成功を収めたのだ。歯を磨くのが成功のもと!」。

社長たちは長男が一番多かった。「オレは次男だから社長になれる見込みは小さい」と結論した人には何と言えばよいだろうか。

アンカリングと調整

トヴェルスキーとカーネマンが第三のヒューリスティクとして取り上げたのが「係留（アンカリング）と調整」である。

不確実な事象について予測をするとき、初めにある値（アンカー＝錨《いかり》）を設定し、その後で調整を行なって最終的な予測値を確定するのが「アンカリングと調整」というヒューリスティクである。しかし、調整の段階で、最終的な予測値が最初に設定する値にひきずられて、十分な調整ができないことからバイアスが生じることがある。

このバイアスはアンカリング効果と呼ばれることもある。船が錨（アンカー）を降ろしている時には、錨と船を結ぶともづなの長さの範囲内だけは波間を漂うことができるが、動ける範囲は錨の位置によって制限されることの比喩である。

アンカーとなる最初の値は、自分自身で考えて選んだ場合もあるし、外部から、しばしば問題とは無関係に与えられることもある。

カーネマンとトヴェルスキーは、8×7×6×5×4×3×2×1はいくつかという質問に対して即答するよう求めた。回答の中央値は２２５０であった。別の被験者には、1×2×3×4×5×6×7×8という問題を出したが、回答の中央値は５１２であった。正解はもちろん両者同じで40320である。

これは暗算をする時、はじめのいくつかの項を計算してアンカーとし、残りの部分を適当に乗じて最終的な予測値を出すための「調整」を行なうのであるが、調整が不十分のために見積もりが正確にできなかった結果であると考えられる。そこで予測値は、問題が降順で示された場合（前者）にはより大きく、昇順（後者）ではより小さくなる。この例ではアンカーは最初のいくつかの数字の積という形で、自分自身によって指定されている。

また、カーネマンとトヴェルスキーは、国連加盟国のうちアフリカの国々が占める割合を尋ねた。その際、この質問の前に1から100までの数字が書いてあるルーレットのような円盤を被験者の前で回して、当たった数字を1つ指定した。被験者はまず問題の答がその数字より大きいか小さいかを答え、その後で問題の国の数を回答した。

面白いことに、最初のルーレットの数字が10の時には、回答の中央値は25であり、最初の数字が65の時には回答の中央値は45であった。つまり全くランダムに生成された、問題とは全く無関係な数字であっても、回答に大きな影響を及ぼしたのである。

筆者はさらにこの現象を確かめるために、学生に対してまずこれと同様の問題を示し、次に各自の学生番号の下2桁を書かせてから、回答を求めたことがある。学生番号の下2桁は明らかにこの問題とは関連がない。すると、学生番号の大小と回答の数の大小にはまったく関連は見られなかった。つまり、提示の順番を変えただけで、学生番号のアンカーとしての機能は消滅したのである。ルーレットで決定されたような無意味な、ランダムな数が外部から与えられた場合でも、それが当該の問題を考える前に示されると、その後で被験者が考える最終的な予測値は、最初のアンカーに影響されてしまうのである。

アンカリング効果は判断や決定に関する非常に広い範囲で見られ、アンカーの影響は強く、それを除去することは難しいことが指摘されている。

商品を買う時に、価値に基づく正しい価格がわかるのは稀であり、たいていの場合には、定価や正価といった表示を見て妥当な価格を判断する。商店で、希望小売価格二万五千円、販売価格二万三千円といった表示がよくされているが、希望小売価格がアンカーになっているので、販売価格は安いと判断される。また自分の持っている物を売りたい時には妥協できる価格より高い提案を行ない、何かを買いたいときには低い提案を行なうのは交渉術のイロハであるが、これはアンカリング効果をたとえ意識しなくても用いていることによるものである。

行動ファイナンスの専門家であるロバート・シラーは、アンカリング効果が株式市場にもたらす影響について述べている。

株価は経済や企業の基本的な実力であるファンダメンタルズに基づいて決定されるというのが標準的なファイナンス理論の主張であるが、投資家は適正な株価水準を知っているわけではないし、限定合理性により知ることはできない。そこで株の売買に関して、何らかのアンカーを手掛かりにして判断するという。アンカーの代表的なものは投資家が判断規準とする数値であり、記憶にある最も新しい株価や東証平均、日経平均といったよく知られた株価指標などである。他の銘柄の最近の株価、株価収益率もアンカーとなりうる。

専門家も惑わされる

一般の人ばかりでなく専門家もアンカーに左右されるという実験結果がノースクラフトとニールによって示された。彼らは、専門家と素人の被験者に住宅の販売価格を見積もるという作業を依頼した。

まず販売対象の住宅を点検してもらい、被験者には住宅の詳しい情報や近隣住宅の価格を含む情報の記載してある10頁もあるパンフレットを渡した。また、被験者は4つのグループに分けられ、それぞれに異なる希望販売価格が提示された。最も低い提示希望販売価格は

119，900ドルであり、最も高い希望販売価格は149，900ドルであった。被験者に、推奨販売価格と購入するとした場合の購入価格等を見積もってもらった。

その結果、不動産売買の専門家である被験者のうち、低い方の希望販売価格を知らされた人たちの査定価格の平均値は114，204ドル、販売価格は117，745ドル、購入価格は111，454ドルであった。一方、高い方の希望販売価格を知らされた被験者たちの査定価格の平均値は128，754ドル、販売価格は130，981ドル、購入価格は127，318ドルであった。

この相違はアンカリング効果以外では説明できない。一般の人たちの見積もりでも同様の傾向があった。さらに実験後、被験者に、見積もりに当たってどの情報を重視したかを3つ書いてもらったところ、提示された希望販売価格を挙げたのは、専門家のうちわずか8％、素人のうちたった9％にすぎなかったのである。

裁判の判事でさえアンカリング効果の影響を受けることが実験的に確かめられている。

イングリッチらの実験によると、経験を積んだ判事であっても判決が求刑（アンカー）に影響され、同一の事件に対して34ヶ月の求刑がされた時と、12ヶ月の求刑がされた時では、判決に8ヶ月もの差が出たという。しかも求刑は、法律には素人であるコンピュータ専攻の学生が行なったのだ。アンカリング効果おそるべし！

アンカリング効果から確証バイアスと言われる傾向が生じる。確証バイアスとは、いったん自分の意見や態度を決めると、それらを裏付ける情報ばかり集めて、反対の情報を無視したり、さらに情報を自分の意見や態度を補強する情報だと解釈するというバイアスのことである。さらに、確証バイアスから自信過剰という傾向が生じることもわかっている。

カーネマンとトヴェルスキーが提唱したのは、これら三つのヒューリスティクスと、その結果引き起こされるバイアスであった。

これら以外にも人間が判断や決定において多くのヒューリスティクを用いたり、さまざまな原因で多くのバイアスが生じていることが明らかにされているが、それらについては、たとえばギロビッチ『人間　この信じやすきもの』(新曜社)を読むことをお薦めする。

最近特に重要視されるようになったヒューリスティクとして、スロビックらが発見した「感情ヒューリスティク」がある。感情は、時として利用可能性や代表性のようなヒューリスティクスと同じ役割を果たす。つまり多くの状況で、出来事に対する人々の感情的反応が、その出来事に対するより慎重な考慮の代わりとなって機能するのである。

感情ヒューリスティクについては、第9章で紹介しよう。

迅速・簡素なヒューリスティクス

カーネマンとトヴェルスキーの創始以来、ヒューリスティクスとバイアスという研究プログラムでは、膨大な量の研究が蓄積されてきた。そこでは、ヒューリスティクスの有用性よりはむしろヒューリスティクスが引き起こすバイアスに力点が置かれているように見える。つまり、「ヒューリスティクスとバイアス」というように二つの言葉がいつもセットで用いられていることから示唆されるように、ヒューリスティクスによって判断すると間違いを犯しますよと言っているように受け取れるのである。

これに対して、ヒューリスティクスに基づく判断や決定の利点を強調し、それらは時には、多くの認知資源を必要とする難しい時間のかかる計算から得られた最適解に匹敵する、十分満足のいく解をもたらすと主張するのが、ドイツのマックス・プランク研究所のゲルト・ギゲレンツァを中心とする研究グループである。

彼らは、そのような良質な答を導くヒューリスティクスを一括して「迅速・簡素なヒューリスティクス」と呼んでいる。その代表例として挙げられるのが「再認ヒューリスティク」である。

ギゲレンツァらは、アメリカ人の学生とドイツ人の学生に対して「サン・ディエゴとサン・アントニオとではどちらの人口が多いと思うか」という質問をした。どちらもアメリカの都市である。

アメリカ人の学生は、おそらく両方の都市についてある程度の知識があると思われるが、正解率は62％であった。ドイツ人の学生のうち、サン・ディエゴについて聞いたことがあるのは78％だったが、サン・アントニオについては4％だけであった。しかし、サン・ディエゴについて聞いたことがある学生については正解率は１００％だった。つまり、情報の少ないドイツ人の学生の方が、情報の多いアメリカ人の学生よりも正解率が高かったのである。おそらく日本人の学生に同じ質問をしても、正解率は高いのではないだろうか。

この推論においてドイツ人の学生が用いたと考えられるのが、「再認ヒューリスティク」なのである。一方の都市の名前は聞いたことがあるが、他方については知らないとき、知っている都市の方が人口が多いだろうと判断したのである。アメリカ人の学生はこのヒューリスティクを使うことはできない。両方の都市を知っているからこそである。この例のように、再認ヒューリスティクによって、二つの対象のうち一方は聞いたことがある（再認できる）が、他方は聞いたことがない時、再認した対象が基準に照らして高い値を持っている（たとえば人口が多い）、という判断ができるのである。

また、大学の優秀さの判定、商品の評価の判定、スポーツチームの成績の判定などでも、名前の再認と判定の正確さには正の相関関係があることが示されている。大学が優秀であると、その教授陣の研究の成果が伝わったり、学生や卒業生が社会的に活躍していることが多いためにその名前を聞く機会が多くなり、大学の優秀さと名前を聞いたことがある（再認）が結びつくのである。スポーツチームの成績も同様であろう。

さらに、株式投資でさえ再認ヒューリスティクがうまく働き、再認できた会社の株式に投資することで、かなり高い収益が得られたという事例が報告されている。

つまり、無知（情報がないこと）がランダムに起こるのではなく、体系的に起こるという条件の時には、このヒューリスティクは有効に機能するのである。

捕球のためのヒューリスティク

野球の外野手はフライをどのようにして捕球するのだろうか。飛球の落下点を予測するためには、飛球の初速、角度、風向きと強さ、それに球の回転についての情報が必要である。しかし実際のプレイヤーにそんな複雑な情報が手に入るはずもなく、手に入ったとしても計算が間に合うはずもない。

外野手は、実際にはたった一つのヒューリスティクを用いているという。ギゲレンツァらはそれを「仰角ヒューリスティク」と呼ぶ。それは、打球が打ち上げられたとき、球をよく見て、見上げる角度が常に一定になるようにして走る、というヒューリスティクである。すると飛球の落下点近くに到達し、最後に微調整をすれば捕球できるのである。複雑な計算を一瞬のうちにして、あるいは直感的に予測して、飛球の落下点に走るのではない。その証拠に、外野手は、しばしば捕球点に一直線に向かわずにカーブして走り、また常に全速力で落下点に向かわずに、早足程度で走ることもある。どちらも飛球に対して仰角を一定に保つために必要な動作であり、落下点を知ってからそこに走る場合にはそのような動作は必要ない。

迅速・簡素なヒューリスティクは、常に上手く働くわけではない。アメリカ人の学生が都市の人口の大小を正確に言えなかった例がそうである。仰角ヒューリスティクは、飛球の捕球以外には全く役に立たないであろう。

ギゲレンツァらは、主体の側の限定合理性と問題の状況（環境、生態）の相互作用によって、ヒューリスティクスは上手く働く場合とそうでない場合があると言う。つまり意思決定を支えているのは主体の認知能力ばかりでなく、問題がおかれている状況もまた同様に重要なのである。この意味で彼らは、環境（生態）に適応した合理性という考え方を重視し、再認ヒューリスティクや仰角ヒューリスティクのような、きわめてシンプル（簡素）で素早く（迅速に）実行できるヒューリスティクスを用いることによって、適切な判断ができると主張する。

ギゲレンツァらはこのような合理性を「適応的合理性」と呼んでいる。環境に適合したヒューリスティクスは上手く機能するという意味である。

彼らは、他にも数多くの迅速で簡素なヒューリスティクスを提示しているが、それらは特定の領域（適切な状況、生態、環境）で用いるために生得的あるいは経験による学習を通じて人間が備えるようになった認知的機能であるとして、そうした道具の集まりを「適応的道具箱」と呼んでいる。

適応的道具箱に入っている道具（たとえば再認ヒューリスティク）をどのような環境のもとで使えば適切なのかを、人間は生得的または経験による学習によって会得しているとする。

二つの情報処理プロセス

人間の情報処理プロセスは直感的部分と分析的部分の二つから形成されているということは古代の哲学者たちによって既に認識されており、その後多くの哲学者や思想家が論じたテーマである。このテーマは、最近「二重プロセス理論」と呼ばれる理論の登場によって心理学者の注目を集めている。

二重プロセスとは、人間が持っている二つの情報処理システムのことである。一つは、直感的、連想的、迅速、自動的、感情的、並列処理、労力がかからない等の特徴を持っているシステムであり、システムⅠと呼ばれ、もう一方は、分析的、統制的、直列処理、規則支配的、労力を要するといった特徴で表わされるシステムであり、システムⅡと呼ばれる。

システムⅠは一般的な広い対象に適用されるシステムであり、人間と動物の両方が持っている。システムⅡはシステムⅠよりずっと遅れて進化した人間固有のシステムであると考えられている。標準的経済学が前提としている経済人というのは、システムⅡだけを備えた人間であるということができる。しかもすばらしく高性能なシステムⅡを。

システムⅠとシステムⅡは明確に分かれるのではなく、両者は連続的に存在している。また、システムⅠはシステムⅡより能力が劣っているわけではなく、たとえば将棋や碁のプロは、指し手の候補を直感によって数通りに絞り、その中から熟考して最善の手を選ぶという。いわばシステムⅠとシステムⅡの連係によって問題が処理されているのである。

また処理はどちらか一方のシステムに固定的なものではない。たとえば車の運転では、初心者のうちは一つずつの動作を確認しながら行なうようにシステムⅡが常時働いているが、熟練すると多くの動作が無意識、自動的に行なわれるようになる。つまり、システムⅡからシステムⅠへと処理が受け渡されるのである。

初心者が車を運転するとすぐ疲れてしまうのは、認知資源をより多く必要とするシステムⅡに頼る部分が大きいからである。最近、運転中の携帯電話の使用が禁じられるようになったが、運転中に携帯電話を片手で持って会話やメールの操作をすることが禁じられただけで、ヘッドフォンのような機器を使って会話することは禁止されていない。これはおかしいのではないか。

運転中の携帯電話の使用が危険なのは、会話やメール操作に神経が集中してしまって、つまり認知資源をそちらに使ってしまうので、運転に必要な資源が少なくなって不注意になるからである。つまり、「心ここにあらず」という状態が危険を招くのであり、片手運転そのものが危ないのではない。もし片手運転が危険であるならば、運転中にタバコを吸っても片手運転になるし、ギアチェンジするだけでも瞬間的には片手運転になるから、そういった行為も禁止しなければおかしい。運転中の携帯電話の使用は、ヘッドフォンを使うことも含めて禁止すべきである。

スポーツや職人の技術は、しばしば体で覚えなければならないと言われるが、システムⅡからシステムⅠに処理が移動できるくらいの練習が必要だという意味である。テニス・プレイヤーが試合中に自分のフォームをいちいちチェックしていたのでは、相手の意図を読み、ボールのコースを予測するといった大切なことが疎かになってしまう。子供がさまざまな動作を、最初はぎこちないが、やがてほぼ自動的にできるようになるのと同じだ。

また、システムⅡの重要な役割としてシステムⅠをモニターすることがある。システムⅠが素早く決定したことを監視して、それを承認したり、場合によっては修正や変更を加えることもある。直感的に何かを選んでみたが、よく考えて変更することは日常しばしば経験する。

直感がものを言う

システムⅠが担う判断や決定の自動性は、最近心理学者や認知科学者の注目を集めている。自動性についての研究の第一人者であるジョン・バージは、チェコの文学者ミラン・クンデラの名作『存在の耐えられない軽さ』から名付けた「存在の耐えられない自動性」という論文を著わすなど、人間がさまざまな情報処理を自動的に行なうことを広い範囲から論じている。バージは、消費者が商品を選択する行動でさえ大部分が自動化されているという。

カーネマンとフレデリックは、代表性や利用可能性のようなヒューリスティクスによる判断は、システムⅠによって直感的に行なわれると言う。そのようなヒューリスティクスによって判断が行なわれる際の特徴は、人が判断の対象となっている性質（目標属性という）を、その対象の、直ぐに心に浮かぶ他の性質（発見的属性という）と置き換えて判断することである。つまりヒューリスティクスによる判断は、このような「属性の置き換え」というプロセスで行なわれるのである。

属性の置き換えはどんな時に起こるのであろうか。それは目標属性と発見的属性の性質に依存する。目標となる属性が直ちには理解しにくく、逆に発見的属性が直ぐに直感的に心に浮かぶ時には、属性の置き換えが生じるのである。

そのように直ぐに心に浮かぶことを入手容易であるという（この概念は利用可能性という概念と紛らわしいが、それについては自身に責任があると、カーネマンは述べている）。入手容易性が属性の置き換えが生じる鍵であり、入手容易性に関して次の三つの条件が満たされることが必要である。①目標となる属性は入手容易ではない。②それと連想的にあるいは概念的に関連のある属性の方がより入手容易である。③発見的属性による属性の置き換えが、システムⅡのモニターによって拒否されない。

入手が容易なのは、大きさとか距離のような物理的性質、似ているという性質、知覚や記憶に残っているという性質、良い悪いという感情による評価、気分などがあり、システムⅠの働きによって直ちに心に浮かびやすい自然な性質である。

この点は次のような幸福に関する質問に端的に表わされているとカーネマンらは言う。「全般的に見て、あなたの生活は幸せですか」という質問と「あなたは最近1ヶ月間で何回デートしましたか」という質問を学生にしたところ、この順番で質問すると、両者の関係はほとんど認められないが、質問の順番を逆にして、デートについての質問を先にすると、デートの回数が多いほど幸福度も高いという相関関係が見られた。

つまり、デートに関する質問がされた後では、幸福に結びつく属性として入手が容易なのはデートの回数であり、それが、それ自体では抽象的で捉えにくい幸福度全般の評価に代えられたと考えられる。

代表性ヒューリスティクが用いられる際に属性の置き換えというプロセスが生じている典型例として、「リンダ問題」と言われる問題がある。

次のような架空の人物（リンダ）の記述を読み質問に答えてもらった。「リンダは31歳で独身、率直で聡明な女性である。大学では哲学を専攻した。学生時代、差別や社会正義の問題に熱心に取り組み、また反核運動にも参加していた」。

次に職業などに関する八つの分類が示され（たとえば、小学校教師、保険セールスウーマン、銀行の窓口係など）、リンダがどの分類に最もよく当てはまっていると考えられるかの順位づけを被験者にしてもらった。被験者グループは二つに分けられ、一方のグループはリンダがこのような人たちの典型例にどの程度似ているかに基づいて順位づけを行ない、もう一方のグループは、リンダがそれぞれの場合である確率の見積もりに基づいて順位づけを行なった。

その結果、両者の順位づけの平均値はほぼ完全に一致し、類似性に基づく順位を横軸、確率に基づく順位を縦軸にしてグラフを描くと、ほぼ45度の直線となることが示された。つまり、両方の基準に基づく順位づけ（の平均値）がほとんど同一なのである。これは、確率の判断が類似性によってなされた、つまり属性の置き換えが行なわれたことを意味する。

さらにこの判定において、類似性判定グループのうち85％は、リンダは単に「銀行の窓口係」であるよりも、「窓口係かつフェミニスト」であるような人物との類似性が高いと判断し、確率判定グループのうち89％が同じ判断をした。「窓口係かつフェミニスト」である確率が「窓口係」である確率より高いことはありえず、「連言錯誤」が生じていることになる。このバイアスは、属性の置き換えというプロセスによって生じたと考えられるのである。

このように目標属性と発見的属性とは異なるので、前者を後者で置き換えることが原因でしばしばバイアスが生じることになる。ではシステムIIはこのようなバイアスが生じるのを防止できないのであろうか。

システムIIがシステムIを必ずしも修正できない場合がある。

ノートと鉛筆を買ったところ合計110円で、ノートが鉛筆より100円高かった。鉛筆はいくらかであるか5秒以内に答えよ、という問題を出すと、たいていの人は鉛筆は10円であると間違えてしまう。システムIIがシステムIの間違いを検知しないか、検知しても答を書き換える時間がないからである。さらに、朝型人間は夜に、夜型人間は朝に錯誤を起こしやすいことも示されており、カーネマンとフレデリックは、システムIIがシステムIの誤りを修正する能力は場合によっては案外弱いのではないかと推察している。

いろいろなヒューリスティクス

ところで、属性の置き換えが行なわれないという理由で、カーネマンとフレデリックは最近の研究において「アンカリングと調整」をヒューリスティクスのリストから除外するようになった。確かに、アンカリングでは、属性の置き換えは生じないかもしれないから、彼らが定義した厳密な意味では、ヒューリスティクスとは言えない。

しかし、アンカーはカーネマンらの主張する意味で判断者が入手容易な情報であり、まずシステムⅠによってそれが手掛かりとなるという直感的判断がなされ、その後システムⅡによる調整が十分に行なわれないために、アンカリング効果が生じるのである。この意味では、アンカリングと調整も、ヒューリスティクスの一つであると考えてよいだろう。

しかし、いずれにせよ、ヒューリスティクスが人間の判断、決定にとってきわめて重要な役割を果たしていることは確かである。

前述の「チャート式」「傾向と対策」もヒューリスティクスであり、広告宣伝・ブランドも消費者が商品を選ぶ際のヒューリスティクスの役割を果たすし、マニュアル本はヒューリスティクスの集大成と言える。

さらに、新卒者の採用などの際に、応募者本人に関する情報が十分にはわからないため、募集側がとりあえず学歴を見て応募者の能力を推定することがあるが、これも学歴がヒューリスティクとして利用されているのである。

古くから使われている格言や諺にはヒューリスティクスが多数あり、たとえば「急がば回れ」「人を見たら泥棒と思え」といった諺は、それによって正確な判断や予測はできないが、日常生活では十分役に立つ指針となっている。

「はじめちょろちょろなかぱっぱ、じわじわどきに火をひいて、赤子泣くとも蓋とるな」というのは、おいしいご飯を炊くためのヒューリスティクである。日本は自然に恵まれ自然を相手に生活している人が多いせいか、ヒューリスティクスとしての諺や俚諺《りげん》には自然に関するものが少なくない。「鯖雲《さばぐも》が出ると鰯《いわし》がよく捕れる」（播州赤穂《ばんしゅうあこう》地方の俗諺）、「雲雀《ひばり》が鳴けば種下ろしの始まり」（阿蘇《あそ》の俚諺）などは農漁業を営む人にとってかつては重要な目安だったのだろう。

「固定観念や常識を捨てろ」という方針がよく聞かれるが、ヒューリスティクスにとらわれるなということである。この方針自体が一つのヒューリスティクなのではあるが。

交際相手や結婚相手を決めるのに、相手とのつきあいから得られるであろうプラスマイナスすべてを考慮して合理的計算に基づき決定することはできない。考慮すべきことが多すぎて計算には膨大な時間がかかるであろうし、不確実性が大きすぎて確定的な結論は出そうもない。そこで、愛情を感じた相手を選ぶことが多い。愛情がヒューリスティクとして機能しているのである。

すべてを考慮できないからこそ、ヒューリスティクに基づく決定ができるわけである。

ロボットのフレーム問題

ヒューリスティクスの働きをより深く理解するためには、人工知能ロボットが良い材料を提供してくれる。哲学者のダニエル・デネットは、人工知能ロボットについて次のような寓話を作った。

ロボット1は、ワゴンに載っている予備バッテリーを部屋から持ち出そうとした。ところが、ロボット1は爆弾もそのワゴンに載っていることを知っていながら、ワゴンを運び出すと爆弾も同時に運び出すことになるのに気づかず、ワゴンを運び出すと同時に爆弾が爆発してしまった。

これは推論能力が足りなかったからだと考えた設計者は、自分の意図した結果だけではなくて意図しなかった結果をも推論できる能力を備えたロボット2を作った。

ロボット2は、ロボット1と同じくワゴンを部屋から運び出そうとし、その行動の結果を推論しはじめた。ワゴンを部屋から運び出しても部屋の壁の色は変わらず、ワゴンの車輪が回転することを証明したが、そうこうしているうちに爆弾は爆発してしまった。

次に、目的に関係のない結果を無視することができるロボット3が作られた。ところが、ロボット3は、今度は全然動こうとしないで推論に没頭した。壁の色は無視してよい、天井の素材も無視してよい……。さまざまな事柄に着目しては、それらを無視すべきもののリストに加えていくのに忙しくて、その間にまたもや爆弾は爆発してしまった。

ロボットたちはなぜ、こんな簡単なことができないのであろうか。

無視してよいことと無視してはいけないことを見極めるのは、簡単そうに見えてロボットにとっては容易ではないからである。

人工知能の研究者は、このような問題を「フレーム問題」と呼んでいる。つまり、問題解決のために何が関連があって無視してはいけないのか、逆に何が無視してもよいのかが適切に決められないことがフレーム問題なのである。

言い換えれば、無視してよいものをフレーム（枠）で囲み、無視してはいけないものを別のフレームで囲むことで問題解決に近づくのであるが、何を「無視可能フレーム」に入れ、何を「無視不可フレーム」に入れるべきかが直ぐにわからないというのがフレーム問題なのである。

では人間はどうであろうか。何かを決定する時に、何を考慮し何を無視すべきかを、われわれを取り巻く環境や条件のすべてのことがらを検討して決定することはできない。なぜなら環境には無限の情報があり、われわれの認知能力は限定されているからだ。したがって人間もフレーム問題とは無縁ではない。しかしフレーム問題に悩まされているようには見えない。

ふつうの判断力を備えた人間ならば、ロボットが直面したこの問題は常識によって解決できる。ワゴンを引き出せば、載っている爆弾も一緒に出てくることはわかるし、ワゴンを引き出してもふつうは壁の色は変わらないことはわかる。特殊な仕掛けがしてあればそうはいかないが、常識の範囲内では大丈夫である。爆弾を爆発させることなく無事にバッテリーを回収できるだろう。常識とは、あまり深く考えずに直感的に浮かんでくる、ほぼ適切な結果をもたらす行動規則なのである。すなわち、常識は一種のヒューリスティクなのである。

アインシュタインは「常識とは、18歳までに身につけた偏見のコレクション」（『アインシュタイン150の言葉』ディスカバー21）だと言ったが、偏見（バイアス）が生じる可能性があっても問題解決に役立つのがヒューリスティクスとしての常識なのである。

人間は、他にもさまざまなヒューリスティクスを用いて問題を（まがりなりにも）解決している。論理や計算に関しては完璧であるロボットにできないことが、人間には簡単にできるのであり、人間の強み、ある意味での合理性が見てとれる。

人もフレーム問題に悩まされる

しかし、人間もフレーム問題と無縁ではない。初心者の運転が下手なのは、運転操作そのものが上手くいかないという技術的な側面もあるが、どの情報が運転にとって重要で、どの情報が重要でないかのフレームの絞り込みが適切にできないからだ。そこで、自分の直前の車と対向車、道路状況ばかりを凝視してしまい、後方や横の車に対する注意が散漫になったりする。経験を積み熟練してくると注意の分散が上手くできるようになるが、逆に分散しすぎて、歩いている美人に見とれたり、同乗者との会話に夢中になって他車の動きに不注意になってしまったりする。車の運転中に生じうる事態のすべてに注意を払うことは不可能だから人間にもフレーム問題は存在することになる。

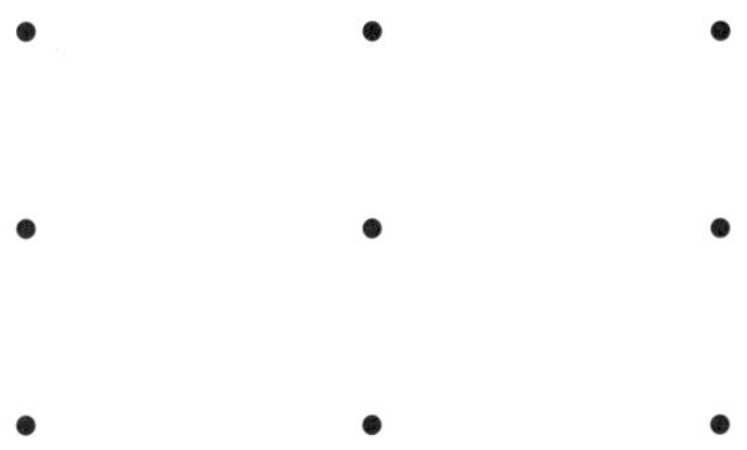

図3-1　直線だけ使った一筆書きで9個の点をすべて通るようにして欲しい。最低何本の直線でできるだろうか。

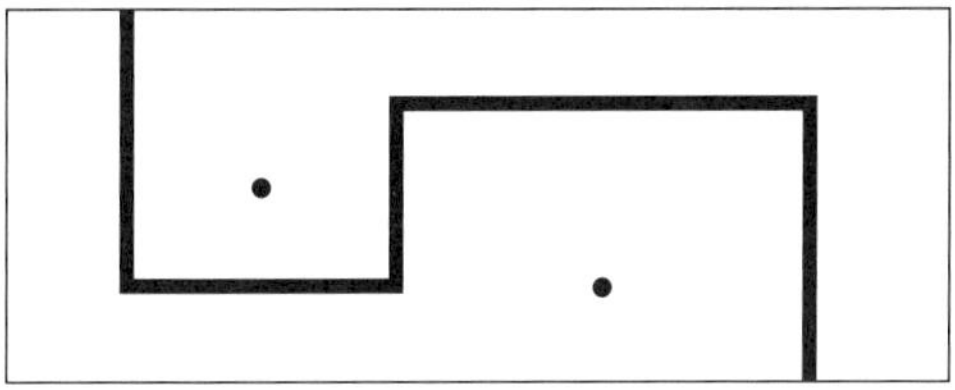

図3-2　紙上の2点を一筆書きで結んで欲しい。ただし太い線を横切ってはいけない。

人為的にフレームを固定してしまうために問題が解決しづらくなるのがパズルの持ち味だ。たとえば、図3−1、3−2のようなパズルを考えてみよう。

これらのパズルが難しいのは、フレームが邪魔しているからだ。図3−1では周囲の8個の点が文字通りフレーム（枠）となってしまい、外側の余白も利用可能であることに気づきにくいし、図3−2では、紙の表面がフレームとなって、裏も使えることがわかりにくい。8個の点や紙の表面が作った物理的なフレームが心理的なフレームを作り出してしまって、そこから脱け出せないのであり、直感的に浮かぶフレームとは異なるフレームで考えないと解けないのである。この種のパズルやクイズなどは、頭を柔らかくしないと解けないと言われる。頭を柔らかくするとは、固定的なフレームを壊すことである。

ペリー・メイスン、エルキュール・ポワロ、シャーロック・ホームズ……彼らが名探偵と呼ばれるのは、ふつうの人とは違うフレームに着目し、他の人では気づかないことにいち早く気づくからだ。男女の意識のすれ違いは古今東西の恋愛小説の一大テーマであるが、それは一言で言うならば、男女のフレームの違いに起因する。「私と仕事のどっちが大事なの？」「そんなの決められないよ」。

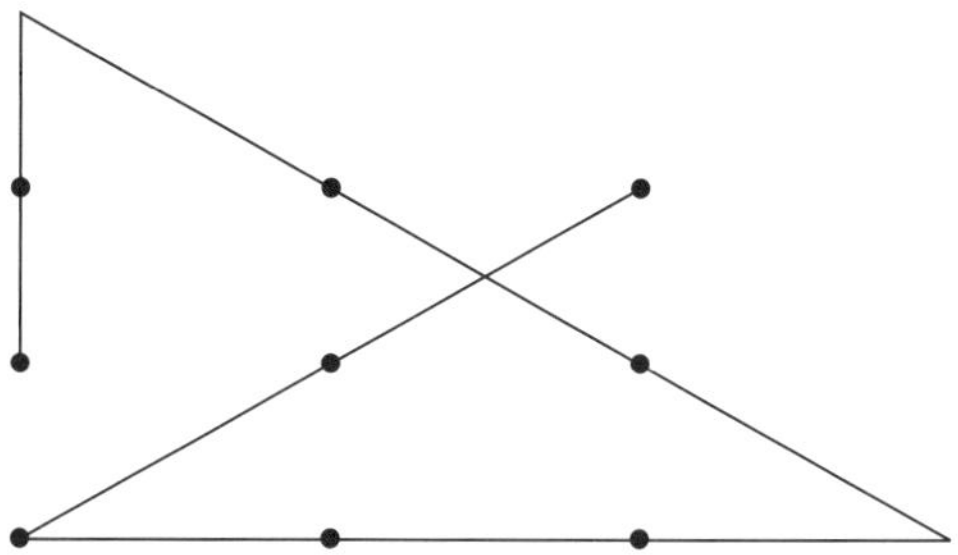

図3-3　図3-1の答

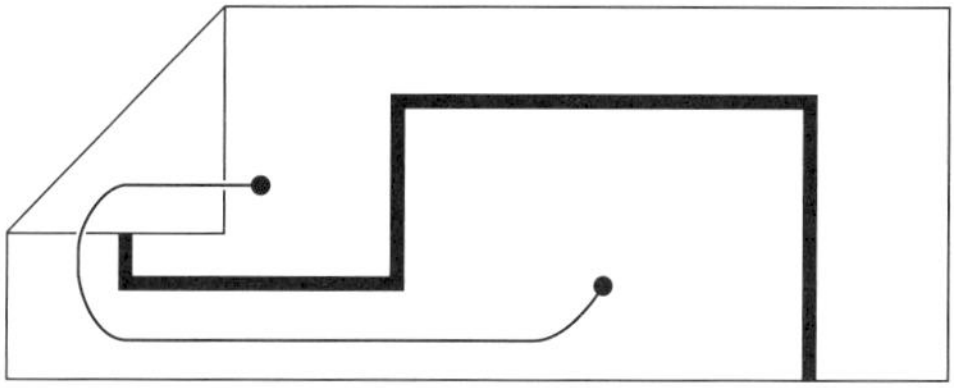

図3-4　図3-2の答

第4章　プロスペクト理論(1)　理論……リスクのもとでの判断

「われわれがいい境遇からわるい境遇に転落するときには、わるい境遇からいい境遇へと上昇するときにつねに享受するよりも、おおくの受難を感じる」アダム・スミス『道徳感情論』(水田洋訳、岩波文庫)

「山水に得失なし。得失は人心にあり」　夢窓疎石「夢中問答」

変化の感覚

真冬に20度の日があれば暑いと感じ、真夏に20度の日があれば寒くてしょうがない。同じ気温なのに。真夜中の月はまぶしいくらい輝いているのに、朝方にはぼんやりとしている。同じだけ光っているのに。

ドイツの料理は、日本から旅行に行って食べるとたいして美味《おい》しいとは思わないが、イギリスから行って食べるとすごく美味しい。同じ料理なのに。

人間は、温度、明るさ、味などについて、絶対値ではなく相対的な変化に鋭敏に反応する。触覚、視覚、味覚などの感覚だけでなく、金銭や物に対する評価も相対的なものであり、何らかの基準との比較で判断される。年収１００万円だった人が３００万円に昇給すれば飛び上がりたくなるほど嬉しいだろうし、年収５００万円の人が３００万円に減給されれば、死にたくなるほど悲しいだろう。同じ３００万円なのに。

人は変化に反応する、というのがカーネマンとトヴェルスキーの創始したプロスペクト理論の出発点である。

プロスペクトとは、見込みとか、予期といった意味であるが、特に重要な意味は持っていない。そこで、プロスペクト理論という名称に若干違和感を覚える人がいるかもしれない。

カーネマンとトヴェルスキーはもともと「価値理論」という一般的な名称を付けていたが、この理論が知られるようになった時に独自の名前があった方が有利だと考え、プロスペクト理論という大して意味のない名称を選んだとカーネマン自身が述べている。

プロスペクト理論は、期待効用理論の代替理論として考案されたものであり、標準的経済学の効用関数に対応する「価値関数」と確率の重み付けに関する「確率加重関数」によって構成されている。期待効用理論とは異なり、価値はある基準からの利得と損失で測られる。また確率は重み付けがされており、われわれは、確率が１／３という事象をそのまま１／３とは受け取らないという心理的性質が表現されている。

この章では、この価値関数と確率加重関数という、標準的経済学とは異なる新しい考え方について、紹介する。

価値関数

まず、プロスペクト理論の要である価値関数から見ていこう。

図４－１には、プロスペクト理論で用いられる価値関数が描かれている。評価の基準となる点を参照点といい、図４－１では原点が参照点である。

横軸には、原点の右側に参照点と比べた場合の利得の大きさが、左側に損失の大きさが測られている。縦軸は、利得や損失がもたらす価値であり、原点より上方はプラス、下方はマイナスの値で測られている。ここでいう価値は経済学で使われる「効用」と同じ意味である。

価値関数を v で表わし、たとえば、５０００円（あるいはドル）得られることでもたらされる価値を、$v(5000)$ と表わす。同様に５０００円（あるいはドル）失うことでもたらされる価値（不効用）を、$v(-5000)$ と表わすことにしよう。

図４－１に描かれているS字形の価値関数には、効用の評価に関する三つの顕著な性質が示されている。これがプロスペクト理論の大きな特徴の一つである。

ただし、ここに描かれているのは、価値関数の典型的な例あるいは特徴的な性質をピックアップした関数である。すべての人が同じ形の価値関数を持っているというわけではもちろんなく、関数の形には個人差があるし、また一人の個人でも決定すべき問題によって異なることもある。現在の状態（参照点）が１００万円の場合と、１０００万円の場合とでは価値関数は異なるのがふつうであろう。

しかし、次の三つの特徴は、すべての価値関数に共通しているとプロスペクト理論は想定している。

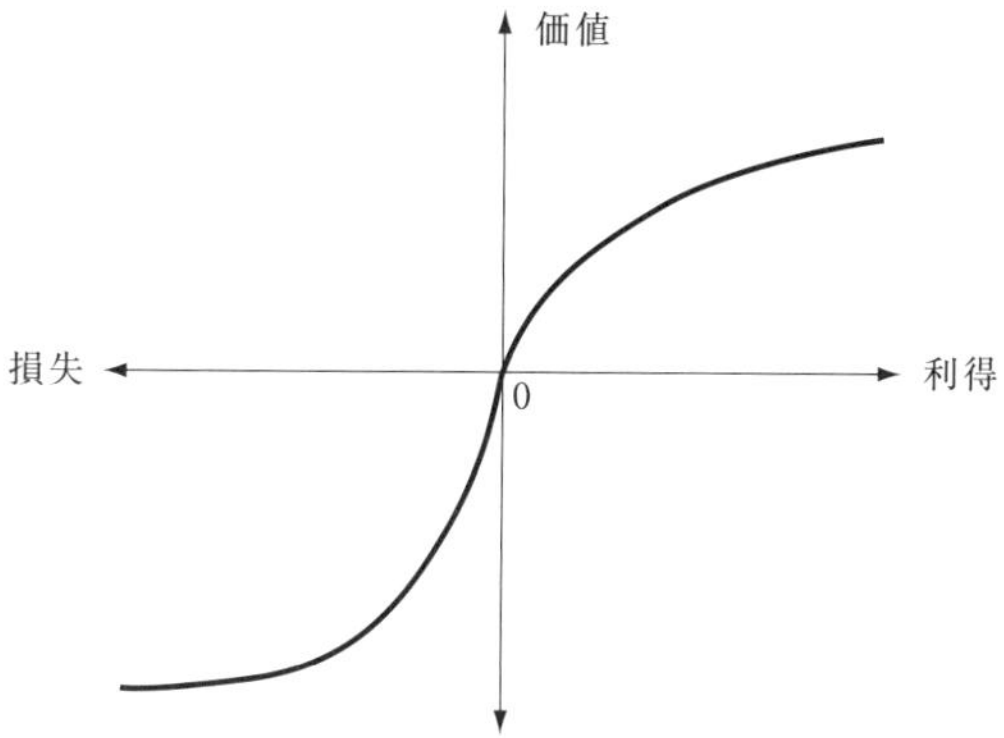

図４-１　価値関数

参照点依存性

その一番目は「参照点依存性」であり、前述のように、価値は参照点（原点）からの変化またはそれとの比較で測られ、絶対的な水準が価値を決定するのではないというものである。経済学における効用概念の出発点となったのは、ダニエル・ベルヌイの効用理論であるが、そこでは、効用は富の水準で測られている。長期的な合理的行動をするためにはこの仮定は妥当であるが、現実の人間行動からはかなり隔たっている。

カーネマンは、効用を富の水準で測ることを「ベルヌイの誤り」と呼んでいる。次のような例を考えてみよう。２人の人が自分の最近1ヶ月の金融資産の増減に関する報告を受けた。Aは資産が4000万円から3000万円に減ったと、Bは1000万円から1100万円に増えたと伝えられた。どちらが幸せだろうか?

最終的な富の水準が効用の担い手であるとする標準的理論ではAであるが、Bだと考える人が多いであろう。Aにとっては4000万円がBにとっては1000万円が参照点であり、そこからのプラス方向への変化は利得となり効用をもたらすが、マイナス方向への変化は損失となって負の効用をもたらすからである。なお、参照点からの移動が価値をもたらすのであるから、参照点の価値はゼロ、つまり$v(0)=0$であることに注意しよう。

効用または不効用をもたらすのは富の変化であって絶対量ではないという考え方は、一九九〇年にノーベル経済学賞を受賞したハリー・マーコウィッツが既に一九五二年の論文で主張しているが、彼はその考えを深く追究しなかったし、カーネマンらが新風を吹き込むまで経済学の世界では無視されていた。

参照点はさまざまな状態が考えられる。金銭や健康に関する場合は「現在の状態(現状)」であることが多いだろう。「病気になってはじめて健康のありがたみがわかる」というように。

　また、どのように行動すべきかを規定する社会規範や、将来に対するあるいは他者の行動に対する期待が参照点となることもありうるし、要求水準や目標が参照点となることもある。たとえば、今月は５０００万円売上げるとか、体重を10 kg落とすとか、レポートを今日中に仕上げるといった目標が参照点となりうる。しかし、参照点に関しては、どのような状況で何が参照点となるのか、参照点の移動はどのような時に生じるのかあるいは生じないのか、長期と短期の区別はどうなるのかというような解決すべき課題が残されている。

感応度逓減性

　価値関数の性質の二番目は「感応度逓減《ていげん》性」と言われ、利得も損失もその値が小さいうちは変化に対して敏感であり、利得や損失の小さな変化が比較的大きな価値の変化をもたらすが、利得や損失の値が大きくなるにつれて、小さな変化の感応度は減少するという性質である。標準的経済学で仮定されている限界効用逓減性と同様の性質であって、利得や損失の限界価値が逓減することを意味する。

　図４－１では、利得も損失も額が大きくなるにつれて、価値関数の傾きはだんだん緩やかになっていく。これが逓減という言葉の意味である。この性質の正当性は感覚的にわかりや

すい。気温が1度から4度に上がった場合の方が、21度から24度に上昇した場合よりも、同じ3度の差であっても、より温かくなったと感じられるであろう。

このことは実験的に検証されている。カーネマン、トヴェルスキー、セイラーらが経済学に先駆的に取り入れた、簡単な選択に関する質問に対して回答を得るというこの実験（あるいは調査）方法は、それ以降行動経済学や実験経済学で盛んに用いられるようになった。称して「紙と鉛筆実験」と言われることもある。被験者らは主として大学生や大学教員である。

まず表記法をまとめて確認しておこう。

（1000, 0.5; 2000, 0.1）というのは、1000円（貨幣単位は何でも構わない）が確率0・5で当たり、2000円が確率0・1で当たり、0・4の確率で何も当たらない（利得＝0円の）くじか賭けのようなものだと考えて欲しい（このようなくじや賭けのことをカーネマンらは「プロスペクト」と呼んでいる）。表現上は利得が0の部分は省略されている。（1000）は1000円が確実に（確率1で）得られるという意味であり、この場合には確率が省略される。さらに、（－1000, 0.5）というのは、確率0・5で1000円損をするという（いささか非現実的であるが）くじであるとする。

質問1

A：(6000，0.25)［18］

B：(4000，0.25; 2000，0.25)［82］

質問1′

C：(－6000，0.25)［70］

D：(－4000，0.25; －2000，0.25)［30］

リスクに対する態度

実験例を見てみよう。すべての質問は、2つの選択肢のうちどちらを選ぶか、という形式である。［　］内の数値は、その選択肢を選んだ人の割合(%)を示している。

質問1では、6000が確率0・25で得られるより、4000が確率0・25でかつ2000が確率0・25で得られる方が選ばれている。すべての確率が0・25であるから、これを消去すると、

$$v(6000) < v(4000) + v(2000)$$

となり、6000のもたらす価値が4000の価値と2000の価値の和より小さいことになり、すなわち感応度逓減を意味している。

質問1′でも同様に、

$$v(-6000) > v(-4000) + v(-2000)$$

となって、やはり感応度逓減が示されている。

質問2	（4000，0.8）	＜	（3000）
	［20］		［80］
質問2′	（－4000，0.8）	＞	（－3000）
	［92］		［8］
質問3	（4000，0.2）	＞	（3000，0.25）
	［65］		［35］
質問3′	（－4000，0.2）	＜	（－3000，0.25）
	［42］		［58］

感応度逓減性から、リスクに対する重要な態度の相違が生じる。すなわち、人々は利得に関してはリスク回避的、損失に関してはリスク追求的であることがわかる。このことはさらに、次のような実験によって裏付けられている。この例では不等号は選んだ人の割合の大小を示している。

質問2、3は利得に関する選択であり、質問2′、3′は損失に関する質問であるが、金額はちょうど正負が逆になっただけで確率は同一である。

この結果を見ると不等号の向きが逆になっていることがわかる。つまり質問2では(4000, 0.8)より（3000）が選択され、質問2′では（－3000）より(－4000, 0.8)の方が選ばれているのであり、利得と損失とで選択が反対になるのである。同じことは質問3と3′に関しても成立している。このような性質は、ちょうど鏡に映しているような関係なので「反射効果」と言われる。

そして質問2では（4000, 0.8）のくじの期待値は4000×0.8＝3200であるから、期待値は小さくても確実に手に入る（3000）が選ばれていることがわかる。このように確実な選択肢が過大評価されることは「確実性効果」と言われる（133頁参照）が、この場合には、利得に関してリスク回避的であることを意味する。

一方、質問2′では、金額は（絶対値で）小さいが確実な損失（－3000）よりも、期待値では大きいが損失を免れる可能性もある（－4000, 0.8）の方が選ばれている。つまり損失に関してはリスク追求的なのである（ただし、後述のように、価値関数と確率加重関数を組み合わせて考えると、この性質は確率が中くらいから大きいときには成り立つが、確率が小さいときには逆に、利得に関してはリスク追求的、損失に関してはリスク回避的となる）。

損失回避性

価値関数の性質の三番目は「損失回避性」と言われる性質である。

損失は、同額の利得よりも強く評価される、つまり、同じ額の損失と利得があったならば、その損失がもたらす「不満足」は、同じ額の利得がもたらす「満足」よりも大きく感じられるという意味である。

たいていの人は、(1000, 0.5; − 1000, 0.5) というくじを選ぶことを拒否するだろう。たとえ1000円失う確率と1000円得られる確率が五分五分であるとしても、このくじを拒否するということは、同額の損失と利得では損失の方を大きく評価していることを意味する。

同じ額の利得と損失の絶対値の大小を式で表わすと、

$$-v(-x) > v(x)$$

と表わされる。この式をくじに関する選択から導いてみよう。
$x > y \geqq 0$ とすると、$(x, 0.5; -x, 0.5)$ よりも $(y, 0.5; -y, 0.5)$ の方が好まれる。すなわち、

$$v(y) + v(-y) > v(x) + v(-x)$$

したがって、

$$v(-y) - v(-x) > v(x) - v(y)$$

となる。
ここで $y = 0$ とおけば、

$$-v(-x) > v(x)$$

となる。

カーネマンとトヴェルスキーの計測では、同じ大きさの利得と損失、つまりたとえば１０００円の利得と１０００円の損失では、その絶対値は後者の方がおよそ二倍から二・五倍も大きい。同じ大きさの損失は利得よりもだいぶ大きく感じられるのである。

損失回避性は図４－１では、利得よりも損失に関して価値関数の傾きが大きくなり、曲線が原点で滑らかにつながらず屈折していることで表わされている。

本章冒頭に引用したように、損失回避性は既にアダム・スミスも気づいていた性質である。トヴェルスキーは損失回避性について、次のような面白い説明をしている。

「人間が快感を得る仕組みの最も重要で大きな特徴は、人々はプラスの刺激よりもマイナスの刺激に対してずっと敏感である、ということである。……あなたが今日、どの程度良い気分かを考え、そしてどれくらいもっと良い気分になりうるかを想像してみるとよい。……あなたの気分をより良くしてくれるものはいくつかあるだろうが、今の気分を害するものの数は無限大である」（バーンスタイン『リスク』、青山護訳、日本経済新聞社、１７０頁）。

xを参照点（$x=0$）からの利得（$x>0$）または損失（$x<0$）とすれば，

$$v(x) = \begin{cases} x^{\alpha} & (x \geqq 0 \text{の時}) \\ -\lambda(-x)^{\beta} & (x < 0 \text{の時}) \end{cases}$$

価値関数の数値例

このような性質を持つ価値関数の数値例を挙げてみよう。

上の式で、典型例では$\alpha=\beta=0.88$, $\lambda=2.25$であることがトヴェルスキーとカーネマンによって計測されている。λは損失回避係数といわれ、前述のように、損失が利得よりλ倍（この例では２・２５倍）強く評価されることを示している。$0<\alpha,\beta<1$であることが感応度逓減を示している。

この関数に基づき、利得と損失の価値を計算してみよう。１００の利得は、

$$v(100)=100^{0.88}\fallingdotseq 57.54$$

であり、１００の損失は

$$v(-100)=-2.25\times 100^{0.88}\fallingdotseq -129.47$$

であり、明らかに同じ大きさの損失は利得より大きい影響を与える。

感応度逓減性を見てみよう。１００の利得が２回続けて得られ

るのと、２００が1回得られることを比較してみると、前者は、

$$57.54 \times 2 = 115.08$$

であり、後者は

$$v(200) \fallingdotseq 105.90$$

であり、前者が大きい。同額の損失では、

$$-129.47 \times 2 = -258.94$$

と

$$v(-200) \fallingdotseq -238.28$$

となり、やはり損失2回の方が大きいことがわかる。

利得であっても損失であっても2回続くと、それら2回分を足した分より大きくなるということは、1回の利得や損失ごとに、参照点が移動することを示している。つまり、1回の利得・損失が得られると、その結果が参照点となって、次の利得・損失が評価されるのである。2回の利得・損失を合計した後で参照点が変わるのではないことになり、したがって参照点の移動は、かなりすばやく起こることが示されている。

確率加重関数

価値関数に加えて、プロスペクト理論のもう一つの軸が、確率加重関数であった。期待効用理論では、確率は結果の効用と掛け合わされて期待効用を生む。つまりxによってもたらされる期待効用は、

（xの生じる確率p）×（xの効用）

である。

この場合、確率はすべて数値の差や倍率を維持したまま影響を与える。つまり、確率0・5は0・1の5倍の重みがあり、0・2と0・3の差は0・3と0・4の差と同じ重みを持っている。このような確率と効用との結びつきを、確率の線型性と呼ぶ。

前章で見たように、確率や頻度はしばしばヒューリスティクスを用いて直感的に判断されるが、一方さまざまなデータから客観的に与えられる場合もあるだろう。そのような主観的あるいは客観的な確率がさらに異なる重みで評価されるというのが、プロスペクト理論の核心の一つである。

つまり確率は意思決定する人によってそのまま受け取られるのではなく、たとえば確率1／3というのは心の中では1／3に感じられずに、それをさらに解釈して違った重みで受け取られるということである。

そこで、プロスペクト理論では、期待効用理論とは異なり、確率に非線型の重みがつけられることになる。確率0・5は0・1の5倍の重みとは限らず、0・01は1の1／100の重みとは限らないのである。確率の値そのものが効用に掛けられるのではなく、確率は評価つまり加重されて、価値（効用）と掛け合わされるのである。そこで、価値関数 v と、確率 p に重みを加えた確率加重関数 $w(p)$ によって全体的な評価が決定される。

すなわち、x が確率 p で生じると、

$$w(p)v(x)$$

という全体的価値が与えられることになる。

また、$w(0)=0, w(1)=1$ となるように基準化されているとしよう。

では確率 p とその加重 $w(p)$ の関係はどうなっているのだろうか。

図4－2には、逆S字形の確率加重関数 $w(p)$ が示されている。図4－2における直線は確率の線型性を表わしている。

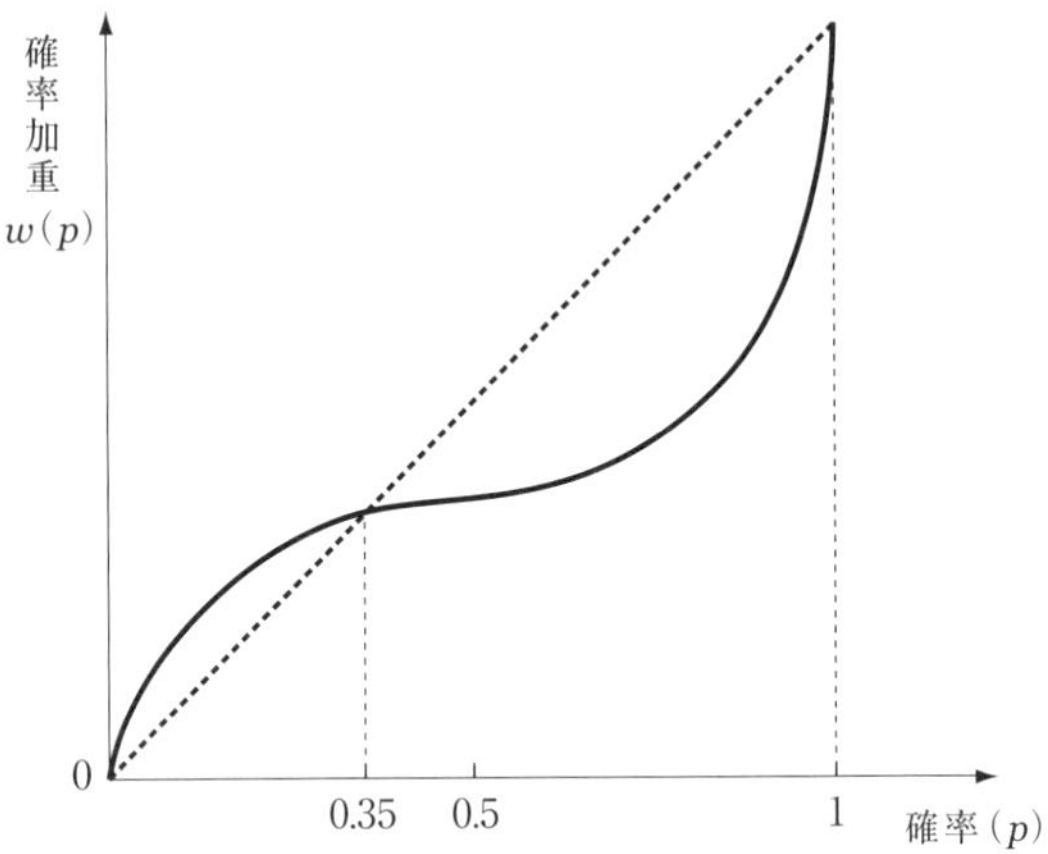

図4-2　確率加重関数

図中の確率加重関数 $w(p)$ のように、確率が小さいときにはそれは過大評価され、確率が中ぐらいから大きくなると確率は過小評価されることがカーネマンとトヴェルスキー等によって実験的に確かめられている。直線との交点、つまり確率がほぼその値どおりに加重されるのは、約0・35であることも計測されている。

価値関数と同じく、確率加重関数についても感応度逓減性は成り立つ。

すなわち、確率が0から0・1へ、また0・9から1・00に変化することは、確率の0・3から0・4への変化あるいは0・6から0・7への変化よりもずっと大きな心理的影響を及ぼすのである。

$$w(p)=\frac{p^{\gamma}}{\{p^{\gamma}+(1-p)^{\gamma}\}^{1/\gamma}}$$

確率の評価に際しての自然な参照点は、確率ゼロと確率１である。したがって、確率ゼロからの確率の増加に関しては、確率加重関数 $w(p)$ は上に凸、確率１からの確率の減少に関しては、確率加重関数 $w(p)$ は下に凸となる。

厳密に言うと、利得に関する確率加重関数と損失に関する確率加重関数は多少異なるが、形状はほぼ同じであって特徴的な性質はすべて保存されているので、両者を同一の関数と扱っても特に問題は生じない。

確率加重関数の数値例

典型的な確率加重関数を式で表わすと上のようになる。トヴェルスキーとカーネマンの測定値では $\gamma = 0.65$ である。表４－１には、確率 p の値に対する $w(p)$ の値が示されている。明らかに、$w(0) = 0, w(1) = 1$ である。

この表から、確率が約０・３５以下の時には過大評価され、０・

p	$w(p)$
0.01	0.05
0.05	0.12
0.1	0.18
0.2	0.26
0.3	0.32
0.35	0.354
0.36	0.359
0.4	0.38
0.5	0.44
0.6	0.50
0.7	0.56
0.8	0.64
0.9	0.74
0.99	0.93

表4−1　確率と加重（数値例）

36以上では過小評価されることがわかる。

さらに、通常の確率では、ある事象が生じる確率pとそれが生じない確率$1-p$を加えれば1になるという当然の性質が成り立っているが、確率加重関数に関してはこれは成立せず、0と1を除いた確率pに対して、

$$w(p)+w(1-p)<1$$

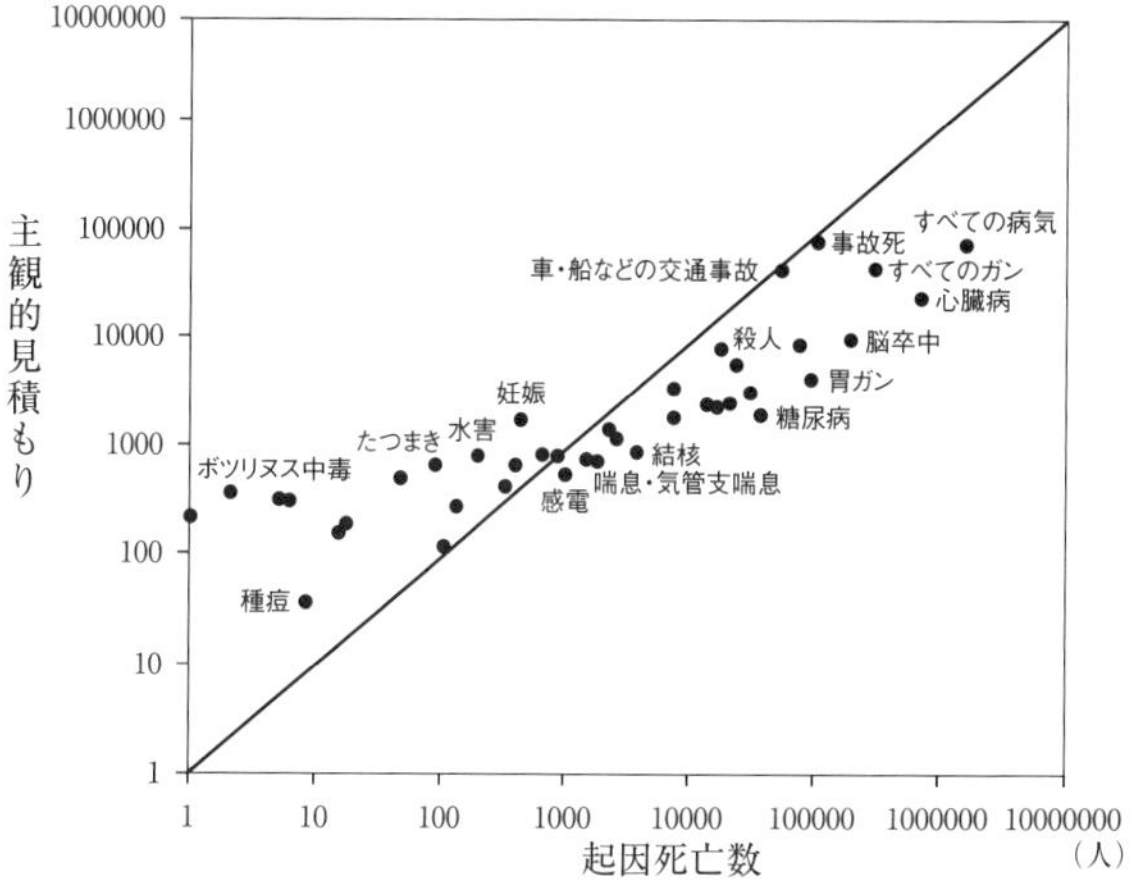

図４-３　年間の死因の発生件数(統計による)

である。この性質は劣加法性といわれ、表４－１の数値でもこの性質は確認できる。

確率加重関数は、確率の両端つまり確率ゼロと確率１の近くではかなり傾きが急であるが、中間的な値の確率に関してはかなり緩やかであって「平らな」感じがする。つまり、中間的な確率の変化に関しては感応度が小さいが、確率がゼロや１という極端な数値の近辺では逆に感応度が大きいと言える。

人間は確率を数値として受け取るのではなく、「確実」($p=1$)、「不可能」($p=0$)、「可能性がある」($0<p<1$)の三つに分けて直感的に判断しているのであろうとジョナサン・バロンは指摘する。

さらに、確実と可能性の間、および可能性

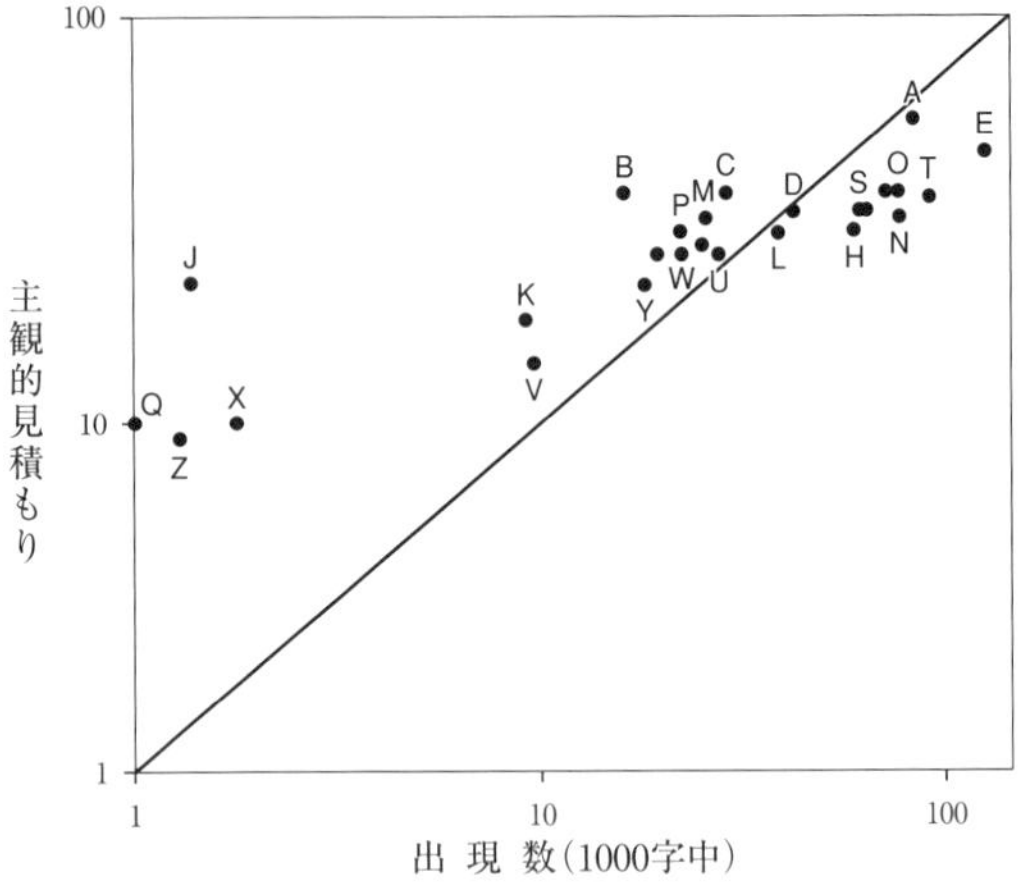

図4-4　新聞、小説などの文章中に出てくるアルファベットの頻度

と不可能の間にはかなりのギャップがあることが、確率加重関数の急激な変化に現われている。

低い確率の過大評価と高い確率の過小評価は、どうやら人間の確率判断につきまとう普遍的な性質であるらしい。図4－3には、さまざまな死因の発生件数（横軸）とその主観的見積もり（縦軸）の関係が描かれている。

図4－4には、新聞や小説などの文章中に出てくるアルファベットの頻度（横軸）とその主観的見積もり（縦軸）の関係が示されている。どちらの図においても、小さい確率は過大に、大きい確率は過小に見積もられていることが示されている。

質問4

A：(500万，0.10；100万，0.89)

B：(100万，1)

質問4′

C：(500万，0.10)

D：(100万，0.11)

確実性効果

人々が確実なことを特に重視する傾向は、「確実性効果」と言われている。この性質はフランスのノーベル経済学賞受賞者モーリス・アレが、期待効用理論に対する批判の実証的根拠を与えるものとして発見したもので、期待効用理論に対する最も古い批判の一つでもある。

半数以上（53％）の被験者は、質問4ではAよりBを、かつ質問4′ではDよりCを選好した。期待効用理論に従えばこれは矛盾である。なぜなら、AよりBを選んだということは、

$$U(100\text{万}) > 0.10U(500\text{万}) + 0.89U(100\text{万}) + 0.01U(0)$$

を意味し、一方DよりCを選んだということは、

$$0.10U(500\text{万}) + 0.90U(0) > 0.11U(100\text{万}) + 0.89U(0)$$

という結果が導かれるが、第1式を変形すれば、

$$0.11U(100万) > 0.10U(500万)$$

となり、第2式からは、

$$0.10U(500万) > 0.11U(100万)$$

という不等号が逆向きの式が得られ、明らかに矛盾しているからである。アレは、被験者が確実に（すなわち確率1で）得られる結果を重大に評価するという傾向を示していることから、このような現象を「確実性効果」と名付けたのだが、発見者のアレにちなみアレ・パラドックスと呼ばれることも多い。同様の結果は、カーネマンとトヴェルスキーらによっても得られている。ちなみに、期待効用理論の強力な推進者であったレオナルド・サヴェッジも一九五二年にパリで開催された学会の席上アレからこの質問をされ、同じように矛盾した返答をしたという。

このパラドックスは、プロスペクト理論によって説明できる、つまりもはやパラドックスではない。価値関数と確率加重関数を用いて表わせば、第1式は、

$$(1-w(0.89))\ U(100万) > w(0.10)\ U(500万)$$

となり、第2式は、

$$w(0.10)\ U(500\text{万}) > w(0.11)\ U(100\text{万})$$

となる。

両式を合わせると、

$$(1 - w(0.89))\ U(100\text{万}) > w(0.11)\ U(100\text{万})$$

すなわち、

$$\{1 - (w(0.89) + w(0.11))\}\ U(100\text{万}) > 0$$

となるが、確率加重関数の劣加法性により、

$$w(0.89) + w(0.11) < 1$$

であるから、両式は矛盾なく成立することになる。

リスク態度の四パターン

カーネマンやトヴェルスキーらの行なった実験によって、確率が低い場合には、利得に関するリスク追求と損失に関するリスク回避性が、また確率が中〜高の場合には利得に関するリスク回避と、損失に関するリスク追求性が観察されている。これは、小さい確率の過大評価が、利得に関するリスク追求と損失に関するリスク回避をもたらし、中から大の確率の過

確率	利得	損失
中 高	リスク回避	リスク追求
低	リスク追求	リスク回避

表４－２　リスク態度の４つのパターン

小評価が、利得に関するリスク回避と、損失に関するリスク追求をもたらすことを意味している。したがって、リスク態度と利得・損失に関して表４－２で示されるような四通りのパターンが得られることになる。

このパターンによって、当選確率がきわめて低いにもかかわらず宝くじを争って購入することや、感染の恐れがきわめて低いにもかかわらず、ＢＳＥを恐れて牛肉を忌避する行動が理解できる。

このパターンを図で確認してみよう。

図４－５には、利得＝１００の時の、確率 p（横軸）と全体的評価 $w(p)v(100)$ がグラフに描かれている。

$$v(100) \fallingdotseq 57.54$$

であるから、このグラフは、確率加重関数 w を５７・５４倍した値を示している。

したがって、確率加重関数の持っている性質がそのま

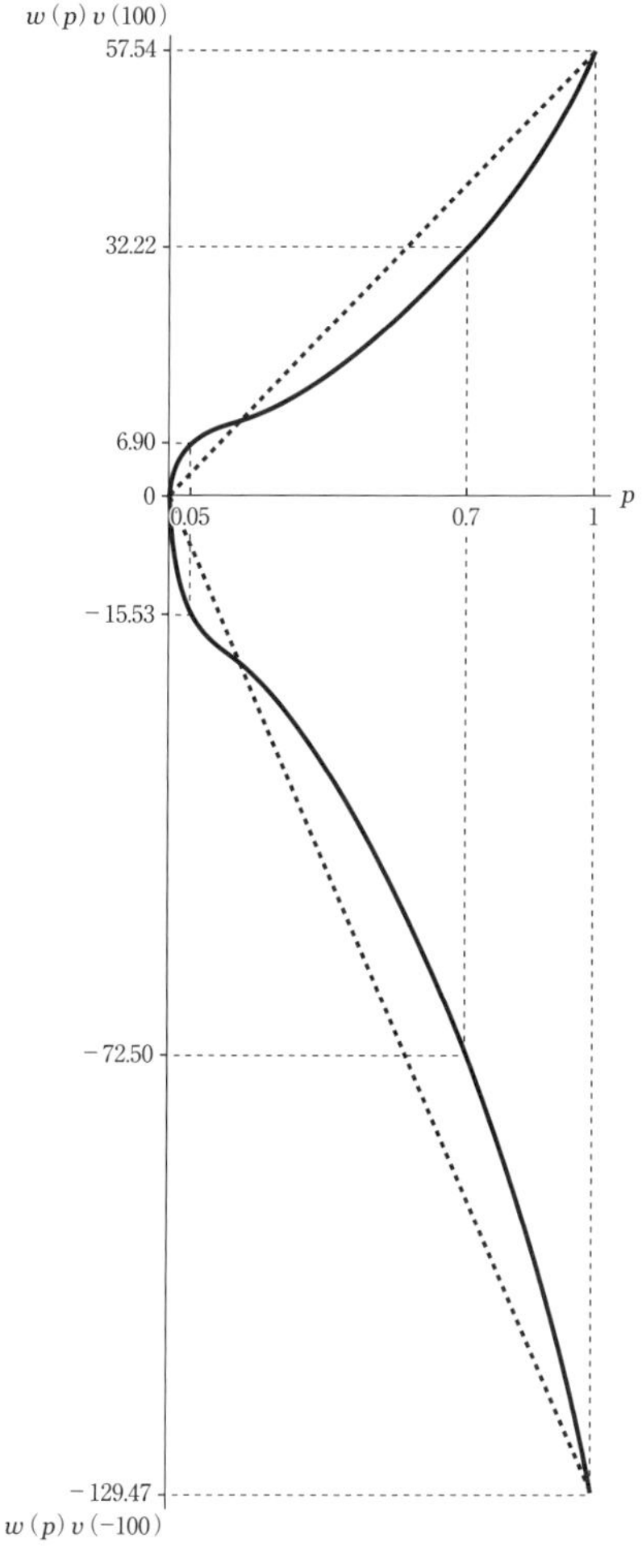

図4-5　リスク態度に関する4通りのパターン

ま保存され図のグラフのようになる。確率が0・05の時には、

$w(0.05)\ v(100) \fallingdotseq 6.9$

であり、

$0.05\, v(100) \fallingdotseq 2.9$

であるから、前者は後者より、すなわち確率を0・05のまま評価した時に比べて加重した時の方がより魅力的に映る、つまりリスク追求的であることがわかる。この性質は、確率が0・35を超えると逆転し、中・高確率ではリスク回避的となる。

損失＝－100についてはグラフの下側に描かれている。損失は利得の2・25倍大きく評価されていることに注意しよう。同様にして、確率が小さいときにはリスク回避的、確率が中くらいから高い時にはリスク追求的となることがわかる。

編集プロセスと評価プロセス

プロスペクト理論では、人々が決定を下す際には、二つのプロセスを経ると想定されている。まず最初が「編集」のプロセスであり、決定に関連のある行為や条件、結果などが認識される。参照点の選択も「編集」プロセスでなされる。

次のプロセスが「評価」であり、第一に価値関数が適用されて、対象の価値が評価され、第二に確率加重関数が適用されて、その対象が生じる確率に重みがつけられる（第一と第二の作業は順番が逆になることもあるし、同時になされることもある）。第三に価値を求め、確率を加重した結果が合計されて、対象の総合的な評価が定められるのである。そして結果を複数含む、つまり、確率pで１００万円当たるが、確率１－pで５万円当たるという「くじ」のような対象に関しては、それぞれ個別の評価が総計されて、このくじの評価が決まる。すなわち、ある結果（利得または損失）xが確率pで得られ、結果yが確率qで得られるというプロスペクトの全体的価値は、

$$V = w(p)v(x) + w(q)v(y)$$

となるのである。

このような編集プロセスも評価プロセスも、システムⅡによって意識的に計算した上で実行されるとは限らず、システムⅠの働きによって自動的、無意識的に行なわれることも多いということに注意しよう。

エルズバーグ・パラドックス

最後に、プロスペクト理論とは直接関係ないが、上述のアレ・パラドックスと共に、期待効用理論に対する反例として古くから知られている「エルズバーグ・パラドックス」について述べておこう。

余談だが、このパラドックスの発見者であるダニエル・エルズバーグは、ハーバード大学で経済学博士号を取得後、米国防総省の職員となったが、同省の『ベトナム秘密文書』をマスコミに暴露して一躍有名になった人物である。またイラク戦争開戦時にも公園でストライキを敢行し逮捕されている。

閑話休題。エルズバーグ・パラドックスは、次のような選択問題で表われる。

質問5

90個の玉が入った不透明な壺がある。そのうち、30個は赤玉であり残りの60個は黒色と黄色であるがその比率はわからない。色を指定し、当たったら賞金が100ドル得られるものとする。まず、赤に賭けるかあるいは黒に賭けるか。

次に、予め2色指定しどちらかが出たら賞金が得られるとする。赤または黄色に賭けるか、黒または黄色に賭けるか。

多くの被験者は、最初の問題では赤を選択し、二番目の問題では黒または黄を選択した。このことは期待効用理論の前提に反することになる。なぜなら、両方の質問において、黄色は共通の結果をもたらすから選択に影響を及ぼすことはなく、無視することができる（表４－３参照）。すると残りの部分は両方の問題で全く同一となるから、選択は一貫していなければならない。

しかし、多くの被験者の選択は矛盾したものであった。

フランク・ナイトは一般的な不確実性を分類して、事象の確率分布が完全にわかっている状態である「リスク」（危険）と、確率分布に関してまったくわからない状態である「不確実性」とに区分した。一般的には、どちらの状態も不確実性といわれることがあるから、紛らわしいが、質問５における壺の中の黒玉と黄玉はこのどちらの区分にも該当しない。状況はどちらでもないのである。確率分布に関してまったく無知でもなければ、完全に知っているわけでもないからである。

エルズバーグは両者の中間の段階を考えなければならないことを指摘し、この状態を「あ

	30個	60個	
	赤	黒	黄
質問5①			
赤	$ 100	0	0
黒	0	$ 100	0
質問5②			
赤または黄	$ 100	0	$ 100
黒または黄	0	$ 100	$ 100

表4-3　エルズバーグ・パラドックス

いまい性」と名付けた。質問5における被験者の選好は、人々がこのようなあいまい性を回避する傾向があることを示している。

第5章　プロスペクト理論(2)　応用……「持っているもの」へのこだわり

「我々の行動律の大半を占めるのは良心や理性ではなく、世間の目である。但しその世間とは、我々の身近にあって我々を評価する者たちのことである」ハズリット『箴言集』（中川誠訳、彩流社）

参照点依存性・損失回避性と無差別曲線

前章では、将来の利得や損失が確率的に得られるという意味で一種のリスクがある場合の選択であったが、リスクがない、つまり確率1で事態が生じると意思決定者が受け取る場合であっても、プロスペクト理論の価値関数に表わされている考え方は適用可能である。つまり、リスクがない確実な場合であっても、前章で確認した参照点依存性や損失回避性は、判断や選択に関してさまざまな影響を及ぼすことを見ていこう。

さて、標準的ミクロ経済学の分析道具として無差別曲線がある。無差別曲線は、消費者理論や需要理論さらに市場理論にとってきわめて重要な役割を果たしている。図5－1に示されているように、横軸に財x、縦軸に財yの数量を測り、無差別な、つまり同一の効用をもたらす組合せ（たとえばAとB）を結んだ曲線が無差別曲線である。xとyはどんな財でもよい。たとえばxはリンゴ、yはミカンだと考えて欲しい。

標準的な無差別曲線は、当然のことながら、財xとyの量の組合せの絶対量に応じて決まり、初期値（参照点）がどこであるかには依存しない。ところがプロスペクト理論では参照点の導入と損失回避性によって、無差別曲線が標準的理論とは異なって描かれることになる。

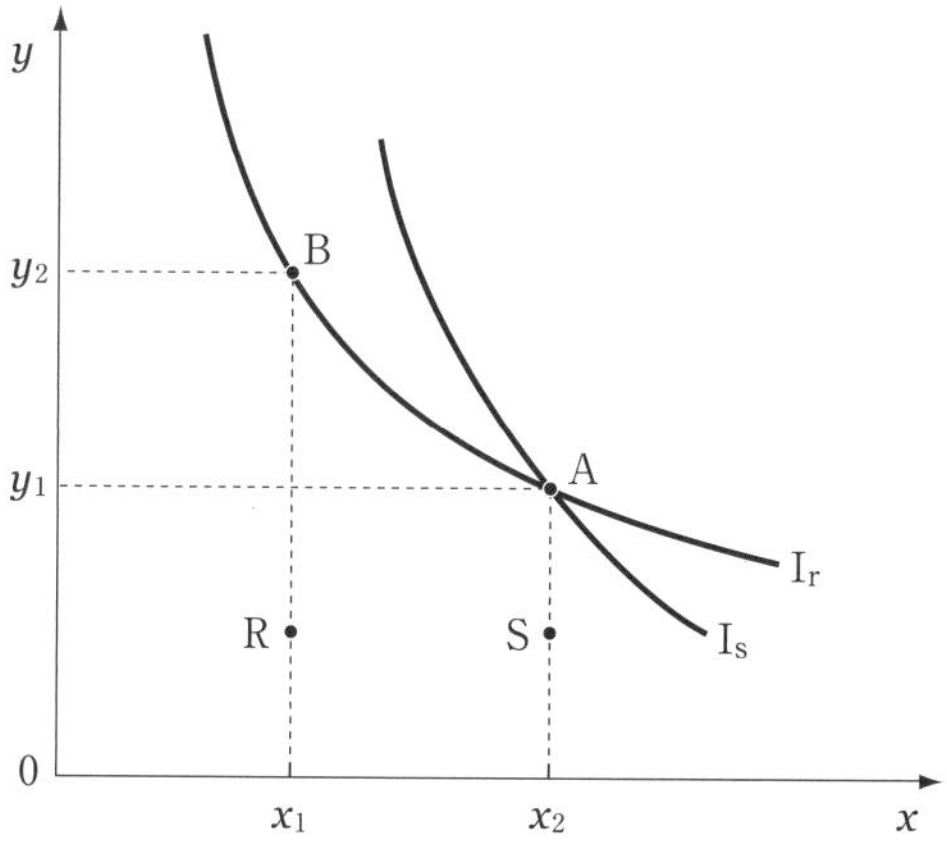

図5-1　無差別曲線の交差

図5－1において、参照点Rから見た場合にAとBは無差別であるとしよう。無差別曲線はIrとなる。

参照点Rから財xの増減だけを見ると、Rに比べてAではxがx_2-x_1増加し、Bではxの増減ゼロである。同様に参照点Sから財xの増減だけを見ると、Sに比べてAではxの増減ゼロであるが、Bではx_2-x_1減少している。yの増減に関してはSから見てもRからも同じであるから無視できる。

したがって、Rから見たAの価値より、Sから見たBの価値の方が小さいことになる。そこで、Sを参照点とした時のAを通る無差別曲線Isは、Bの上方を通ることになる。つまり、Rから見ると、AはBよりxに関して

x_2-x_1だけ大きく、Sから見ると、BはAよりxに関してx_2-x_1だけ小さい。損失回避性によって、後者のマイナスが前者のプラスより大であるから、Sから見るとAとBはもはや無差別ではなく、BよりAが選好されることになるのである。

つまり参照点がどこにあるかによって、AとBの無差別関係が変化するのである。したがって2つの無差別曲線は交差することになり、標準的経済学が理論的基礎を置いている無差別曲線の意味がなくなってしまう。

保有効果と現状維持バイアス

第4章で確認した損失回避性がもたらす人の行動への影響は、二つある。その一つはセイラーが命名した「保有効果」であり、もう一つは、ウィリアム・サミュエルソンとリチャード・ゼックハウザーによる「現状維持バイアス」である。

まず保有効果から見ていこう。保有効果とは、人々があるものや状態（財だけでなく地位、権利、意見なども含まれる）を実際に所有している場合には、それを持っていない場合よりもそのものを高く評価することをいう。

セイラーは、一九五〇年代に1本5ドルで買ったワインが今では100ドルの値段が付いているにもかかわらず手放そうとせず、同じワインを今追加して買うとしても35ドル以上は出そうとしない人の例を挙げている。

保有効果は、二つの意味で損失回避性の具体的な現われである。第一に、あるものを手放す（売却する）ことは損失であると感じられ、それを手に入れる（購入する）ことは利得であると感じられることである。第二に、ある物を購入するために支払う金額は損失ととられ、それを売却することにより得られる金額は利得ととられるが、損失回避性によってどちらの場合でも利得より損失の方が大きく評価される。したがって損失を避けるならば保有しているものを手放そうとせず、実際に所有している物に対する執着が生じるのである。

また人々が一般に、同一額の機会費用と実際に支払った費用では、後者を重く評価するという傾向を持つことはいろいろな事例で確かめられているが、このバイアスは保有効果により説明できる。実際に支払った費用は損失であり、機会費用は得ることができたのに実際には得（られ）なかった利得であって必ずしも損失とみなされるわけではない。したがって、両者が同じ大きさであったとしても損失回避性によって、実際に支払った費用は過大評価され、機会費用は軽視されるのである。

保有効果が存在することを実験によって最初に確認したのは、クネッチとシンデンである。

彼らは実験の参加者の半数ずつに、抽選券か2ドルの現金を与え、抽選券と現金2ドルとの取引の機会を設けた。しかしこの取引を実際に行なった者はほとんどいなかった。抽選券を持っている者も、現金2ドルを持っている者も、どちらも自分たちの所有している物が相手が持っている物よりも良いと評価したのである。

このような選好は、もともと抽選券を高く評価している人に偶然抽選券が渡され、もともと現金2ドルを高く評価している人に偶然現金が渡された場合には生じうるが、その可能性はきわめて小さい。つまり、保有効果が働いたと考えられる。

同様の結果はクネッチによる別の実験でも得られている。

実験の参加者は三つのグループに分けられ、第一のグループにはマグカップが与えられ、それを持っていてもよいし、400グラムのチョコレートバーと交換してもよいとされた。第二のグループには第一グループとは逆に400グラムのチョコレートバーが与えられ、マグカップとの交換のチャンスが与えられた。交換には手間も時間もかからないように実験は工夫されているため、取引費用の影響はほとんど無視できる。さらに、第三のグループにはどちらでも好きな方を選ばせた。

この実験の結果、第一グループの89%はマグカップを選好した、すなわちチョコレートとの交換には応じなかった。一方、第二グループでは90％がチョコレートを選好した、すなわちマグカップとの交換を希望しなかった。このことからマグカップとチョコレートの一見した評価はどちらかに偏ることはないことが示されており、それは好きな方を選べる第三のグループがほぼ半々の割合でマグカップかチョコレートを選好したことによっても裏付けられている。

ところが、マグカップをチョコレートより選好する者は第一グループで89％、第二グループで10％と大きく分かれており、この結果は保有効果が強く作用していることを示すものである。

このような保有効果は、市場の圧力が加わることによって、あるいは学習によって減少するであろうという主張がなされることもあるが、これに対してカーネマン、クネッチ、セイラーは、７００人もの参加者による大規模な市場取引を模した実験を行ない、保有効果は広く強い現象であって、純粋な市場の場においても生じることを確認した。

受取と支払の差

保有効果は、人があるもの（権利や自然環境、経済状態、健康状態などを含む）を手放す代償として受け取ることを望む最小の値、すなわち受取意思額（ＷＴＡ）と、それを手に入れるために支払ってもよいと考える最大の値、すなわち支払意思額（ＷＴＰ）が乖離することを意味する。

つまり、自分の保有しているものを手放すことの代償として要求する額は、それを持っていない場合に入手するために支払ってもよいと考える額より大きいのである。この現象自体は新古典派の効用理論に矛盾するものではなく、所得効果によってＷＴＡとＷＴＰは乖離することは予想されていた。しかし、それはふつうはごく小さく、したがって対象物に対する評価としてはどちらの値を使っても大差はないとされていた。しかし、実験の結果はそのような予想を完全に裏切るものであった。

カーネマンとクネッチらは、さまざまな対象について、ＷＴＡとＷＴＰの違いを調べている。

湿地や釣り場、郵便サービス、公園の樹木などふつう市場では取引されていない対象に対する所有権や使用権を持っているとして、それらを放棄する代償として受け取りたい金額（ＷＴＡ）と、そのような権利は持っていないが、それらを現在の状態のまま保存するためにすすんで支払ってもよいと考える額（ＷＴＰ）を調べたのである。

その結果、ＷＴＡはＷＴＰより２～17倍も大きい値となり、しかもそれは所得効果の存在や、戦略的に虚偽の回答をするといった原因では説明のできないものである。

このようなＷＴＡとＷＴＰとの乖離は、標準的経済理論の核心部に重大な疑問を投げかけることになる。それは、二つの無差別曲線は決して交わらないという性質にである。この性質は、無差別曲線は「可逆的」であるという暗黙の前提の上に成り立っている。

すなわち、主体が財xを持っており、財xをyと交換することとが無差別であるとすれば、逆に、財yを持っているときには、財yをxと交換することとが無差別でなければならない。しかし保有効果によってＷＴＡとＷＴＰが乖離するときには、この可逆性はもはや成立しないのである。すなわち、出発点（参照点）からの移動の方向が異なれば、異なる無差別曲線が引かれることになり、しかもそれらは交わってしまうのである（図５－１参照）。

このような無差別曲線の非可逆性はクネッチによっても確かめられている。彼は電話インタビューを用いて、現在所得の７００ドルの変化と、一年間入院する必要のある事故に遭う確率が０・５変化するのとではどちらを選択するかを尋ねた。

第一のグループには、事故に遭う確率が０・５％から１％に増加する代償として７００ドルが支払われるとすれば、それを受け入れるかどうかという質問をした。その結果61％の人は拒否した。このことは、多くの人にとってこの確率の変化が700ドル以上の価値を持つことを意味している。

一方別のグループには逆の、すなわち事故に遭う確率が1%から0・5%に減少するならば、所得が700ドル減ってもよいかという質問をした。受け入れたのは27%だけであった。すなわち、多くの人にとってこの確率の減少は700ドル以下の価値しかないことを意味する。

すなわち、参照点からの移動の方向が違えば、選好は異なってしまうのである。この実験では39%の人が確率の変化より700ドルを選好し、他の73%の人は確率の変化より700ドルを選好したことになる。

さらに、保有効果によって生じるWTAとWTPの乖離は、公共政策の理論的基礎である費用便益分析(コスト・ベネフィット・アナリシス)に対しても重大な疑問を投げかける。費用便益分析とは公共事業などの政策を実行するかどうかを決定する際に、それが実現した場合に社会のすべてのメンバーのもたらす費用と便益を計算して、実行するかどうかの判断を下す手法である。

公園を作るといった公共事業では、公園のもたらす便益を算定する必要があるが、公園は市場で取引される財ではないから、便益の測定にはさまざまな困難が伴う。そこで仮想的な市場を設定して実験的に便益を測定する「仮想的市場法（ＣＶＭ）」という測定法がよく用いられる。ＣＶＭは、どのような財やサービスの便益の評価に対しても適用できるから、最近は公共財の供給や公共事業、環境などの広い範囲での便益評価法として用いられている。ＣＶＭの要点は、人々にＷＴＡとＷＴＰを直接回答してもらい、便益を金額で表現しようというものである。

この場合ＷＴＡとＷＴＰが乖離するのであれば、適切な評価としてどちらを採用すればよいであろうか。この指針に関しては決定的な結論は未だに出ていない。

セイラーが挙げている次のような例もＷＴＡとＷＴＰの乖離する例である。彼は、学生に対して二つの質問をした。

一つは、「あなたは、一週間以内に確実に死を迎える重い感染症の病原菌にさらされたとする。感染している確率は０・００１である。この病気の治療のためにいくらまで払ってもよいか」であり、他の一つは、「この病気の研究のためのボランティアを募集している。仕事は、感染する確率が０・００１である病気の病原菌にさらされることである。治療を受けることは許されないとして、最低いくら受け取ればこのボランティアに応募するか」である。

典型的な回答は、最初の質問には２０００ドル、二番目の質問には１００００ドルというものであった。

ＷＴＡとＷＴＰの乖離に関する調査は、実験室で学生を対象として、十分な金銭的インセンティブもなしに、財の価値の評価という慣れない実験を行なったために得られたにすぎず、現実にはそれほどの差はないという批判もある。

しかし、最近ホロウィッツとマコーネルはこれに関してそれまでに報告された45の研究を総括して次のような結論を出している。

まず第一に、ＷＴＡはＷＴＰの約7倍である。第二に、市場で取引される通常の財ではこの比率は小さく、公共財や環境のような非市場財では大きい。第三に実験室で学生相手に行なうのではなく、市民が実際の財を評価してもこの傾向は減少しないし、さらに同じ評価を繰り返し行なうことでもこの差は解消しないこともわかった。先の批判は全く当を得ていなかったのであり、ＷＴＡとＷＴＰの乖離はかなりよく生じる現象なのである。

ＷＴＡとＷＴＰの乖離のため、ノーベル経済学賞受賞者のロナルド・コースが展開し、標準的経済学でよく言及される「コースの定理」は成立しないことになる。コースの定理とは、2人の当事者ＡとＢの利害が対立した場合に、たとえば、企業Ａが公害を発生させる財を生産して住民Ｂに被害を及ぼしている場合に、ＡがＢに補償をしても、ＢがＡを買収して公害を止めさせても、取引費用が無視できるならば、所得分配による差を除いては、どちらも同じ結果が得られるという定理である。

コースの定理は当然、ＷＴＡとＷＴＰが一致することを暗黙の前提としている。しかし今やそれは成立しない。つまり、企業Ａが公害を発生させたとしても、Ａがその財を生産する権利を有しているのか、あるいは住民Ｂが快適な環境に関する権利を有しているのかという出発点の違いが、保有効果によって決定的に重要になるからである。

市場における保有効果

保有効果は市場や取引にも影響を及ぼす可能性がある。

保有効果があれば取引による利益が減少することになるであろう。相互に有利な取引が減少するからであり、したがって標準的経済理論の予測よりも実際に取引量は減少することになる。土地、特に農地の所有者が土地に特別の愛着を持ち、市場価格より高い価格であっても土地を手放そうとはしないという話題はよくある。これは保有効果による取引減少の好例であり、保有効果を生じさせる一因として愛着のような感情があると推測される。

しかし、カーネマンやクネッチらの実験で参加者に配られたマグカップやチョコレートバーは、ただ単に配られただけであって、偶然手に入ったものである。このような財に対しても保有効果が働くことは、長年の保有による愛着では説明できない（ノヴェムスキーとカーネマンは「瞬時的保有効果」と呼んでいる）。この点に関する心理メカニズムはまだ十分に解明されていない。

保有効果は企業などの組織においても生じうる。自分自身の立場や地位を守ろうとすること、また自分の属する部署に特別の愛着を感じる可能性もある。これらは組織における人事政策やインセンティブ政策に対しても影響を及ぼしうる。

さらに、保有効果は歴史的偶然や幸運によって得られた財産や既得権の所有に対しても作用するであろうから、政府による許認可、免許等さまざまな法的権利（所有権、使用権）などに対しても働くことになり、規制緩和などそれらを手放すことを強いる政策に対して、想定以上の強い抵抗が生じることもありうる。

一方、ノヴェムスキーとカーネマンは、財が使用のためではなく再販売や現金との両替のために保有される場合には保有効果は生じないであろうと予想した。彼らは、トークン（代用硬貨）を用いた実験を行ない、使用価値がなく直ちに現金化できるトークンの場合には、保有効果はきわめて小さいことを見出した。

さらにジョン・リストは、実際のスポーツカード市場における取引を観察して、このことを確認している。取引の経験を重ね、何度も取引しているベテランの取引者には保有効果は見られないという。そこで、販売の目的で財を所有する時には保有効果は生じないし、貨幣はふつうは財との交換（購入）を意図して所有するので、貨幣を手放すことには損失とみなされず、貨幣に関しても保有効果は生じないと論じている。

また、保有効果は取引する本人や他者によって予測できるのかという疑問に対して、ヴァン・ボーヴェンとローワンスタインらは、買い手も、買い手の代理人も上手く予測できないという結論を出している。

さらに、保有効果は、現在の保有に対してだけ働くのか、過去の保有歴は影響を及ぼすのかという点について、やはりヴァン・ボーヴェンとローワンスタインらは、過去の所有の履歴にも依存する例を挙げている。

現状維持バイアス

損失回避性から導かれるもう一つの性質が、現状維持バイアスであり、人は現在の状態

（現状）からの移動を回避する傾向にあることを意味する。

つまり、現状がとりわけいやな状態でない限り、現状からの変化は、良くなる可能性と悪くなる可能性の両方がある。そこで損失回避的傾向が働けば、現状維持に対する志向が強くなるのである。

最初にこのバイアスを発見したサミュエルソンとゼックハウザーは次のような仮想的実験を行なっている。第一のグループには次のような中立的な（基準となる）質問をした。

「あなたは、新聞の投資欄の熱心な読者であるが、最近まで投資する資金の余裕がなかった。しかし、最近大伯父から多額の現金が遺贈された。あなたはポートフォリオを分散させようとしている。選択肢は次の四つである。『それほどリスクが大きくない会社の株式、かなりリスクが大きい会社の株式、財務省債券、州債』。この四つの選択肢のなかのどれを選ぶか」。

別のグループには次の質問がされた。こちらは、第一のグループに対する質問のうちの選択肢の一つが「現状」となっているところだけ違っている。

「（最初は第一グループと同じ）しかし、最近大伯父から現金と証券が遺贈された。証券の大部分はあまりリスクが大きくない会社に投資されていた（以下同じ）」。

この他にも同様に異なる選択肢が現状（初期状態）となっているような多くのストーリー

が別々のグループに提示された。そして、それぞれの選択肢について、それが現状となっている場合に選ばれる度合いと、現状以外の選択肢となっている場合に選ばれる度合いが求められた。

その結果、すべての選択肢についてそれが現状となっている時には、それ以外の時に比べてはるかに多く選択されることがわかった。さらに、選択肢の数が多くなると、現状が選ばれることがより多くなることが示されたのである。

また、ハートマンらは、現状維持バイアスに関する公共政策上重要な意味を持つ調査を行なっている。彼らは、カリフォルニア州の電力消費者に対して、サービスの信頼性と電力料金の選好に関する実際のデータに基づく調査を行なった。

消費者は二つのグループに分けられた。第一のグループは、サービスの信頼性は高い（年間3回の停電）が料金も高い契約をしており、第二のグループは信頼性は低い（年間15回の停電）が料金も第一グループより30％低いという契約を結んでいる。それぞれのグループに対して、双方の現状を含む信頼性と料金に関する六通りの組合せを示し、それらの間の選好を聞いた。

その結果、やはり強い現状維持バイアスが観察されたのである。

第一のグループでは60％が現状を最も選好し、第二グループの現状を選択したのは、30％料金が安いにもかかわらずわずかに6％弱であった。また第二グループでは、信頼性は低いにもかかわらず、現状を最も選好したのが58％で、信頼性が高い第一グループの現状を選好したのは6％にすぎなかった。

公益事業のサービスに対する信頼性は、公益事業間の資源配分、事業規模の拡大、料金の決定などに大きな影響を及ぼすが、それについての実際の消費者へのアンケート調査などでは、この種の現状維持バイアスを十分に考慮する必要がある。

現状維持バイアスは、現在の状態から動こうとしないという意味で「慣性」が働いているのである。「慣性は物理的世界のみならず、社会的世界の性質でもある」（モシンスキとバーヒレル）。

サミュエルソンとゼックハウザーは、「現状の選択肢に固執する、企業の慣習的な方針に従う、現職をもう一期再任する、同じブランドの商品を買う、同じ職場に留まる」といった人々の傾向は、この慣性と結びついていると言う。

また、現状維持バイアスを、現在の状態をアンカーとするアンカリング効果の一種と見ることもできよう。

公正をめぐって

人々、特に消費者や労働者は、商品の価格、賃金、利潤等の決定に関する行動に対して、何をもって公正（フェア）であると考えるであろうか。公正の概念や考え方は多様であり、決定的な定義は存在しない。しかしカーネマン、クネッチ、セイラーはその考え方の一つを提示し、公正が損失回避や保有効果と密接な関連を持つことを明らかにした。

ある行為や状態の変化が公正かどうかは、しばしば参照点とそこからの移動の方向に基づいて判断される。したがってまず、参照点がどこに決定されるかが重要である。

カーネマンとクネッチらは、バンクーバーとトロントの市民からランダムに選んだ人を対象に、次のような質問について電話によってアンケート調査した。回答は「完全に公正、受容できる、不公正、きわめて不公正」の四つから選択されたが、前二者を「受容できる」、後二者を「不公正である」にそれぞれ集計してある。

質問１　小さなコピー店に従業員が１人いる。その店で６ヶ月間、時給９ドルで働いていた。店は順調にいっていたが近くの工場が閉鎖され、失業者が増加した。他の同規模の店は、コピー店の従業員と同様の仕事をする人を時給7ドルで雇いはじめた。そこでコピー店の経営者は、時給を7ドルに下げた。

[受け入れられる17％、不公正である83％]

質問1′（最後の部分以外は質問1と同じ。）コピー店の従業員が辞めてしまったので、経営者は時給7ドルで新規採用することにした。

[受け入れられる73％、不公正である27％]

ここでは、従業員の現在の賃金が参照点（参照賃金という）となっており、それに基づいて経営者の行動が公正であるかどうかが判断されているが、新規採用者の賃金にはその基準は当てはまらない。企業のさまざまな取引相手（消費者、被雇用者、借家人等）にとっては、市場価格、公表価格、過去の取引の先例などが価格、賃金、家賃等に関する参照点となっているのである。

そのような参照点は、歴史や偶然によって決定されている場合もあるが、公正の判断に関して重要な役割を果たすのであり、そこからの時給引き下げのような条件悪化は損失とみなされ、取引相手に対して損失を招くような行為は第三者によって不公正と判断されるのである。すなわち、一種の保有効果が働いているのである。

カーネマンらは、このような取引の公正に対する原理は、「二重の権利」によって特徴づけられるという。

すなわち、取引者は参照点である以前の取引の状態を続ける権利を持っており、企業は参照点である利益を維持する権利を有している。しかし、企業は、取引相手の参照点となっている価格や家賃、賃金等に対する権利をみだりに侵害することによって利益を増やすことは許されず、不公正とみなされる。ただし、企業の参照点である利益が脅かされている時には、取引相手の犠牲の上に利益を守ることは必ずしも不公正とはみなされないのである。

このように公正は当事者が有しているとみなされる権利に対する判断が基礎となっている。

質問1′に対する回答が示しているように、新しい従業員は前の従業員の賃金に対する権利を持っておらず、したがって経営者の行動は不公正とはみなされないのである。次の質問が示すように、労働取引の契約が新規になれば、以前の賃金に対する権利は消滅することになる。

質問2　ペンキ屋が2人の助手を雇っており、彼らに時給9ドル支払っていた。しかしペンキ屋は廃業して、造園業を始めることにした。造園業の現行賃金は低いので、助手の時給を7ドルに下げることにした。
［受け入れられる63％、不公正である37％］

公正の判断は、参照点からの乖離の方向すなわち、そこからの（取引相手にとっての）利得であるのか損失であるのかにも影響される。それは、保有効果から導かれる機会費用と実際に支払った費用との差に基づいている。

企業の行動は、その行動によって取引相手が得られるはずであった利得が減少するときよりも、それによって実際に損失が生じた時の方がより不公正であると判断される。同様に企業の行動は、それが損失回避的行動である時よりも、利益をもたらした時の方がより不公正であると判断される。

質問3　ある人気車種の供給が不足しており、購入希望者は2ヶ月待ちの状態である。

あるディーラーは、今まではリスト通りの価格で販売していたが、この車種に関してはリストより２００ドル高く価格を設定した。

［受け入れられる29％、不公正である71％］

質問3′　ある人気車種の供給が不足しており、購入希望者は２ヶ月待ちの状態である。あるディーラーは、今まではリストの価格より２００ドル値引きして販売していたが、この車種に関してはリスト通りの価格で販売した。

［受け入れられる58％、不公正である42％］

質問３と3′では引き上げ額は同じであるが、公正感はかなり違っている。

質問３では、リストの価格を参照点として、そこからの顧客にとっての損失は不公正とみなされている。一方、3′では、参照点は不明確である。参照点を割引価格とすればリスト通りの価格は損失であるが、参照点をリスト価格とすれば得られなかった利得（機会費用）とみなされることになり、不公正感は小さい。

ここでは後者の見方をしている人が少なくないことが示されている。

同様の考え方は、価格ではなく賃金についても当てはまる。

質問4　ある小さな企業には数人の従業員がいる。彼らの賃金はその地域では平均的である。最近業績が以前ほどは上がっていない。そこで経営者は来年から賃金を10％下げることにした。

[受け入れられる39％、不公正である61％]

質問4′　ある小さな企業には数人の従業員がいる。彼らには毎年、賃金の10％のボーナスが支給されていた。彼らの賃金はその地域では平均的である。最近業績が以前ほどは上がっていない。そこで経営者は今年からボーナスを支給しないことにした。

[受け入れられる80％、不公正である20％]

労働の超過供給が存在する時には、賃金は下方硬直的（下がりにくい）になりうる。この点は、最近トゥルーマン・ビューリーが強調している。ビューリーは主として雇用者へのインタビューに基づき、景気後退期にはレイオフは実施されるがなぜ賃金切下げは少ないのかを検証している。

多くの雇用者は、賃金切り下げは従業員の士気を低下させ、会社の業績悪化につながるので、それを避けるために賃金切り下げは実施しないと答えた。ビューリーは、寛大さ、互酬性（お互い様原理、第8章）、公正が重要な役割を果たしているという。

公正とは何か

以上見てきたように、企業の行動が公正であるとみなされるかどうかの判断は、参照点とそこからの移動が決定的に重要であることがわかった。公正に関するこのような分析から以下のような経済学的意味が導かれる。これらは標準的な経済理論からは得ることができないものである。

企業は、その価格、賃金、利益などに関して決定をする時には、取引相手（従業員、顧客、賃借人等）がそれを公正であると判断するか否かを考慮して、すなわち公正を一つの制約条件として行動を決定しなければならない。したがって、企業はたとえ公的、法的な規制がない場合でも、単純に利潤追求的行動をすることはできない。短期には高い利潤が得られたとしても、不公正であるという悪評が立てば長期的には利潤を失うことになる。そのため自制的な行動が必要となる。

最近、企業のコンプライアンスがしばしば問題にされるが、その場合には法の遵守の視点が重視されている。しかし、それに留まらず、公正やモラルという観点から企業行動を考察しなければならないであろう。上で考えた公正は、法的には何ら問題のない行動であるが、企業にとっては考慮に入れなければならない事項である。

企業のこのような公正に配慮する行動が市場や経済全体に及ぼす影響を直《ただ》ちに判定することはできないが、標準的経済理論とは異なる次のような影響は考えられる。

質問4、4′からは企業の公正感が賃金の下方硬直性に大きく影響していることが示唆される。労働の超過供給が存在する時には、賃金は下方硬直的となる。さらに、実質賃金は価格が安定している時期よりもインフレ期において、より大きく調整されるであろう。

名目賃金を切り下げると、不公正とみなされ、抵抗が大きい。インフレ期には名目賃金を切り下げることなしに実質賃金の切り下げが可能であるが、それは不公正とみなされないからである。

また、被雇用者に対する賃金の支払い方法は、単に毎月の俸給ばかりでなくボーナスを組み込み、業績悪化の時にはボーナスの減額によって調整する方が、雇用者の抵抗は少ない。

それはまたレイオフを減少させ、失業率を低めることになる。

カーネマンらが研究した当時（一九八〇年代末）、日本の失業率が低いのはこのような調整可能なボーナス制度の功績であると彼らは主張している。また、総額は同じであっても、時間と共に減少する所得の系列より、時間と共に着実に上昇する所得の系列が選好されることが確かめられている（２３５頁参照）。このような給与体系は被雇用者を引きつけ、転退職を防ぐ要因として機能しているとも考えられる。

近年、いわゆる日本的経営が批判を浴び、欧米流の成果主義、競争原理を導入すべきであるという主張がなされてきたが、逆に最近では、日本的経営を再評価する議論が登場しつつある。ここで論じたような視点で考えると、日本的賃金体系の有効性は見直されてもよいと言えるであろう。

分配の公正

次に分配の公正の問題に目を転じよう。

分配の公正に関する一般的考え方や標準的経済理論における議論ではなく、ここでは、分配の公正を考察する場合にも、参照点依存性と損失回避性について考慮しなければならないことに着目する。

分配の公正を考える際には、それが分配と再分配という二つの側面において判断されるという点を考慮しなければならない。分配の側面においては、財の存在量あるいは富の水準によって決定される効用（評価）が、公正を考える場合の基準となろう。標準的経済学における分配の公正の概念はこの側面だけに焦点を合わせたものである。

しかし、再分配の側面では、ある状態からの変化を考察しなければならない。この場合には、効用を決定するものはプロスペクト理論が示唆するように、参照点からの移動であり、それが利得であるか損失であるかによって評価は大きく異なり、公正の判断もそれに依存するのは以上で見てきた通りである。

損失回避性は、分配の面より再分配の面においてより重要である。ある個人にとっての分配すなわち富の水準についての評価は、その絶対的水準とともに他者の富の水準によって決定されたある基準に関してなされるであろう。この基準より低い水準の分配しか得られない人はそれを損失と考え、逆の場合には利得と捉えるのである。

しかし再分配においては、参照点は他者の状態によって決定される基準ではなく、自己の以前の状態である。富の参照点からの減少は損失と感じられ、増加は利得とされるであろう。

したがって損失回避性によって、再分配のメリットは減じられることになる。

功利主義的考え方をすれば、個人Ａから個人Ｂへの再分配は、両者の再分配された結果の効用の比較ではなく、Ａの損失の評価（効用）とＢの利得の評価（効用）が比較されなければならず、後者が前者より大きくない限りこの再分配は正当化されないであろう。しかしこのような個人間比較は一般には不可能である。

損失回避性に基づく公正の観点から見た分配と再分配については、カーネマンとヴェアリーによって次のような実験結果が得られている。

質問５　稀な難病を患っている２人の患者ＡとＢが、医者の治療を受けている。投薬をすれば、その病気による苦痛は和らげられる。しかしその薬は量が限定されており、その医者には１日当たり48錠しか手に入らない。医者はその薬を患者Ａ、Ｂにどのように分配するかを決定しなければならない。次の情報は、医者も２人の患者も知っているものとする。

患者Ａは、苦痛を１時間緩和するためには薬が３錠必要である。患者Ｂは、苦痛を１時間緩和するためには薬が１錠必要である。

あなたがこの医者であったら、48錠の薬をAとBにどのように分配するか?(分配後の取引は行なわれないとする)

この質問に対して、苦痛を感じない時間が両者とも同じになるように分配する(A36錠、B12錠)という回答が77%を占めた。

一方、24錠ずつ分配すれば、Aは8時間、Bは24時間苦痛が緩和されるから、社会的な(AとBの合計の)苦痛緩和の最大化という観点からは24錠ずつ分配するという回答がありうるが、これを選んだ者は少数であった。

次に、これを出発点として再分配を考えよう。

質問5′(質問5と同じ設定であるが、苦痛の状態は異なる)患者A、Bともに苦痛を1時間緩和するためにはその薬が1錠必要であった。そこで彼らに24錠ずつの薬が与えられ、2人とも苦痛は感じないですんでいた。この状態が数ヶ月続いた。しかし、患者Bの病状が突然悪化し、苦痛を1時間緩和するためには薬が3錠必要となった。Aには変化はない。

> あなたがこの医者であったら、48錠の薬をAとBにどのように再分配するか？（分配後の取引は行なわれないとする）

この質問に対しては、50％の人が苦痛の時間を等しくするような再分配（A12錠、B36錠）を選択した。

回答者の中には、人は他者の不運の分担を強いられない権利を持つとして、再分配に反対する者もあった。また、質問内容を変えて、１人の状態が急に良くなったために再分配を考慮しなければならなくなった場合には、70％の人が苦痛の時間を等しくするような再分配を選択した。

この種の質問に対する回答から、経済的な分配問題に関して意味ある政策的提言を直ちに引き出すことは困難であろうが、分配と再分配の問題を考える際には、状態と状態の変化を分けて考え、状態の変化がもたらす評価（効用）の大きさをも問題にしなければならないと言うことはできよう。その場合には、参照点依存性と損失回避性に対して十分な配慮をしなければならないのである。

このような公正感（観）に関する行動経済学的研究は、まだ十分成果が上げられているとは言いがたい。しかし、人が何をもって公正とみなすかという視点が公共政策に及ぼす影響は大きく、それを考察する場合には、参照点依存性と損失回避性を無視することはできないであろう。

第8章で検討するように、公共財のただ乗り（フリーライダー）問題や、囚人のジレンマ状況での協力行動などは、人間の持っている公正感の研究およびそれに基づく政策分析が不可欠である。

第6章　フレーミング効果と選好の形成……選好はうつろいやすい

「コップが半分満たされていると思う人もいれば、半分空だと思う人もいる。私はコップが大きすぎると思う」ジョージ・カーリン

「合理的に行動する場合、われわれは最善の選択あるいは相互に相容れない事柄のなかから最良の妥協案をみつけ出そうとするものである。しかし、時として人間はその選択および考慮すべき事柄の決定を誤ることもある」ティボール・シトフスキー『人間の喜びと経済的価値』（斎藤精一郎訳、日本経済新聞社）

フレーミング効果とは

コップに半分水が入っているのを見て、「まだ半分入っている」と思う人は楽観主義者で、「もう半分しかない」と思う人は悲観主義者だという言葉もある。

水が一杯入っているコップから空のコップに水を半分移すのを目の前で見せられたら、もともと一杯だったコップには「水が半分残っている」と思うだろうし、もともと空だったコップは今は「半分満たされている」と感じるであろう。どちらも「コップ半分の水」であることに変わりはないのに。

人はまったく同じ内容を見ても、状況や理由によって違うように受け取るのである。

人が質問に答える時、一般的には人間の意思決定は、質問や問題の提示のされ方によって大きく変わることに着目し、期待効用理論に対する反例として取り上げたのはカーネマンとトヴェルスキーである。

彼らは、問題が表現される方法を、判断や選択にとっての「フレーム」と呼び、フレームが異なることによって異なる判断や選択が導かれることを「フレーミング効果」と名付けた。

フレーミング効果がある場合には、期待効用理論の前提である「不変性」が満たされなくな質問1　アメリカ政府が、600人は死ぬと予想されているきわめて珍しいアジアの病気を撲滅しようとしている。そのために2つのプログラムが考えられた。どちらがより望ましいか。見積もりは科学的に正確であるとする。次に挙げた選択肢からどちらを選ぶか。

A：200人は助かる。[72 %]

B：確率1／3で600人助かり、2／3で誰も助からない。[28 %]

質問1′（問題設定は同じ）

C：400人死ぬ。[22 %]

D：確率1／3で誰も死なず、2／3で600人死ぬ。[78 %]

る。不変性とは、同一の問題がどのような表現で示されたとしても選好や選択には影響を及ぼさないという、きわめて重要ながらふつうはまったく暗黙的に置かれる前提である。

カーネマンは、第3章で見たフレーム問題についてはまったく言及していないが、フレーミング効果におけるフレームと、フレーム問題におけるフレームとは本質的に同じ意味である。どちらも思考の枠組、注意の枠内への限定という意味が含まれている。

さて、フレーミング効果の最初の例として、トヴェルスキーとカーネマンによる有名な「アジアの病気問題」を取り上げよう。

質問1では状況は「助かる」という肯定的な表現がされているため、被験者には利得と

質問2　まず無条件で1000ドル得られたとする。次にどちらを選ぶか。

A：(1000，0.5)［16%］　B：(500)［84%］

質問2′　まず無条件で2000ドル得られたとする。次にどちらを選ぶか。

C：(－1000，0.5)［69%］　D：(－500)［31%］

受け取られ、危険回避的な選択がなされた。

一方、質問1′では、「死ぬ」という否定的表現のために損失と受け取られ、危険追求的となる。

しかし、二つの質問は全く同一の状況であって表現が異なっているにすぎない。トヴェルスキーとカーネマンによると、実験後に、選好が一貫していないことを被験者に指摘しても被験者の選好は変化しなかったという。

次は、フレーミング効果によって「複合くじ」に関する不変性が破られる例、質問2と質問2′である。

これらの質問では、多くの人がBかつCという選択をした。

しかし最終的な状態に着目すれば、

A＝(2000, 0.5; 1000, 0.5)＝C

であり、

B＝(1500)＝D

である。それにもかかわらず選択の結果が分かれたのは、フレーミング効果による。質問2では利得のチャンスとみなされリスク回避的な選択がされ、質問2′では損失を避けるチャンスとみなされ、リスク追求的な選択がされている。

このように、フレーミング効果は、合理的選択理論が満たさなければならない性質である「表現の不変性」を破ることになる。アローはこの不変性を「外延性」と呼んだ。つまり概念の外延（指示するもの）が同じであるならば、それを受けての判断も同一でなければならないという公理である。「5以下の正の整数」と「1、2、3、4、5」という表わし方は、表現は異なるが全く同じ対象を指示している。このようなわかりやすい場合には問題はないが、しかしまた次のような例でも、人は同じ内容の問題を異なって受け取ってしまうのである。

ここに掲げた質問3で、AよりBが良いことはわかりやすい。色の割合は等しく、緑を引けば利得が大きく、青を引けば損失が小さいからである。被験者の選択もこのことを反映している。

一方、質問3′では選択はほぼ互角である。ところが実はCはAと、DはBとそれぞれ同値なのである。

質問3　箱に入っている玉を引き、玉の色によって（正か負の）賞金が与えられるとする。どちらを選ぶか。（玉の横の数字はその色の玉の割合（%）であり、下の数字は賞金である）。

A：	白90	赤6	緑1	青1	黄2
[0%]	0	45	30	−15	−15
B：	白90	赤6	緑1	青1	黄2
[100%]	0	45	45	−10	−15

質問3′　質問3と同じ。どちらを選ぶか。

C：	白90	赤6	緑1	黄3
[58 %]	0	45	30	−15
D：	白90	赤7	緑1	黄2
[42 %]	0	45	−10	−15

CはAの青と黄をまとめて黄とし、DはBの赤と緑をまとめて赤として、さらに青を緑に置き換えただけである。したがって二つの質問の選択肢は本質的に同一であるのに表わし方がすこしわかりにくくなると選択は一貫しなくなってしまう。

質問3′ではCよりDが優れていることは隠されており、さらにDでは利得が1つ、損失が2つであるが、Cでは利得が2つ、損失が1つであるから、Cの方が優《まさ》っているように見えてしまうのである。

政策とフレーミング効果

このようなフレーミング効果は、政策判断に関して投票やアンケート調査をする場合にも働く。次の例はクワトロンとトヴェルスキーによる。

質問４　政策Ｊが採用されると、失業率は10％、インフレ率は12％であり、政策Ｋが採用されると、失業率は５％、インフレ率は17％である。どちらの政策が望ましいか。
［Ｊ36％、Ｋ64％］

質問４′　政策Ｊが採用されると、雇用率は90％、インフレ率は12％であり、政策Ｋが採用されると、雇用率は95％、インフレ率は17％である。どちらの政策が望ましいか。
［Ｊ54％、Ｋ46％］

質問４と４′は、失業率と雇用率との表現が異なるだけで、実質的には同一の質問である。４では、ＪとＫでは、インフレ率が12％から17％へと悪化しているが、一方失業率は10％から５％へと改善している。感応度逓減性により、失業率の改善の方が大きく影響する。一方４′では、逆に、インフレ率の方が大きなインパクトを持っているのである。

人々がこのような単純な設定の質問を受けることは滅多にないであろうが、政策の良し悪しを国民に問う場合や、マスコミがアンケート調査をする際には、このようなフレーミング効果を考慮しなければならない。あるいは政策当局が政策の実現のために、実施したい政策が望ましく見えるように戦略的にフレーミングすることもありうる。このような場合には、同一の意味を持つ別のフレームに問題を意識的に置き換えてみるといった対処が必要である。統計データに関してもフレーミング効果は働く。次もクワトロンとトヴェルスキーによる。

質問5　ある国では移民者の犯罪率を減少させようとしている。法務省は、移民者の若年層の犯罪防止計画のために1億ドルの予算を支出しようとしている。この計画は若年者に就業機会やレクリエーション施設を提供しようとするものである。このために現在検討中である2つの政策JとKから選択しなければならない。2つの政策は、予算の配分方法が違うだけである。A国からの移民者数とB国からの移民者数はほぼ等しい。

統計によると、A国人のうちの3・7%、B国人のうちの1・2%が25歳までに犯罪歴を持っていた。政策JはA国人社会に5500万ドル、B国人社会に4500万ドルを配分し、政策Kは、A国人社会に6500万ドル、B国人社会に3500万ドル配分しようというものである。以上の情報に基づきどちらの政策を選択するか。

［J41%、K59%］

質問5′（ストーリーと政策は犯罪率を除いて全く同じである。）統計によると、A国人のうちの96・3%、B国人のうち98・8%は25歳までに犯罪歴がなかった。どちらの政策を選択するか。

［J71%、K29%］

質問5と5′においても、犯罪歴が3・7%と1・2%「ある」場合には大きく感じられ、犯罪歴が96・3%と98・8%「ない」とすると、その差が小さく感じられることによるフレーミング効果が働いている。

「統計データをどのようにフレーミングするかは、個人にとってばかりでなく、社会全体にとってもきわめて重大な政治的・経済的影響を及ぼす」（クワトロンとトヴェルスキー　一九八八、729頁）。

初期値効果

パソコンのさまざまな設定を初期設定（デフォルト）のままにしている人は多いだろう。よくわからないからいじらないとか、パソコンメーカーが「推奨」している設定だからそのまま受け入れることもある。初期値（設定）効果とは、2つの状態AとBのどちらが初期値とされるかによって選択が変わってしまうことであり、フレーミング効果の一種である。前章で述べた現状維持バイアスの一種であると考えることもできる。

初期設定に関する大規模な社会的実験が（意図的にではないが）アメリカで繰り広げられたことがある。

ニュージャージー州とペンシルベニア州では、2種類の自動車保険が選択できる。1つは、保険料は安いが保険の範囲は限定されており、もう1つは保険料は高いが保険の限定は少ない。ニュージャージー州では、初期設定として、自動車所有者は自動的に安い方の保険に加入し、割増保険料を支払えば高い方に変更することもできる。一九九二年では80％の人は初期設定である安い方の保険に加入している。

一方ペンシルベニア州では逆に高い方が初期設定であってそれに自動的に加入するが、安い方を選択することもできる。一九九二年では75％は高い方を選択していた。

これは初期設定の方が選択されたことを示している。ジョンソンとハーシェイらは、もしペンシルベニア州でニュージャージー方式が採用されていれば、同州民は20億ドル以上も支出額が少なかったと推定している。

日本では臓器提供意思表示カードを持っている人はかなり少なく（成人の約10％）、アメリカでも同様である（約28％）。EUでは、臓器提供に同意した人が少ない国（デンマーク4％、ドイツ12％、イギリス17％、オランダ28％）と多い国（スウェーデン86％、オーストリア、ベルギー、フランス、ハンガリー、ポーランドはいずれも98％以上）にはっきりと分かれている。この原因はどこにあるだろうか。

日本、アメリカ、デンマークなど同意者が少ない国では、臓器提供の意思表示をしない限り提供者とはみなされないのに対して、オーストリアなど同意者が多い国では、逆に臓器提供をしないという意思表示をしない限り提供の意思があるとみなされるという初期設定の違いに原因があると言われている。

ジョンソンとゴールドスタインはこのことを実験的に確かめている。彼らは、初期設定が「臓器提供に合意」であるが拒否もできる場合と、初期設定が「臓器提供をしない」であるが提供も選択できる場合と、初期値は設定せずにどちらかを選ぶという3種の設定でアンケート調査を行なった。

その結果、初期値が合意の場合には、82％が初期値である合意を選んだのに対して、初期値が非合意の場合に初期値（非合意）を選んだ人は58％であり、合意する方に変更した人は42％しかいなかった。どちらも任意に選べる場合には79％の人が合意を選んだ。

任意に選べる場合を真に臓器提供の意思を持つ者の割合だとみなせば、初期設定が臓器提供の意思表明に対していかに影響を及ぼしているかがわかる。つまり、初期設定を選んだ人が多いからといって、それが人々の真の選好とは限らないことを意味する。

ジョンソンとゴールドスタインは、初期値の設定が人々の意思決定に影響を及ぼす原因は三通りあるという。

まず、公共政策に関連する場合には、人々が、初期値は政策決定者（多くは政府）の「おすすめ」だと考え、それを良いことだとみなすことである。

第二に、意思決定を行なうには時間や労力というコストがかかるが、初期値を受け入れればコストが少ないからである。特に臓器提供は苦痛やストレスを伴うから、臓器を提供するという意識的な意思決定は避ける傾向がある。また初期値ではない方の選択肢を選ぶ場合には、申込書類を書いたり郵送する必要があるとしたら、そのコストは意外に大きい。

第三に、初期値とは現状のことであり、それを放棄することは前章で述べたように損失とみなされ、損失を避けるために、初期値を選ぶことである。損失回避性が働くのである。オランダは、初期設定が「同意しない」という国のなかでは比較的同意者が多いが、これは同国で一九九八年に大々的なキャンペーンが繰り広げられ、国民の80％に郵便を出して同意するように勧誘した結果である。しかし結局、コストをかけたわりには大した効果は得られなかったのである。

臓器提供を初期値として設定すべきであるか否かについては、倫理的・技術的・文化的・経済的なさまざまな要素が関わってくるため軽々しい判断を下してはならない。しかし何を初期値として選択するか、すなわち何を初期値としてフレームするかは、政策が成功するか否かに重大な影響を及ぼす可能性がある点は見逃すことはできない。

貨幣錯覚

貨幣錯覚とは、人々が金銭について、実質値ではなく名目値に基づいて判断することでありフレーミング効果の一つである。たとえば、賃金に関する人々の判断は、貨幣錯覚を起こしやすい。名目値とは額面のことであり、実質値とは額面の価値（名目値）からインフレ率を除いた値のことである。たとえば、年間給与が100万円から120万円にアップしたとしても、インフレ率が10%であったら実質的な昇給率は20%ではなく、10%にしかならない。この10%が実質値となる。

貨幣錯覚は経済学において長い伝統を持っており、経済学者のアーヴィング・フィッシャーは『貨幣錯覚論』（一九二八）という単独の書を著わしているくらいである。

シェイファー、ダイヤモンド、トヴェルスキーは空港やショッピングモールで一般の人に次のような質問をした。

質問6　AとBは同じ大学を一年違いで卒業し、二人とも同じような会社に入った。Aは、一年目の給与が3万ドルであり、この間インフレはなかった。二年目の給与は2%（600ドル）上がった。Bは一年目の給与が3万ドルであったが、インフレ率は4%であった。二年目の給与は5%（1500ドル）上がった。

①経済的条件　二年目になった時、経済的条件はどちらが良いだろうか？

［A　71%　B　29%］

②幸福度　二年目になった時、どちらが幸せだろうか？
［A　36％　B　64％］
③仕事の魅力　二年目になった時、どちらも他社からの引き抜きがあった。どちらが今の職を離れて新しい会社に移るだろうか？
［A　65％　B　35％］

質問が経済的条件に関する時（①）には、回答の多くには貨幣錯覚は見られない。つまり、名目値ではなくインフレ率を考慮した実質値に基づいて回答していると考えられる。

しかし幸福度（②）に関しては貨幣錯覚が見られ、給与が実質値では小さいにもかかわらず、Bの方がより幸せであると判定している。そのため、転職する可能性（③）はAの方が高いという判断を生み、最初の質問とは矛盾した回答になっている。

全体的に見て、人々が名目値と実質値を単純に混同しているとは言えない。しかし、質問が純粋に経済的条件でなされ思考がその面に集中しているときには、貨幣錯覚は生じていないが、少し曖昧な質問になると名目値を重視する方向に強いバイアスがかかっているのがわかる。幸福度を決める要因はさまざま考えられるが、ここでは経済的条件以外の要因は与えられていないから、他の理由で判断が逆転したとは考えにくい。
次も、シェイファーらによる。

質問7　ある国では、ここ半年で25％という厳しいインフレがあり、給与、物価などすべてが25％上がった。今や所得も支出も以前より25％多くなっている。
①半年前に、革張りの椅子を買おうと計画していた。その椅子の値段は半年間で400ドルから500ドルに上がっている。半年前に比べて、今ではもっと買いたくなるか、あるいは買いたくなくなるか。
［より買いたくなる：7％　同じ：55％　買いたくなくなる：38％］
②半年前に、自分が所有するアンティークの机を売ろうと計画していた。半年間でその机の値段は400ドルから500ドルに上がっている。半年前に比べて、今ではもっと売りたくなるか、あるいは売りたくなくなるか。
［より売りたくなる：43％　同じ：42％　売りたくなくなる：15％］

最初の質問では、過半数が「同じ」であると答えたが、名目値が上昇したために、「買いたくない」という答も多く、二番目では、「同じ」という回答は半数以下であり、名目値が上がったために、「より売りたい」という回答が多くなっている。はっきりと貨幣錯覚が見られる。

セイラーは、ワイン愛好家たちに次のような質問をしている。

> 質問8　一九八二年のボルドー産のワインを20ドルで買って持っていたとする。今オークションに出せば、75ドルで売れる。しかしワインは売らずに、自分で飲むことに決めたとする。この行動のコストとして感じられるのは、次のどれが最も近いだろうか？
> ［0ドル、20ドル、20ドル＋利子、75ドル、マイナス55ドル］

最後の選択肢であるマイナス55ドルは、75ドルのワインを20ドルで買ったから、55ドルの儲け（マイナス55ドルのコスト）という意味である。回答の割合は、順に30％、18％、7％、20％、25％であった。経済学的に正しい値（75ドル）は少数派であるが、こう答えた人の大半は経済学者であった。半数以上が、コストなしとか、儲かっているという回答であったのは興味深い。これらも一種の貨幣錯覚の表われである。

前章で見た公正に関する判断に関しても、貨幣錯覚は影響する。

質問9　ある会社は少しの利益をあげている。その会社は不況地域にあり、深刻な失業はあるがインフレはない。その会社で働きたいと望んでいる人が多数いる。そこでその会社は今年、賃金を7％カットすることにした。

［受け入れられる38％、不公正である62％］

質問9′　ある会社は少しの利益をあげている。その会社は不況地域にあって深刻な失業があり、さらにインフレ率は12％である。その会社で働きたいと望んでいる人が多数いる。そこでその会社は今年、昇給は5％しかしないことにした。

［受け入れられる78％、不公正である22％］

質問9と9′では、実質賃金は明らかに同じである。それにもかかわらず公正に対する判断は反対である。名目賃金の切下げは従業員にとって損失とみなされ、したがって不公正と判断される。一方、名目賃金の上昇は、実質的には切下げであるにもかかわらず、従業員にとっては利得であるとみなされ、したがって公正であるとみなされる。参照点からの移動の方向が問題であることが示されている。

以上のような例は、仮想的状況における貨幣錯覚の存在を示したものであるが、現実に貨幣錯覚が生じることをクーアマンらが観察している。

オランダでは二〇〇二年にそれまでの通貨単位であるギルダーからユーロに切り換えが行なわれ、交換レートは1ユーロ≒2・2ギルダーとなった。オランダのある地域で毎年行なわれているチャリティへの募金額はユーロ導入以前の数年と以降の数年ではそれぞれほぼ安定しているが、ユーロが導入された二〇〇二年には前年比で約10％増加したのである。

ユーロとギルダーの交換レートは約2・2であるから、以前にたとえば2000ギルダー募金していた人は、約910ユーロ募金すれば実質値ではほぼ同額であるのに、人々が1ユーロ＝2ギルダーとみなして1000ユーロ募金することが募金額増加の原因であるとクーアマンらは推測している。貨幣錯覚が現実に生じている例である。

フレーミング効果と、初期値の選好、貨幣錯覚の例は、実験者や初期設定を行なう者など、意思決定者の外部から与えられたフレームが意思決定者の選択を大きく左右することを示している。そこでこのようなフレーミング効果を、受動的フレーミング効果あるいは外的フレーミング効果と呼ぶことができる。

一方、意思決定者が現象を、自分自身で能動的・自発的にあるフレームに押し込んでしまい、それによって選好や選択が支配されることもある。いわば能動的フレーミング効果あるいは内的フレーミング効果である。

このようなフレーミングは意識的にされるとは限らず、無意識に自動的になされることが多い。内的フレーミング効果の例として、セイラーのメンタル・アカウンティングについて考えてみよう。

メンタル・アカウンティング

セイラーは、人々が金銭に関する意思決定を行なう時には、さまざまな要因や選択肢を総合的に評価して合理的に決めるのではなく、比較的狭いフレームを作り、そのフレームにはめ込んで決定を行なうと主張する。そのようなフレーミングを、セイラーは、企業の会計帳簿や家庭の家計簿の比喩からメンタル・アカウンティング（心の家計簿、心の勘定体系）と名付けた。メンタル・アカウンティングは、人々が金銭に関する行動を評価し、管理し、記録するために用いる心理的な操作のことであり、無意識になされることが多い。メンタル・アカウンティングは三つの要素から成る。

まず第一に、取引や売買の評価の仕方について、プロスペクト理論の考え方に依拠して、富や資産全体が効用を生み出すのではなく、参照点からの変化や損失回避性を重要視する。

第二に、家計簿に記入するときに「食費」「光熱費」「娯楽費」などの項目に分類するのと同様に、取引ごとに心の中で勘定項目を設定し、その中でやりくりして損失（赤字）や余剰（黒字）を計上する。

第三に、それぞれの項目が赤字か黒字かの評価をどのような時間間隔で行なうかである。つまり評価を１日単位でするのか、１週間なのか１ヶ月なのか、あるいはもっと長期なのかを重視する。たとえば、競馬の１日の最終レースでは、大穴に賭けることが多いというバイアスがある。その日に損をしている人は多いから、その損失を埋めようとして最終レースの大穴につぎ込むと考えられる。つまり、競馬での収支を１日を単位として考え、その中で収支を計算するのである。１ヶ月間、あるいは１年間の競馬の成績をトータルで考えるならば、このような行動は少なくなるはずである。

キャメラーらは、ニューヨークのタクシー運転手たちがどのように労働時間を決めているのかを調査した。運転手たちには、1日の売上げ目標を設定し、それをクリアーするとその日の営業を止めてしまう人が多いことがわかった。

彼らは通常タクシーを借り受け、12時間分の固定料金を支払わなければならないことが多く、それを超える分は自分の収入になる。そこで12時間働いてもよいし、それ以前にあがることもできる。もちろん時間当たりの売上げは日によって違うが、彼らは、だいたいの売上げ目標額を決め、それをクリアーするとその日の運転は止めてしまうことが多い。

つまり、1日を単位として労働時間を決めていることになるが、実質賃金が高いほど労働供給は多くなるという標準的経済学の想定には反している。また、雨の日にタクシーが拾いにくいことはよくあるが、雨の日にはタクシー利用者が多いばかりか、途中で営業を止めてしまう運転手が多く供給も少なくなるので、余計に拾えないのである。

メンタル・アカウンティングの好例としてよく取り上げられるのは、カーネマンとトヴェルスキーによる次の例である。

> 質問10　当日券が50ドルのコンサート会場でチケットを買おうとしたところ、50ドル札を失くしていたことに気づいた。50ドル出して当日券を買うか？

質問10′　前売券を50ドルで買ってコンサートに行ったところ、このチケットを失くしたことに気づいた。当日券も50ドルで買えるが、買うか？

多くの人は、質問10では「はい」、10′では「いいえ」ではなかったろうか。トヴェルスキーとカーネマンの実験では、「はい」と回答したのは、質問10では88％、10′では46％であった。

両方とも50ドルの価値のあるものを失ったということには変わらないのに回答が分かれた原因は、メンタル・アカウンティングによって説明できる。チケットを買うという行為は、たとえば「娯楽費」という勘定項目に含まれていて、質問10のような現金50ドルの紛失は、この勘定項目の収支には影響を与えないからである。

一方、質問10′では、同じコンサートに合計100ドル支払うことを意味するから、「娯楽費」としては高すぎて支出がためらわれたのである。

このことは、標準的経済学で仮定されている貨幣の代替性（ファンジビリティ）に反することになる。貨幣の代替性とは、貨幣には色が付いていないといわれることもあるが、どんな経過で得られても、どんなことに出費されても同じお金なのだから、完全に他の用途に変更（代替）が可能であることを意味する。合理的行動のためには必要な原則であると言える。しかし実際には、メンタル・アカウンティングの働きによって、異なる勘定項目に割り振られたお金は、異なる用途に使われるのである。

セイラーとジョンソンは、ギャンブルなどで得た「あぶく銭」は普通の収入とは違ってまた新たなギャンブルに支出される傾向があることを確かめた。まさに「悪銭身につかず」だ。

大きい出費の一部だと小さく見えてしまうこともよくある。200万円の車を買う時には、オプションの7万円のカーナビを気軽に付けてしまうが、今乗っているカーナビのない車に7万円出してカーナビを買うのはちょっと勇気がいる。

テレビやステレオなど家電製品を買うと、「500円で2年間の延長保証（つまり保険）に入りませんか」などと勧誘され、つい入ってしまった人も多いであろう。しかし、今テレビやステレオを2年間の保険なしで持っている人が、わざわざ新たに2年間の保険に入るだろうか。大きい金額の買い物をすると追加の金額が小さく見えてしまい、また壊れた時の損失を想像してしまってつい延長保険に入ってしまうのである。家電業界（保険業界？）の巧みな戦略と言えるだろう。

サンクコスト効果

年会費を5万円払ってテニスクラブに入会した。1ヶ月プレーしたところでテニス肘になってしまったが、今止めても会費は返還されないので、痛いのを我慢してプレーを続けた。なぜなら「5万円を無駄にしたくないから」といった話はよくある。

日本シリーズのチケットを2万円で入手したが、当日あいにく風邪気味で体調が良くない。球場まで混んだ電車に乗って2時間かかるとしたら観戦に行くだろうか。このチケットがもらいものだったらどうだろうか。自分で買った場合には行くが、もらったなら行かないという人が多いだろう。

レストランで食べ放題のバイキングに5000円払ったら、満腹になってこれ以上食べるとお腹をこわす心配があるとか、ダイエットに良くないとわかっていても、元を取ろうと思って食べすぎてしまうこともよくある。

経済学や経営学では、過去に払ってしまってもう取り戻すことのできない費用をサンクコストあるいは埋没費用という。そして、現在の意思決定には、将来の費用と便益だけを考慮に入れるべきであって、サンクコストは計算してはいけないのが合理的であると教えられる。

「過去のことは忘れろ」と。

しかしこれらの例が示すように、実際には既に払ってしまったサンクコストは将来の意思決定に大いに影響を及ぼす。サンクコスト効果とは、本来ならこれから先の意思決定には無関係なはずのサンクコストを考慮に入れたために、非合理的な決定をしてしまうことである。この場合のコストには金銭的なコストばかりでなく労力や時間も含まれる。

このプロジェクトの検討には多大な労力と時間を費やしてきたのだから何としても実行に移すとか、「乗りかかった船だから途中で下りられない」といった主張は、会社でも官庁でも個人でもよくあるのではないだろうか。さらに、過去につぎ込んだ金額が大きいほど、将来の決定により強い影響が及ぼされる。

セイラーは、サンクコスト効果がなぜ生じるのかは、メンタル・アカウンティングによって説明できるという。

たとえば、５０００円でコンサートのチケットを買うのは、実際に消費する日、つまりコンサートに行く日より以前であるのがふつうである。チケットを買った日に、「コンサート」という勘定口座が心の中で開設され、その口座は実際にコンサートに行ったときに、閉じられる。もしコンサートに行かなかったら、口座はずっと開かれたままになっているので、サンクコストであるチケット代が心に引っかかったままなのである。とはいえ、時間の経過とともにこの引っかかりは消えていく。

セイラーは、高い値段で買ったけれど、合わなくて足が痛くなってしまう靴に関してどんな行動をとるか考えてみるとよいと言う。

まず、何回か試しにはいてみるが、その回数は安い靴を買った場合よりも高い靴の方が多い。そして、下駄箱に入れておくがなかなか捨てられない。取っておく期間は安い靴よりも高い靴の方が長い。そしていくら高い靴でも最終的には捨てることを決心する。靴への支払いはいわば「償却された」とみなされ、時の経過とともにサンクコスト効果は次第に消滅していくのである。

アークスとブルーマーは、半年ごとに会費を払って会員権を更新しなければならないアスレチッククラブでは、会費を払った直後にはエクササイズに通う人が多いが、次第に人数が減っていき、半年後の会員権更新直後にはまた増加するというパターンを見出している。

「無駄にするな」

アークスとブルーマーは、サンクコスト効果が生じる原因として損失回避性以外に二つの要因を挙げている。

一つは評判の維持である。途中でこれ以上の投資は無駄だから計画を中止するということは、過去の決定が間違っていたことを意味する。そこで過去の投資を決定した人や組織は、「無駄なことをした」という悪評が立つのをおそれて、また自尊心が傷つくのを避けるために、事業を中断せずに出費を続ける方を選ぶのである。

二つ目は、ヒューリスティクスの過剰な一般化である。「無駄にするな」という標語やルールは子供のころからよく言われ、意思決定に当たってヒューリスティクの役割を果たす。このヒューリスティクはさまざまなところに適用されて効力を発揮するが、サンクコストというこのヒューリスティクを適用すべきでないところにまで適用してしまうために間違いが生じるというのである。つまりすでに支払ってしまったコストを「無駄にしない」ために過去の出費にこだわってしまうのだ。

アークスとエイトンは、子供がサンクコストにとらわれるかどうかを確かめる実験を行なった。そして、小さい子供はサンクコストに惑わされることは少ないが、年齢が進むにつれてサンクコスト効果が認められるようになることを見出した。

これは、子供たちが、「無駄にするな」というヒューリスティクを年齢と共に身につけていき、それを過剰に適用した結果であることの傍証だとしている。

さらにこの点はソーマンとチーマによって裏付けられている。彼らは、「たなぼた」で得られた収入からの出費に対しては、サンクコスト効果が小さいことを見出した。幸運で手に入れた金銭の出費に対しては「無駄にした」という心理があまり働かず、サンクコストへのこだわりが弱くなったのだと考えられる。たなぼたで得た収入はどのように使っても無駄とはみなされないのである。

サンクコスト効果は、「コンコルドの誤り」と呼ばれることもある。英仏共同開発の超音速旅客機「コンコルド」は、開発途中で大幅に経費がかかり、完成しても採算がとれる見込みはなかった。それにもかかわらず、もうすでに多額の開発資金を投資したから途中で止めるのは無駄であるという理由で開発が続行されたのであった。

アメリカでは一九八一年に、テネシー川・トンビグビー川水路建設事業が中止されるべきかどうか議論されたときに、事業の中止に反対したある上院議員は「この段階で中止するのは既に投資した資金の無駄である」と発言し、別の上院議員は「中止すると、納税者のお金の使い方を無意識に間違えていることになる」と述べている。

わが国の公共事業でも、将来の採算性が悪い、環境破壊をもたらす可能性が高い、あるいは企図した目的は達せられないのがわかった等の理由により即刻中止すべきなのに、「今までの投資が無駄になる」という理由で（他にも理由はあろうが）事業が中止されずに強行されている例があるのではないか。

最近、「もったいない」という言葉は日本語特有で英語にはないという理由もあって、「もったいない」が環境問題への取り組みの流行語になりつつある。もちろん無駄をなくすことやその精神を養うことは重要であるが、一歩間違えるとサンクコスト効果に陥ってしまうことになるから、注意が必要である。

「覆水盆に返らず」「死んだ子の歳は数えるな」という諺は、サンクコストにとらわれるなということを示唆するヒューリスティクスである。

選好は状況で変化する

さらに人々の選好の特徴について考えていこう。

トヴェルスキーとセイラーは、人々の事物に対する選好の判断に関して面白いたとえを用いて説明している。それは、次のような三人の野球の審判の発言に見られるという。

一番目の審判：「私は見たとおりに判定する」。二番目の審判：「私はあるがままを判定す

ストーリーがあれば選ばれる

選択肢が対立する要素を含む場合の選好の変化について、シェイフアーらは次のような実験を行なっている。

ソニーとアイワのＣＤプレイヤーが１日限りのバーゲンで売られている。人気のあるソニーのプレイヤーが99ドルで、アイワの高級プレイヤーが１６９ドルであり、どちらも正価よりかなり安い。どちらを選ぶか、それとも他のプレイヤーについて調べるために購入を見送るかという質問に対して、アイワとソニーを選んだ者は27％ずつであり、購入を見送るという回答が46％あった。

次に、ソニーのプレイヤーだけがバーゲンにかかっていたとする。人気機種で99ドルである。これを買うか、見送るかという質問に対しては、66％が買う、34％が見送ると回答した。さらに、第三の状況として、同じソニーのモデル99ドルと、アイワの下位モデル１０９ドルが選択できるとした。すると、回答は、ソニーを買うが73％、アイワを買うが３％、見送るが24％であった。

最初の状況では、ＣＤプレイヤーが安く買えるということは魅力的であるが、アイワを買うかソニーを買うかの迷いが生じる。そこで過半数を少し上回る人が買うと決断したが、半数弱の人は決定不能となり見送ると判断した。

第二の状況では、性能も価格も魅力的なモデルが売り出されていれば決定には葛藤は少なく、したがって、買うという決定がしやすい。

第三の状況では、さらに葛藤は少ない。良い品が安いのであるから、ソニーに決定しやすい。

ここで面白いのは、第二の状況ではソニーを買うと決めたのは66％であったのに、第三の状況では73％に増えたことである。下位の選択肢（アイワ）が存在することによって、第3章で述べたアンカーの役割を果たし、そのためソニーがより魅力的に見え、買うと決めるための十分な理由付けができたのだと考えられる。第一の状況で購入することを選んだのは、合計54％、第二の状況では66％、第三の状況では76％であり、葛藤が少なくて、自分自身を納得させる十分な理由付けができる状況では、購入の意思は増加することが示されている。

シラーは、株式市場における行動にも理由に基づく選択が影響していると言う。一般投資家は、株式に関する収益率などの量的指標よりも、その会社や製品についての歴史や世間での評価などの「物語」に影響されやすい傾向がある。

人々は自分の決定が、シンプルな理由づけや物語によって正当化されるのを望んでいるように見える。

選択肢は多いほどよいのか

経済学や意思決定理論では、人々が自由に選ぶことができる選択肢は多ければ多いほどよく、人々の満足は大きいという前提がまったく暗黙的に置かれている。果たしてそうであろうか。この疑問に取り組んだシーナ・イェンガーとマーク・レッパーは、面白い実験を行なっている。

スーパーマーケットで、6種類のジャムと24種類のジャムをテーブルに並べて、1ドルの割引券を渡し買い物客に試食してもらった。6種類のジャムの陳列と24種類のジャムの陳列は1時間ごとに入れ替えた。

陳列テーブルのある通路を通りかかった242人のうち40％が6種類のジャムの陳列を訪れたのに対し、60％の客が24種類のジャムの陳列を訪れた。つまり、最初はジャムの種類が多い方が魅力的なのである。

しかし、6種類のジャムの陳列テーブルを訪れた客のうち実際に購入したのは30％であったが、24種類のジャムの陳列テーブルを訪れた客のうち実際に購入したのはたった3％にすぎなかった。消費者は、多様な選択肢が用意されている方に魅力を感じるが、結局、選択肢が多すぎると決定ができないようである。

彼らは、次に6種類の高級チョコレートと30種類の高級チョコレートでも同様の実験を行なっている。

今度は、被験者はチョコレートを1つ自由に選んで試食し、味の満足度を10点満点で評価した。6種類から選んだ人の評価の平均値は6・25であるが、30種類から選んだ人のそれは5・5であった。さらに、被験者に実験参加のお礼として5ドルとチョコレート1箱のどちらか好きな方を選んでもらったところ、6種類のグループでは47%の人がチョコレートを選んだのに対して、30種類のグループでチョコレートを選んだのはわずかに12%だけであった。

イェンガーは、自分が把握するのが可能な範囲内で選択をすることが選択者にとっては望ましく、過剰な選択肢があるとむしろ選ぶのを間違えたのではないかという一種の後悔や失敗の感覚にとらわれるのではないかと指摘している。

満足化人間と最大化人間

このような些細な選択ではなく、人生におけるもっと重要な選択ではどうであろうか？　この疑問に対して、バリー・シュワルツとイェンガーらは、大学四年生の就職活動について調査した。すると、より多くの仕事から選ぶことができる学生ほど、就職活動に対する満足度が低かったのである。特に「最高の」仕事を求めている学生は、「ほどほど」の仕事を求めている学生に比べて、事実、仕事内容も条件も良い職の内定を得ているにもかかわらず満足度は低かったのである。そのような学生たちは、落胆、不安、フラストレーション、後悔などの感情をより強く示した。

また、イェンガーとジァンらはアメリカにおける退職年金制度である４０１（ｋ）プランについても、選択できるファンドが多すぎるのではないかと考え、雇用者に対する広範な調査を行なった。その結果、選択できるファンドが多くなると４０１（ｋ）プランそのものに参加する人数が減ってしまうことを見出している。

シュワルツは、このような現象を「選択のパラドックス」と呼んでいる。選択肢が多いほど自由に選べる可能性が広がり、より充実度は高くなるはずだという信奉が現代人にはある。この発想は自由主義思想とも結びついて世間を席巻しているが、これは幻想だと言う。

人にとって選択肢が多いことは幸福度を高めるどころかかえって低下させてしまうという

のである。

シュワルツはアメリカの事例を念頭に置いているが、日本でもまったく同じ状況が当てはまるだろう。

シュワルツとウォードらは、何でも最高を追求する性向のある「最大化人間」と、サイモンから着想を得た、「ほどほど」で満足する「満足化人間」がいるとして、その判定法を考案している。最大化人間は、選択肢が増えるとそれをつぶさに検討して、より良いかどうかを確かめないと気がすまないが、満足化人間はいったんそこその選択肢を見つければ、選択肢が増えても気にしないのである。したがって、最大化人間は、選択の結果に充実度が低く、後悔しがちであり、総じて幸福度が低いことが指摘されている。

第7章　近視眼的な心……時間選好

「人間はおのおののものの見方をもっている。そして同じ一人の人間でも、時が変われば同じ対象に対して違った見方をする」ベッカリーア『犯罪と刑罰』（風早・五十嵐訳、岩波文庫）

「年々歳々　花相似たり　歳々年々　人同じからず」『唐詩選』（岩波文庫）

異時点間の選択

ダイエットや禁煙をするぞと固く誓ったのに、つい目の前のケーキに手を伸ばしたり、一服つけてしまうという経験は誰にでもあるだろう。

1ヶ月前には簡単にできると思っていたのに、毎日「明日からやろう」と思ってずるずると先延ばしにしてしまって締切間際にあわててとりかかるのは、夏休みの宿題や、原稿や、大掃除についてよく見られる。予定通りに書いていれば、本書はとっくに完成していたはずである。

やると決めて計画を練っている時には楽しみにしていた旅行やホームパーティが、当日が近づくにつれて億劫《おっくう》になったことはないだろうか。

インフレや金融機関の破綻という心配を除けば、一人一人が堅実に貯金して老後に備えれば、政府に年金の面倒をみてもらう必要はないのではなかろうか。

このような問題を考えるためには、時間が効用や意思決定に及ぼす影響について考察しなければならない。

決定の時点と損失や利得を得る時点が時間的に離れているような意思決定を異時点間の選

択という。

一般に、ほとんどすべての経済的な意思決定は異時点間の選択であると言ってよい。たとえ日常の買い物であっても、買う時点と消費する時点はほんの少しであっても離れているのがふつうだからである。

耐久財や進学などのように、長い時間にわたって効用がすこしずつ得られる場合もある。また、自己規制の問題も時間と密接に関連している。現在の消費を我慢して貯蓄をするか、一服を我慢して健康な体を手に入れるか、美味しいケーキを諦めてスマートな体になるかなどが代表例である。

さらに、環境や年金制度のように、自分自身が生きている時間だけでなく次世代にも影響を及ぼす公共政策上の大問題もある。

損失や利得が、意思決定の時点ではなく時間的に離れた時点で発生する場合には、それらの効用の評価はどのようになされるのであろうか、また選択行動にどう影響するのであろうか。

こういった問題が本章のテーマである。

利子率と割引率

今日の１万円は、１年後にはいくらの価値があるだろうか。これを計算するためには、利子率（年率）を考慮に入れて、

1年後の1万円の価値＝（1＋利子率）×1万円

とする。

たとえば、利子率が年５％だとすれば、１年後には1万円×（1＋0.05）＝1万500円となる。

では逆に、来年の１万円は、今いくらの価値があるとみなすのがよいだろうか。上の式から直ちに、

$$\text{今の1万円の価値} = \frac{\text{1年後の1万円の価値}}{1+\text{利子率}}$$

となって、利子率＝５％とすれば、１年後の１万円は、今は約９５２４円となる。

将来の１万円を、利子率を考慮に入れて割引いていることになる。同様にして、時間的に離れて生じる利得や損失の効用を考える時には割引という作業を行なって、その現在の効用を求めることになる。そこで、現在の１万円の１年後の効用は、

1万円の効用×（1＋割引率）

となり、逆に１年後の１万円の現在の効用は、

1万円の効用／（1＋割引率）

と表わされる。つまり、将来時点での（その時の）効用を（１＋割引率）で割れば現在の効用が得られる。すなわち、

$$今の1万円の効用 = \frac{1年後の1万円の効用}{1+割引率}$$

となる。

紛らわしいことに、１／（１＋割引率）を割引因子と呼ぶのが慣例である。すると、割引率が小さければ割引因子は大きくなり、それだけ１年後の１万円の効用は現在時点では大き

くなり、割引率が大きければ割引因子は小さくなり、1年後の1万円の効用は、現在時点では小さいという関係が成り立つ。

上の二つの式からは、割引率＝利子率となるから、人は将来のできごとに対して利子率に等しい割合で割引いて価値を評価すべきであるというのが標準的経済学の教えである。しかし後述のように、実際に人々が異時点間の価値を測る時にはそうはならない。

なぜ将来を割引くのか

人はなぜ将来の利得を割引くのであろうか。

現在の1万円は今使えば効用を生み出すが、1年後の1万円は今は効用を生まないから、現在の1万円を重くみるのは自然である。また将来は不確実であるから、実際に手に入るかどうかわからないし、自分の好みが変わってしまうかもしれない。そこで人が将来のものよりも現在持っているものを重視するのは当然であるということになる。「掌中の一鳥は叢中の二鳥に値する」という諺が示すとおりである。

さらに損失回避性の影響も考えられる。消費や受取の時期を延ばすことは損失と考えられ、損失を回避しようとする性向によって将来の価値を割引くのである。

哲学者のデレク・パーフィットは、現在の自己と将来の自己とは別の人間であると捉えることができ、その関係は、自分と他者の関係と同様であるという。そして、自分と他者の間が遠くなれば関係が薄くなるように、現在の自己と将来の自己もある程度遠い関係なので、将来の自己が得るであろう効用を、現在の自己が割引いて考えるのはごく自然だと主張する。

指数型割引

人々は割引率をどう考えているのであろうか？　フィッシャーなどの古典派経済学者は、割引率は複雑な心理的作用によって決定されるとして、割引率の決定については慎重な態度であった。

ところが、割引率は一定の値であると仮定して簡潔な理論展開を最初に行なったのが、新古典派経済学の泰斗《たいと》であるポール・サミュエルソンである。

サミュエルソンは、割引率が一定という仮定の非現実性を述べているが、モデルが簡素になって数式展開が容易という取り柄があるこのモデルは瞬く間に経済学界を席巻し、マクロ経済学や経済政策論では当然のように割引率一定の仮定が置かれているが、その現実妥当性に言及されることはまずない。

$$\text{現在価値} = \frac{\text{将来の名目価値}}{(1+\text{割引率})^{d}}$$

サミュエルソンが定式化し、その後広く使われるようになった割引現在価値の計算方法は、上の式で表わされる。

ここで、dは時間の遅れを表わしており、たとえば1年後ならd＝1、2年後ならd＝2……である。

図7－1には、将来小さな効用をもたらす選択肢Aと、さらに将来、より大きな効用をもたらす選択肢Bと、それらの時間を遡ることに伴う割引された効用が描かれている。この図では、AとBの効用の大小関係は時間を通じて変化せず、AがBより常に小さくなっている。つまり、時間が経っても効用評価は変わらず一貫していることを意味している。これが標準的経済学の割引の考え方であり、どんな対象に対しても、また時間的に近くても遠くても割引率は一定であるとされる。

上式のように現在価値が割引率の指数関数で表わされるため、このタイプの割引法は指数型割引と呼ばれている。

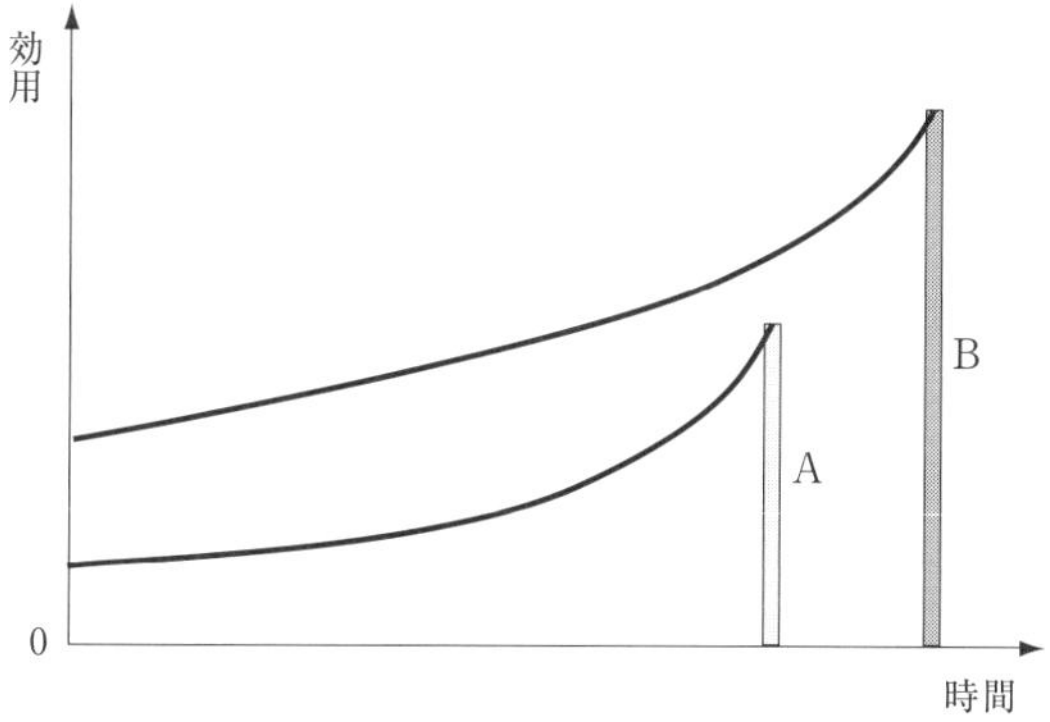

図７-１　指数型割引と現在価値

双曲型割引

指数型割引に対して最初に疑問を示したのは、ストロッツであった。彼は、割引率は指数関数では表わされないと主張し、割引率は時間の経過と共に減少する可能性を示した。

ハウスマンは、実際に消費者の購買行動を観察して、初期費用は高いが将来優れた省エネ能力を示す（ランニング・コストが低い）エアコンは人気がなく、そこから25％という割引率を算出している。

最初に実験的に割引率を導出したのはセイラーである。

セイラーは、くじに当たったが、賞金を直ぐ受け取ってもよいし、受取を先に延ばしてもよいが、先延ばしする場合にはその代償と

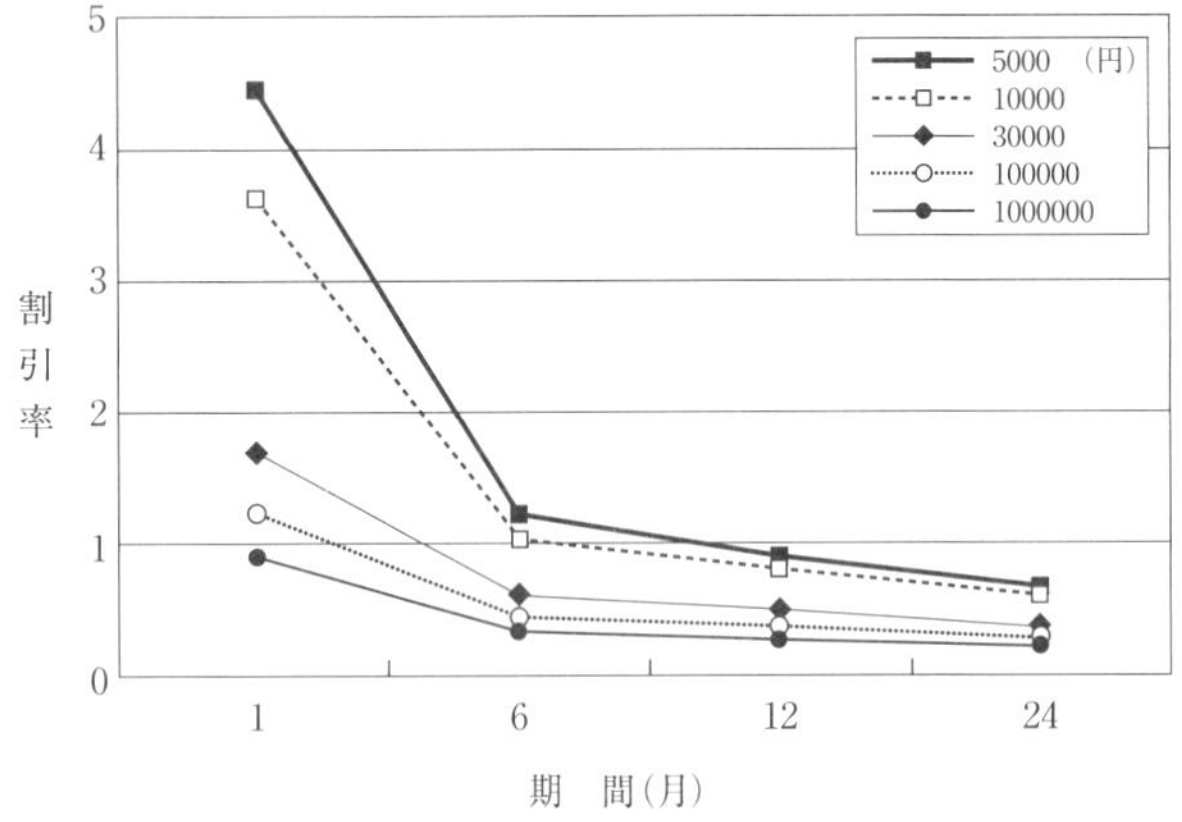

図7-2　割引率の減少パターンの一例（金額別）

していくら欲しいかというような質問を、設定を変えて行ない、回答数値から割引率を計算している。その結果、利得に関する割引率は時間の経過と共に減少することを示した。このことはベンジオンらによって確認され、その後、数多くの同様な実験が繰り返されて（筆者も行なった）、割引率に関する一定の傾向が見出されている。

筆者は学生を被験者として、５種類の金額とそれを受け取ることを１ヶ月、６ヶ月、12ヶ月、24ヶ月先延ばしした場合に最低いくら欲しいかを答えてもらうという実験を行なった。図７－２には、被験者の回答から計算した割引率が時間とともに減少する様子が描かれている。つまり受取の時期が先延ばしされ

$$\text{現在価値} = \frac{\text{将来の名目価値}}{1+d}$$

ればされるほど、その価値は低下していくが、価値減少の程度はどんどん減っていくことになる。

このような割引方法を表わす式はいくつか考えられるが、最も簡単なのは上の式である。この式は双曲線の方程式なので、この方法の割引は双曲型割引と言われている。ここで、dは指数型割引で用いたのと同様に時間の遅れを意味する。

二つの型の割引

図７－３は、指数型割引と双曲型割引によって、一定額の利得が将来に先延ばしされた時に、時間の経過に伴ってどのように減少していくかを示したものである。

図７－３の上側の曲線は指数型割引による価値の減少であり、時間の経過とともに一定の割合で価値が減少することが示されている。これに対して下側の曲線は双曲型割引による価値の減少であり、最初は急激に減少するが、時間の経過と共に価値の減少する程度が減

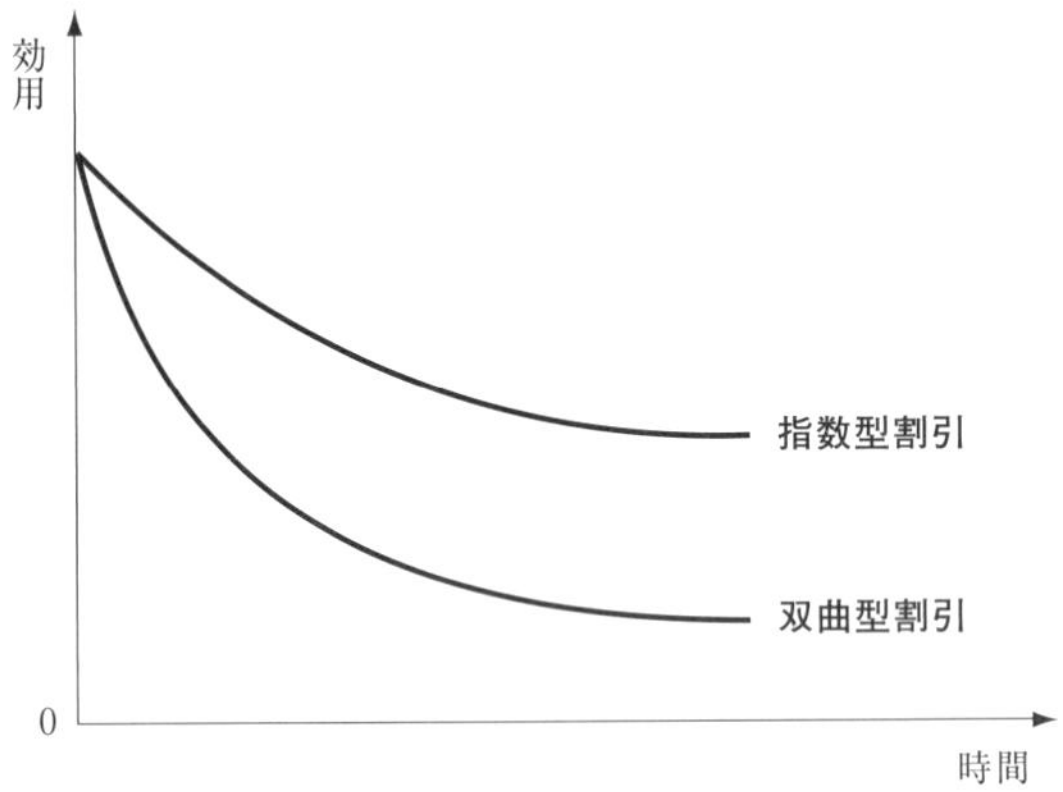

図7-3　時間の経過と二つの割引型

ることが示されている。

双曲型割引の特徴は、現在を特に重視することである。

図7－3からわかるように、評価対象の価値は、時間が少し遅れることによって大きく減少する。人々がこのように現在を重視することは「現在志向バイアス」と言われる。また、ほんのちょっと先になっても大きく割引かれるので、人の「不忍耐」とか「せっかち」な性向を表わしているという解釈もできる。

レイブソンはこの点を特に重視して、近い将来には大きく割引くがその後はほぼ一定値を割引くという、数理モデル化しやすい「準双曲型割引」方式を提唱している。準双曲型割引とは、いわば指数型割引に現在志向バイアスを組み込んだモデルである。このモデルは数学的に扱いやすいために、レイブソンらはそれに基づいてさまざまな政策的含意を導出しているが、現実妥当性には疑問が残る。

割引率は測れるか

割引率の測定に関しては、数多くの結果が報告されており、割引率の特徴として次のような性質があるとされている。

まず第一に、割引の対象となる金額や効用が小さいほど、割引率は大きく、また金額が大きい場合に比べて急激に減少する。第二に、割引率は、時間的な遠近によって大きく異なり、利得や損失の実現が将来遠い時点になればなるほど、割引率は小さくなる。第三に、利得と損失の非対称性であり、割引率は、支払（損失）については、受取（利得）に比べてはるかに小さい値をとり、かつ受取に関する割引率の方が急激に減少する。図７−２には、一番目と二番目の特徴が明確に示されている。

割引率の大きさを測定する試みは数多く見られ、仮想的ではない実際の金銭や、くじ、健康状態などさまざまな対象に関して測定が行なわれており、前述の三つの傾向がかなり普遍的な特徴であるとされている。

しかし後述のように、割引率の持つこのような傾向は実は確立された性質であるとは言い難いのである。

フレデリックらは割引率を測定した41もの報告を仔細に検討し、実験結果の解釈は慎重にすべきだと主張している。その理由として、第一に、測定された割引率のばらつきが大きすぎるからである。さまざまな実験から測定された割引率はマイナス6％から無限大までの大きさがある。第3章では、損失回避係数がおおよそ2〜2・5であると述べたが、この数値は多くの検証を通じてかなり安定している。しかし、それに比べて、割引率の数値はばらつきが大きすぎるのである。

第二に、測定方法の進歩が見られず、研究が進展しても割引率の値の範囲が縮小しないことを挙げている。そして第三に、割引率が常識的に考えて高すぎることである。

このように、割引率の測定が必ずしもよい成果を挙げているとは言えない原因として、フレデリックらは、割引率の測定に関するより根本的な疑問を提出する。将来に対する割引という行為は非常に多様な要因が組み合わされて生じるのであって、それを割引率という単一の要素で捉えるのは難しいのではないかということである。

そのような要因はいくつか考えられるが、まず、割引率の大きさの違いが、時間的な遅れに対する人々の反応（これを時間選好という）を真に反映しているものなのか、あるいは効用関数の性質や変化がもたらすものであるのかが区別されていないと、彼らは指摘する。

実験的に得られるのは、利得の効用を割引いた値であるから、たとえば、1年後の2万円が現在の1万円と同じ効用であるとしたら、

効用（1万円）＝ 効用（2万円）／（1＋割引率）

となり、この式から割引率＝1を導き出しているが、この場合には、2万円の効用は1万円の効用の2倍であるという暗黙の前提が置かれていることになる。すなわち、金額と効用の間には、金額が2倍なら効用も2倍という線型の関係があるという前提である。

しかし、効用は金額の増加とともに逓減するという限界効用逓減性が標準的経済学では仮定されているが、第4章で見たように価値関数は感応度逓減的である。したがって、金額が2倍でも効用は2倍にならず、たとえば1・5倍であるとすると、効用（2万円）＝1・5×効用（1万円）であるから、割引率＝0・5となって、効用関数が線型の場合の半分とな

る。ほとんどの実験ではこうした方法で割引率を測定しているから、見かけ上の（推定した）割引率は大きすぎることになる。

また、効用関数が第4章で説明した価値関数と同じ性質、つまり参照点依存性、損失回避性、感応度逓減性を満たしていれば、割引率が一定であるとしても、上述の三つの傾向が導かれることが、ローワンスタインとプリレックによって示されている。さらに、効用関数が時間の経過とともに変化してしまう可能性もある。夏にアイスクリームは高く評価されるが、冬には低いというような時期的な影響もある。

人々が将来の価値を割引くという行為の本質が、割引率を測定するという方法で確実に見出せるのかについては、大きな疑問が残るのである。

負の割引率

ローワンスタインは、「好きな映画スターとのキス」と「一瞬だが不快な電気ショック」といういささか突飛な対象に対する割引率を測定している。

映画スターのキスでは、被験者は直後ではなく、3日後に先延ばしすることを最も好んだ。電気ショックは、将来に延ばせば延ばすほど価値が高いと判定された。

この結果は現在よりも将来を高く評価することを意味しており、前述の割引率計算法で求めると割引率はマイナスとなる。嬉しい出来事をある程度の時間待つことには喜びがあり、恐怖はできるだけ避けたいと思うのが自然であろう。

つまり、キスの場合には「待望」がもたらすプラスの効用が、電気ショックの場合には「不安」がもたらすマイナスの効用がある。ローワンスタインは、そのような待望や不安を効用関数に変数として組み込むことによって、この選好は割引率がマイナスという特殊例を考えなくても説明できることを示した。つまりこの結果は、時間選好ではなく効用関数がもたらしたのである。

「だんだん良くなる」が好まれる

また、顕著な傾向として、一連の系列の選択と、それを個々別々にした時の選択との違いが問題となる。

標準的経済学では、各期における効用はその期間における消費量にのみ依存して決まるとされる。つまり、1日の効用はその日に消費した財によってのみ決定され、他の日に何を消費したか、これから先何を消費しようとしているのかには影響されないということである。

したがって、今後1週間の総効用は、7日分の（割引）効用を足し合わせたものであるという前提が置かれる。この性質は加法分離性と言われるが、必ずしも満たされないことが確かめられている。

筆者は学生に、無料の夕食（飲み物付き）招待券が当たったので、「高級フランス料理店」と「地元のラーメン屋」のどちらがいいかと尋ねたところ、94％の人はフランス料理を選んだ。次に、時期を選べるとして、「1ヶ月後の週末の夜の高級フランス料理店」での食事と「2ヶ月後の週末の夜の高級フランス料理店」での食事ではどちらがいいかという質問に対しては76％が1ヶ月後、24％が2ヶ月後を選んだ。

ところが面白いことに、「1ヶ月後の週末の高級フランス料理＋2ヶ月後の週末の地元のラーメン屋」と「1ヶ月後の週末の地元のラーメン屋＋2ヶ月後の週末の高級フランス料理」との間の選択では、前者を選んだのが30％、後者が70％であった。このことは、マイナスの割引率を意味する。

しかし、次の例のように、利得や賃金は、総額は一定であっても、だんだんと良くなるという上昇系列が好まれるのである。

ローワンスタインとプリレックは、総額は一定であっても、賃金が時間とともに上昇する方が好まれることを見出した。彼らは、６年間の仕事で賃金総額は同じであるが、賃金が最初は低いがだんだんと上昇するパターン、６年間一定、最初は高いがだんだん下降するパターンの中からどれを選ぶかを、一般の人に質問した。

最初高くてその後下降するパターンが合理的観点からはよい。なぜなら、初期の高い賃金を投資すれば収益が得られるし、途中で退職することになってもそれまでの高い賃金が得られるからである。

しかし、回答者のうちこのパターンを選んだのはわずか12％であり、半数以上が徐々に上昇するパターンを選んだ。

上昇する消費系列や増大する賃金系列が選好されるのは、損失回避性によって説明できよう。たとえば、今期の賃金が参照点となれば、次期に賃金が減少することは損失のように受け取られる。したがって、上昇する賃金系列が選好されることになる。消費についても同様の傾向がある。

バロンは、このような上昇系列の選択は、一種のヒューリスティクとして機能しており、下降系列の賃金の方が合理的であるにもかかわらず、上昇系列を選んでしまうと指摘する。

類似性による選択と割引

ルービンスタインは、一般に人々が選択を行なう時には、選択肢のさまざまな性質が互いに類似しているかどうかが選択に大きく影響するという「類似性」に基づく選択理論を主張する。具体的には、二つの選択肢の複数の性質の中で類似しているものは無視されて、類似していないものが判断に使われる。類似性が一種のヒューリスティクスとして機能するのである。

たとえばアパートを探している時、家賃と駅からの距離が判断基準だとしよう。両方とも良い物件があれば問題なくそちらが選ばれるが、家賃8万円、駅から15分の物件と、家賃9万円、駅から3分の物件では、家賃は前者の方が良いが両方は類似しているので軽視され、駅からの時間が明らかに良い後者の物件が選ばれると予想できる。直感に訴えるなかなか説得力のある理論と言えよう。

ルービンスタインは、異時点間の選択でも同じ原理が働くと言う。彼は、学生の被験者に次の2つの選択肢に対する回答を求めた。

「60日後に配達予定のステレオを960ドルで注文した。支払いは商品と引き替えである。

配達が１日遅れるが２ドル安くなるという申し出を受け入れるか？」「明日配達されるステレオを１０８０ドルで注文した。支払いは商品と引き替えである。配達が60日遅れるが１２０ドル安くなるという申し出を受け入れるか？」。

双曲型割引では、前者を拒否する者は、必ず後者も拒否することになる。なぜなら、双曲型割引では、１日の遅れの補償額の価値は１日ごとに必ず小さくならなければならないからである（図７－３参照）。後者では、60日分の遅れの補償額が１２０ドルであるから、最後の１日分の遅れの補償額は必ず２ドル以下になる。前者の、60日後の１日の遅れが２ドルで補償されないならば、後者の２ドル以下の補償は必ず拒否されることになる。

しかし、実験の結果はこれに反していた。前者を拒否した者は43％いたが、後者を拒否したのは30％であった。ルービンスタインはこれを類似性によって説明する。前者の９５８ドルと９６０ドルという支払額は類似しているので意思決定に影響を及ぼさずに、配達の遅れが重視され拒否される。一方後者では、９６０ドルと１０８０ドルは類似していないので重視され、安い方つまり遅れが選ばれた。

この結果は、双曲型割引では説明できない現象が類似性に基づく選択という原理で説明可能であることを示している。もちろんこの原理にも欠点はあり、上の例のような数値化できる性質では比較されやすいが、車を購入する場合のセダンとワゴンの比較とか、コーヒーと紅茶の比較などでは明確な予測は得られそうもない。しかし、双曲型割引が有力な理論であることに疑問を投げかける。

さらにルービンスタインは、双曲型割引は、最近の経済学界ではほとんど疑問の余地なく成立する性質であるかのように論じられたり、それを前提にしてさまざまな理論的・政策的含意が語られることが多いが、このような現状はきわめて危険であると主張する。ちょっと前までは指数型割引が標準であって、現実妥当性については論じられることがないまま、それに基づいて理論や政策が語られた。その後、指数型割引に対する批判や反例が現われて双曲型割引が提案されたが、現状は、以前の指数型割引が双曲型割引に取って代わられただけで、無反省に使われているというのである。

ルービンスタインは、双曲型割引は数理モデル化が容易で扱いやすいのでしばしば使われているが、その心理学的裏付けは不十分であって行動経済学の別称である「経済学と心理学」という名前の研究プログラムに値しないと糾弾している。

時間に関するフレーミング効果

割引率を測定する実験では、ふつう１ヶ月後とか、半年後のように現在からの時間の遅れを被験者に示して、評価を尋ねている。

これに対してリードらは、半年後という代わりに二〇〇六年七月七日というような特定の日付を示して割引率を聞いている。ストロッツは、時間的な遅れとともに特定の日付が割引率に影響することを、既に一九五五年の論文で指摘していたが、長い間見逃されていたのである。

リードらは実験の結果、特定の日付を示された場合に被験者が回答した数値から割引率を計算すると、遅れの場合に比べて、割引率はかなり小さくなることを見出している。さらに、その割引の様子は双曲型ではなく、指数型により近かったのである。

時間の想定に関しても、提示の仕方によって受取り方が異なるというフレーミング効果が働いているのである。

利得の受取りが遅れで表わされると、「どの程度待たなければならないのか」ということに注意がいくが、特定の日付で表わされると、その日に得られる利得の大きさに注目することになる。したがって、前者より後者の方がより忍耐強い、つまり割引率が小さくなるのだとリードらは指摘する。

この違いをもたらす心理メカニズムの一つとして考えられるのが、前述のルービンスタインの「類似性」である。

たとえば、3ヶ月後と16ヶ月後の違いと、二〇〇六年四月一〇日と二〇〇七年五月一〇日の違いはどう判断されるだろうか。3と16は、およそ1：5であるからかなり違うが、2006と2007および4と5という数字自体の大きさは大して違わない。したがって前者は大きく割引かれることになるが、後者の割引は小さい。すなわち遅れで表わされる方が、特定の時点で表わされるより大きく割引かれることになる。

時間を表わす際にもフレーミング効果が働くことになり、この発見も双曲型割引に対する疑問を生じさせる。

逆転する選好

もし人々の割引行動が双曲型であるならば、図7－4のような選好の逆転現象が生じうる。たとえ双曲型割引の妥当性が否定されるとしても、将来の大きな利得（健康な体）よりも目先の小さな利得（タバコ一服）を選んでしまう傾向は日常の経験からよくわかる。選好の時間的な逆転現象はよくあるのだ。

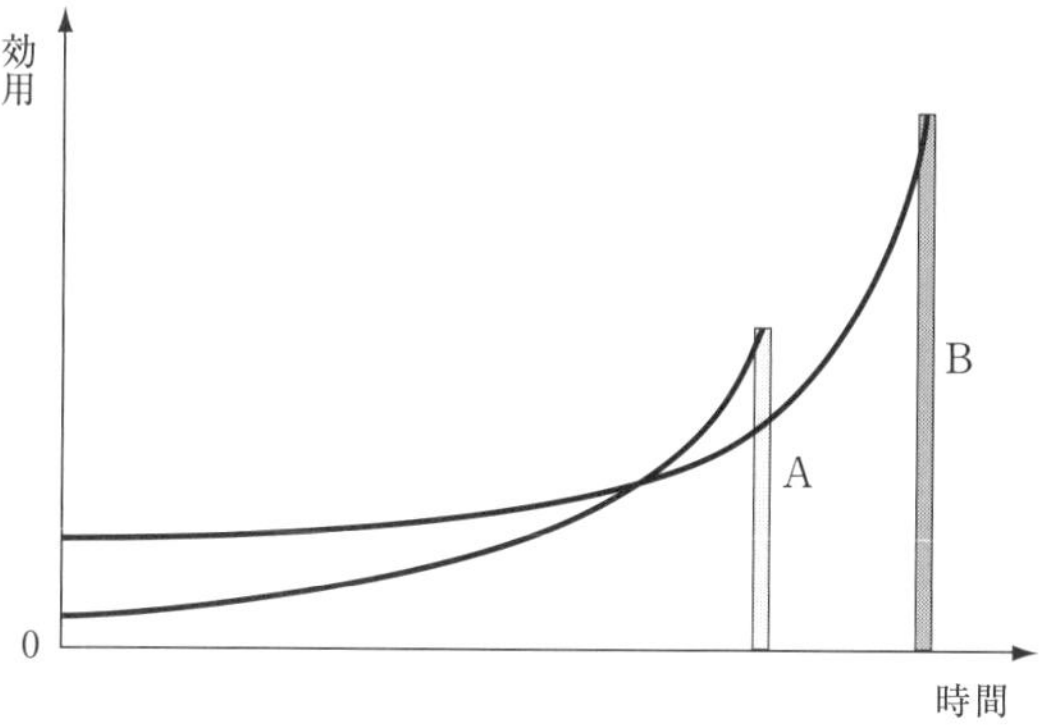

図7-4　双曲型割引と時間的非整合

図7－4には、将来の小さな利得Aとさらに将来の大きな利得Bのその時点での効用と、それらの割引された現在の効用が示されている。最初はBの効用が大きくAの効用は小さいが、時間が経ってAが現実になることが目前になると、効用の大小が逆転してAがBより大きくなるのである。人々の選好は一定不変ではなく時間の経過とともに変化することを意味している。

この現象は「時間的非整合性」と呼ばれている。たとえば、前の晩に寝る時には「明日は必ず朝6時に起きる」と思っていても、いざ6時になるとなかなか起きられなかったり、「この仕事は明日は必ずやる」と誓ったのに、当日になるとまた「明日は本当に必ずやるから、今日はテレビを見たとしても問題はない」と考えて、結局ずるずると先に延ばしてしまうこともよくある。禁煙、ダイエットなどの場合やクレジットカードを使いすぎたり、ローンが返済できずに自己破産するのも同様である。要するに、目前の小さな利得に目を奪われて、後で得られるはずの大きな利得を失ってしまうのである。

このような選好は、現在を将来よりずっと重視するということから「現在志向バイアス」と言われたり、目先のものにとらわれることから「近視眼的」と言われることもある。

セイラーはこの現象を「明日のリンゴ2個より今日のリンゴ1個を選ぶ人が、1年後のリンゴ1個より1年と1日後のリンゴ2個を選ぶ」と印象的に表現している。諺にも「明日の百より今日の五十」とあるように、日常よく見られる現象である。

哲学者のデヴィッド・ヒュームは次のように述べる。「これから十二ヶ月先に私が行なう行為のことを熟慮する際、私は常に大きな善の方を選ぶ決意がある――たとえ時間的にそれが近かろうが遠かろうが。……しかしそれに接近してくると、現在への新しい傾向性が発生し、私が最初の目的と決意を変わらずに固守することを難しくする」(森村進訳)。

セイラーは、皮膚科医が、「太陽光線に当たりすぎると皮膚ガンの危険があると警告してもあまり効き目はないが、シミやニキビの原因になると言うと患者たちは言いつけを良く守

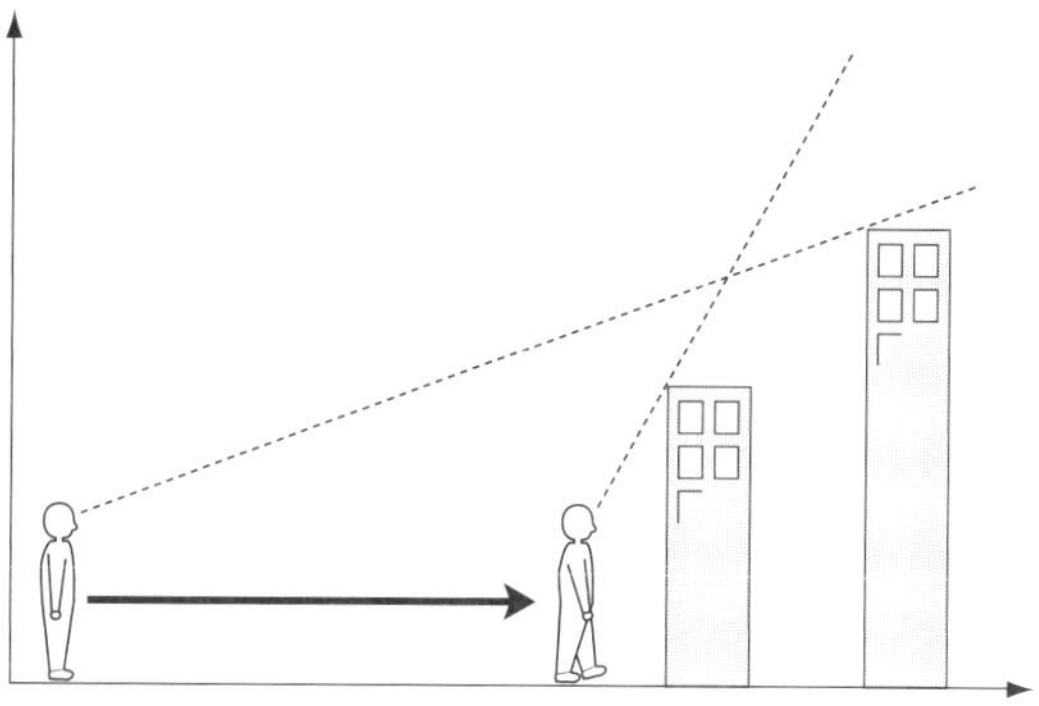

図7-5　建物の高さと見え方

る」と語る例を挙げている（セイラー　訳書164頁）。

ちょうど、高い建物の手前に低い建物があり、遠くから見ると正しく高い建物の方が高く見えるのに、低い建物に近づいていくと、低い建物の方が高く見えるのと似た現象である（図7－5）。

このような時間的非整合は指数型割引では生じない。したがって、時間的非整合が生じうることが、双曲型割引の根拠の一つとして挙げられることが多い。

しかし、双曲型割引は、時間的非整合を生じさせうるが、時間的非整合を引き起こすのは、双曲型割引だけとは限らないのである。

時間解釈理論

双曲型割引とは全く異なる観点から時間的非整合性などの異時点間の選択についてアプローチするのが、心理学者のヤーコヴ・トロープとニラ・リバーマンが提唱する「時間解釈理論」である。

時間解釈理論は異時点間の選択に関する実験結果とも適合し、直感的にもきわめて説得力がある。またこの理論は双曲型割引理論の補完的役割を果たすが、さらに双曲型割引では説明できない時間的非整合性を説明することができるという優れた特徴を備えている。

時間解釈理論によると、人が何らかの対象の価値を評価する時にはその対象を心の中で解釈し、その解釈が評価や選好を決定している。そして対象が時間的に離れている場合と近い場合とでは、同一の対象に対しても着目する観点が異なると彼らは主張する。

人々は時間的に離れた対象に対しては、より抽象的、本質的、特徴的な点に着目して対象を解釈し、時間的に近い対象に対してはより具体的、表面的、瑣末的な点に着目して解釈するのである。

たとえ情報が同一であってもこの相違は生じる。前者のより抽象的、本質的、特徴的な点に注目して対象を解釈することを「高次レベル」の解釈、後者のより具体的、表面的、瑣末的な点への着目による解釈を「低次レベル」の解釈という。簡単に言えば、高次レベルの性質とはその対象が持っている本質的・中心的な性質であり、低次レベルの性質とはその対象が持っている周辺的・付随的な性質である。

この両者の間の区別は恣意的に思えるが、次のような例を考えればわかりやすい。

講演会が企画されていたが、演題が変更された場合と、開始時間が変更された場合を比べると、前者ではまったく違った講演となってしまうかもしれないが、後者では異なる講演とはみなされない。この講演に興味を無くす可能性は前者の場合がはるかに高く、時間より演題がより高次レベルの性質を持っていることがわかる。

日常の経験に照らしても、たとえば友人と旅行することを考えると、旅行がまだ先の場合には、よい景色、おいしい食事、友人との楽しい会話などを思い描くが、旅行の日が近づくにつれて、待ち合わせ場所とか、持っていく物、駅や空港への行き方など些細なことが気になってくる。

トロープとリバーマンは、ある対象や出来事が時間的に離れているときにはそれに対して高次レベルの解釈をより強く行なうが、時間的に近くなると高次の解釈の比重はだんだん低下し、逆に、低次レベルの解釈は、時間的に離れている時には弱いが、時間的に近くなると優勢になることを、さまざまな実験例や実例を用いて示している。いわば、遠くからは森全体だけが見えて個々の木は見えないが、近くになると木々の一本一本は見えるが、逆に森全体の様子はつかめないのと同様である。

細かい点は近づくまで気にしなくてよいから無視するのだという主張もありうる。しかし、同一の情報が与えられていて、遠い将来の出来事でもその情報を用いて細部の検討を行なうこともできるし、逆に近い将来の出来事に対して、本質的な解釈を行なうこともできるとしても、人にはそうしない傾向があるのだ。

たとえば、トロープとリバーマンは次のような実験を行なっている。

彼らは被験者に対して、漫画の面白さの判定や映画のジョークの面白さの判定のような興味をひく作業と、データのチェックとか2つの数字リストの照合のような退屈な作業を組合せて一つの課題とし、それぞれの作業がメインである場合と、補助作業である場合の組合せを32通り用意した。さらにその課題は直ぐに行なう場合と、4～6週間後に行なう場合とに分けた。

つまり、「メインの作業は漫画の面白さの判定で、補助作業としてデータチェックを行なうという課題を今すぐ実施する」というのが一例である。作業、面白さ、時間によって64通りの組合せがある。そして、被験者にはそれらの課題の好ましさを、９段階の尺度で判定してもらった。

その結果、時間的距離が遠い場合には、課題はメインの作業の面白さで判定され、メイン作業が面白い課題が、メイン作業が退屈な課題に比べてはるかに魅力度が高いと判定された。また逆に、時間的距離が近い場合には、補助作業が面白い課題が、それがつまらない課題よりも、いっそう魅力があると判定されたのである。そこで入手できる情報はまったく同一であるにもかかわらず、このような選好の変動が見られるのは、人の持っている特性であると考えられる。

彼らは、財の選好に対しても同様の原理が働くことを確かめている。

たとえば、時計付きのラジオの評価では、ラジオで音楽を聴くのがメインの目的であれば音質が高次の性質であるが、朝目を覚ますためにラジオをつけるのが目的であれば時計の正確さが高次の性質となり、それぞれもう一方の性質が低次となる。

被験者に、この商品を直ぐに買う場合と、１年後に買う場合とに分けて評価してもらったところ、時間的に遠い場合には高次の解釈によって、近い場合には低次の解釈によって選好が決められることがわかった。

時間解釈の原因

このような時間的距離による解釈の違いはなぜ起こるのだろうか。トロープとリバーマンは、ヒューリスティクスの使用という説明を与える。つまり、現実には将来の出来事に関する知識は少ないのが普通である。低次の情報は信頼性が低いか、そもそも入手できない場合もある。また、遠い将来に関する決定は、変更したり延期することもできる。したがって、遠い将来に関しては低次の解釈は軽視してよいことになる。

このことを繰り返し経験することによって、自動的に遠い将来のことは高次の、近い将来のことは低次の解釈が中心になったのではないか。そのために、実験的な状況で遠い将来の出来事も近い将来の出来事も同じ情報を持ち、変更も不能である場合にも、このヒューリスティクが作用するのだと彼らは説明する。

望ましさと実現可能性

どんな目標にも、実現することが自分にとって良いという意味での「望ましさ」と、実現可能性の二つの次元がある。「良い成績をあげる」という目標を立てたとしたら、その望ましさと実現可能性の両方が考慮される。そして望ましさが高次レベルの性質であり、実現性が低次レベルの性質である。理想と現実、ということもできよう。時間解釈理論によれば、人は時間的に遠い目標に対してはその望ましさを重視するが、時間的に接近してくると実現性を重視するようになる。

たとえば、トロープとリバーマンは、イスラエルの大学生に対して、テーマはつまらなくて将来あまり役に立たないが易しい（彼らの母語であるヘブライ語の文献を読む必要がある）課題と、テーマは面白く役に立つが難しい（彼らの第二言語である英語の文献を読む必要がある）レポート課題を出し、さらに締切が今から１週間後である場合と、９週間後に課題を出して、その１週間後が締切である場合とを設定し、それらの選好を尋ねた。

予想通り、近い将来の場合には、つまらなくても実現可能性が高い課題が選ばれ、遠い将来の場合には、難しいが面白い課題が選好された。時間的に離れている時には望ましさが、近い時には実現可能性が考慮されるという仮説が実証されたのである。

多くの人にとってギャンブルは賞金を獲得するのが主な目的であろう。明らかに、賞金が望ましさを表わし、賞金が得られる確率が実現可能性を意味している。人々は時間的に離れている場合には、賞金額を重視し、時間が接近すると確率を重視するようになることがサグリターノらの実験によって示されている。

現在志向バイアスと時間解釈理論

双曲型割引の特徴である「現在志向バイアス」を時間解釈理論で説明すると次のようになる。将来の利得の評価では、利得の大きさが高次レベルの性質であり、時間的遅れは低次レベルの性質である。したがって、近い将来の利得を評価する場合には、利得の大きさよりも時間的遅れの意味が重視されることになり、そこで少し先のことであっても大きく割引されることになる。つまり、遠い将来に関しては、利得の大きさが問題とされるが、近い将来に関しては、時間の遅れが重視されるのである。

また、双曲型割引の背景には、将来は不確実であるという無意識の認識があるかもしれない。実験で「3ヶ月後の1万円」の現在価値を尋ねる場合には、3ヶ月後に1万円が必ず手にはいるという前提があるが、被験者は時間の遅れと不確実性を密接に結びつけて、時間の遅れ、すなわち入手できるか不確実であると受け取っているかもしれない。そうであるとすれば、時間的に離れた将来では高次の解釈である利得額が重視され、時間的に近い場合には低次の解釈である入手可能性が重視されることになる。

したがって、同一額の利得に対しては、遠い将来の方が近い将来に比べて割引率は小さくなる。また、同一時点での大きな利得の方が小さな利得よりも魅力的であり、そこで大きな利得の方が割引率は小さくなる。

時間的な遠近によって対象の解釈のレベルが異なることによって、時間的な選好逆転（時間的非整合）が生じうる。

ホームパーティの例では、パーティの日はまだ先だと思っているうちはパーティが待ち遠しいが、その日が近づいてくると、食事の準備などの細部が気になりだし、いっそパーティを中止にしたいとさえ思ったりする。時間の経過によって選好が逆転したのである。

同様のことは、楽しみにしていたはずの旅行の日が近づくにつれて億劫になったり、結婚式を直前に控えてマリッジ・ブルーになったりすることにも見られる。スカイダイビングやバンジージャンプも、かなり先のことだと期待が強いが、実行の日が近づくに連れて急に怖くなってくる。これも同様の現象である。

この種の時間的非整合が双曲型割引では説明することができないのは、次の理由による。

食事の準備や後かたづけなどは、パーティを実行することのコスト（損失）であり、パーティでの歓談や交流は利得である。双曲型割引理論によると、利得は時間の経過とともに急激に減少するが、損失の減少は緩やかである。

1ヶ月後にパーティを開く決定をしたということは、利得を割引いた現在価値が、損失のそれを上回っていることを意味する。そして時間が経過してパーティの日が近づくにつれて、利得の評価は急激に上昇し、損失の評価は緩やかに上昇するから、選好が逆転することはありえないのである。

しかし日常の経験によれば、時間解釈理論の説明の方が納得がいくであろう。些細なことが気になり、それが大きなコストをもたらすと感じられ、一方パーティの本来の目的が持つ意義が薄いと感じられるならば、パーティの利得よりコスト（損失）の方が大きくなり、そこでパーティを中止することもありうる。選好の逆転が生じたのである。

ダイエット、貯蓄、禁煙、締切を守る、パーティを行なうなどの現実の意思決定問題は、複雑な要因を持っている。金銭的利得を評価するという単純な課題に対して双曲型の割引が行なわれるからといって、それがこのような複雑な要因からなる日常的意思決定にそのまま適用できるかどうかについては、大いに疑問が残る。

健康と割引率

大きい割引率を持っている人は現在を特に重視して目の前の誘惑に負けやすいタイプであり、浪費家になったり、老後の蓄えが十分にできなかったり、ダイエットに成功しなかったり、アルコールやタバコに対する嗜癖になりやすいという結論を出したくなるが、それは早計である。

ビッケルとジョンソンは事実、麻薬などの嗜癖者はそうでない人よりも金銭に対する高い割引率を持っていることを見出したが、嗜癖が金銭に対する高い割引をもたらすのかもしれないと示唆する。そして、禁煙や麻薬を止めることに成功した者の金銭に対する割引率が下落することを観察している。

また、肥満やそれに関連する健康問題は先進国では大きな問題になりつつある。ヨーロッパやアメリカでは一貫して体重増加の傾向が見られる。近視眼的だとダイエットに失敗するだろうから、肥満と割引率の関連はあるのかという疑問もわいてくる。肥満度を測る目安として、体重（kg）÷｛身長（m）｝^{2}で求められるＢＭＩ（肥満度指数）という数値が世界共通で用いられている。ボーガンスらは、オランダ人を対象にＢＭＩと割引率との関連を調べている。

彼らは、個人の肥満度と将来の健康に関する割引率との間には多少の関連性はあるが、近年の肥満の増加を割引率の上昇と結びつけて考えることはできないと結論づけている。それよりも、近年の肥満の増加は、高カロリーの食品が安価に手に入ることになったのが原因ではないかと示唆する。

異時点間の選択の難しさ

以上見てきたように、異時点間の選択は、経済学上きわめて重要な問題でありながら、十分な理論展開は得られていない。

ローワンスタインらは、次のように結論づけている。「異時点間の選択を理解する道は、より良い割引関数を導出することではなく、将来に基づく意思決定に含まれる多様な心理プロセスを理解することによって開かれる」（ローワンスタイン等 二〇〇三、10頁）。

またリードも、「異時点間の選択は複雑な現象であり、おそらく多くのメカニズムによって決められている」（リード 二〇〇四、442頁）としてさらなる心理学的な研究が必要だという。

ピーク・エンド効果

ここで話題を転じて、時間の経過が人の効用判断に及ぼす影響について見てみよう。

過去の出来事の経験が、将来の同様の出来事に対する選好に、すなわち現在の意思決定に大きな影響を及ぼすことは明らかであろう。以前に食べて美味しいと思ったお菓子と同じお菓子を次にも買おうと思うのはごく自然である。

そこで、カーネマンらは、人が過去に財の消費から得られた効用や出来事の快不快をどの程度記憶していて、どのように評価するかを調べている。

レーデルマイヤーとカーネマンは、結腸鏡を用いた検査を受けている実際の受診者１５４名に対して、苦痛の程度や検査全体の印象を調査している。患者には検査中１分ごとに苦痛の程度を報告してもらい、検査後に全体的な評価や印象を聞いている。

それによると、検査全体の感想は、最も大きいときの苦痛と、検査の最後の３分間の苦痛の平均的な程度に左右される。

さらに、検査時間は４分から69分の間と大きく差があったにもかかわらず、検査時間の長さは検査を受けるという評価とは関係がなかった。前者の特徴を、苦痛が最もひどいときと最後の数分間の苦痛の記憶が検査全体の印象を決めることから、カーネマンらは「ピーク・エンド効果」と名付け、後者の検査時間の長さには無関係であるという特徴を「持続時間の無視」と呼んでいる。

そしてこの二つの特徴は、人々が記憶によって過去の出来事に対する効用判断を行なうときの強い傾向であるとしている。つまり、個々の経験を総合して全体を評価するのではなく、その最も強い部分と最後の部分の印象がきわめて重要であり（ピーク・エンド効果）、かつ出来事の時間的長さは無関係だということである。

アインシュタインは、「熱いストーブに1分間手を載せてみてください。まるで1時間ぐらいに感じられるでしょう。ところが、かわいい女の子といっしょに1時間座っていても、1分間ぐらいにしか感じられません。それが、相対性というもの」（『アインシュタイン150の言葉』）だと述べているが、出来事の記憶もまた相対的なものなのだ。

カーネマンとレーデルマイヤーはさらに一歩進めて、検査が終わった時に、結腸鏡を直ぐに患者の体から引き抜かずに1分ほど放置して、その後ゆっくり引き抜くという措置をとった。この動作自体は不快ではあるが苦痛を伴うものではない。そしてこの措置をとった者の検査全体の記憶による印象は、通常の措置をとった場合よりもかなり向上したのである。ピーク・エンド効果の表われであり、「終わりよければすべてよし」なのだ。

前回の検査で受けた苦痛の程度が、次回に同じ検査を受けるかどうかを決める大きな要因であろうから、検査で苦痛を減らすことは重要である。検査時の苦痛を軽減すれば定期的な検査を受ける患者が増加し、それによって病気の早期発見・早期治療に結びつくから、検査時の苦痛軽減は医療政策上も大きな意味を持っている。

冷水実験

カーネマンとフレドリクソンらは同じ効果を異なる実験でも確かめている。彼らは、被験者にまず摂氏14度という冷たい水に片手を1分間つけ、その後直ぐにタオルで水を拭ってもらった。次に、もう一方の手をまず14度の水に1分間つけ、さらにその後30秒間で徐々に水温を15度に上げた。

両方が終わったところで被験者に、もう一度手を水につけなければならないが、1分間で終わる短い方と1分半かかる長い方のどちらを選ぶかと尋ねた。

長い方で最後に不快感が軽くなったと感じた被験者のうち8割は、長い方を選んだ。しかし、不快感は軽くならなかったと感じた被験者では、4割だけが長い方を選んだ。不快な時間は長いにもかかわらず、最後に不快の程度が軽減されていると感じた人は長い方を選んだのであり、エンド効果が示されている。

また不快の程度は同じと答えた人による短い方と長い方の選択はおよそ半々であり、時間の長さの無視が示されている。そして被験者たちは、最後の30秒間を除けば長い方も短い方も水温が同じであったとは感じていなかった。長い方のいやな瞬間は、最後が良くなることによって軽減されたのである。カーネマンは、過去の出来事は、映画のような連続的な流れとしてではなくスナップ写真のように断片的に記憶されるのではないかと指摘している。

金銭的利得系列の評価

以上の観察や実験は痛みや不快感などの感情的な刺激に対する評価であったが、金銭的利得の系列に関しても同様にピーク・エンド効果や持続時間の無視という傾向は生じるのであろうか。この疑問を持ったランガーらは、次のような実験を行なった。

彼らの実験では、ドイツの学生を対象にして一連の課題に答えてもらい、実際に利得を金銭で支払った。彼らの方法はユニークで、たとえばコンピュータ画面に「A＋4」と表示されると、これはAの4つ後のアルファベットを答えよという意味であり、正解はEである。

このような問題が10～20問で１つの系列が形成される。

被験者には最初に一定金額が与えられるが、回答に要した時間に応じて、また誤答しても金額が差し引かれる。被験者は、２つの系列の問題に回答した後で、「どちらの系列で金額が多く得られたと思うか」と「どちらの系列が難しかったか」という２つの質問に答えた。

その結果、実際には引かれる額が大きい長い系列の方で得られた金額が大きいと判断するという持続時間の無視、終わりの方の問題の難易に判断が影響されるエンド効果、さらに、さし引かれた金額が大きい問題の数が系列全体の難易度を決めるというピーク効果のすべてが多くの被験者で見られた。そして引かれる額が少なく獲得金額が大きい方の系列が、被験者にとってはそうであるとは認識されないことも多かったのである。

痛みや不快などのような感覚的印象ばかりでなく、かなり客観的評価ができるはずの金銭的利得に関しても同じような効用評価の仕方がされているのである。

予測しにくい将来の選好

ローワンスタインとアドラーは、被験者たちにマグカップを見せ、被験者がそれを所有できることになったと想定してもらい、それを持っていてもよいし売ってもよいが、売る場合にはいくらなら手放してもよいかを尋ねた。売ってもよいという回答の金額の平均値は3・73ドルであった。

次に、実際にマグカップを被験者に与えて、売ってもよい価格を尋ねた。平均額は4・89ドルに跳ね上がった。

ほんの数分前に予測した金額よりはるかに上昇したのである。これは所有効果が働いた結果であると考えられるが、いったん所有したら高く評価するという所有効果が働くという予測はできていないことになり、自分の将来の効用や評価の予測が正確にできないことを意味している。

シモンソンは、クラスのミーティングで食べるためのスナック類を学生たちに選ばせて、やはり自分の効用の予測の正確性を調べる実験を行なっている。

3週続けて実施されるクラス・ミーティング用にいくつかのスナックを用意し、毎回のミーティング時に1つずつ選ばせると、多くの被験者は毎回同じかほぼ同じスナックを選択した。しかし、初回に3回分をまとめて選ばせると、3種類の違うスナックを選ぶ者が大多数であった。

さらに興味深いことに、毎回1つずつ選ぶとして、どれを選ぶことになるかを最初に予測してもらったところ、ほぼ同じものを選ぶという回答が多かったのである。つまり、予測の段階では毎回ほぼ同一のものを好むことがわかっていながら、実際にまとめて選択させると、その予測に反する行動をとるのである。予測は当たっても行動は違うのである。

三つの効用概念

一八世紀の功利主義哲学者であり、経済学における効用概念の基礎を作ったジェレミー・ベンサムが主張し、古典派経済学者によって用いられた効用概念は、実際に経験することで得られる効用であった。

著書『道徳および立法の原理序論』でベンサムはこう述べている。「自然は人類を快および苦という二つの君主の支配下においた。われわれがなすべきところのことを指示するとともに、同じく、われわれがなすであろうところのことを決定するのは、ただ、君主だけである」（山田英世訳）。苦痛と快楽の流れが効用そのものであった。

一方近代経済学では、効用は次第に選好という概念に置き換えられ、Aが選択されBがそうされなかったのは、AがBより選好された、すなわちAがBより効用が大きいからだと考えられ、逆に当然のことながらAがBより選好されるならば、BではなくAが選択されるという「顕示選好理論」が適用され、理論上、選好と選択は一致すると考えられている。

言い換えれば、経験によって得られた効用と決定時に想定される効用は常に等しいと考えられているのである。本書でもしばしば選好と選択という言葉は同義語として用いている。

カーネマンは、ベンサム流の実際に快・不快の経験から得られる効用を「経験効用」と呼び、出来事を記憶によって評価するときに用いられる効用を「記憶効用」と呼んで両者を区別した。

この区別が意味を持つことは、前述の通りである。人は、実際に経験した効用と、その記憶による効用は異なるのである。そして何を買うか、何を食べるか、どれだけ貯蓄をするかといった将来に関する意思決定では、将来の自分が得るであろう効用の予測をしなければならない。この効用の予測は意思決定のために必要であるから、「決定効用」と呼ばれる。そして、決定はしばしば過去の出来事で得た記憶効用に基づいて行なわれるから、将来自分が得る経験効用とは異なる恐れがある。

過去の経験による学習によって、将来何をすべきかが決定されるから、記憶のバイアスは重要である。なぜなら、記憶にバイアスがあれば、将来の選択にもバイアスがかかるからである。合理的選択のためには、これは大きな問題である。

カーネマンは、このような効用概念の分類は、標準的経済学の合理性に対する新たな挑戦であるという。つまり、標準的経済学では、自分の経験した、あるいは経験するであろう消費や出来事から得られる効用は正確に把握しており、それに基づいて将来の意思決定を行なうと暗黙に仮定されているが、そのことは成り立たないというのである。経験効用、記憶効用、決定効用は異なるのである。

満足を最大化できるのか？

前章と本章で見てきた、人々の持っている選好や効用に関するさまざまな性質によって、「効用最大化」はなかなか難しい要求だということがわかる。

人々は経験効用から得られる満足の最大化をしているのだろうか。シーらは、人々は満足の最大化をしていないのではないか、さらにそうできないのかもしれないと主張する。

原因は大きく分けて二つある。一つは、どの選択肢を選べば将来の満足が最大になるのかがわからないことである。もう一つは、満足を最大にする選択肢がわかったとしても、実際にそれを選択するとは限らないことである。両者が共に生じることもある。

最初の点は、将来の経験効用について正確に予測できないということである。その原因の第一は、前述の、カーネマンらの指摘する経験効用と記憶効用の不一致である。

第二に、ローワンスタインらの言う「投影バイアス」がある。人は将来の自分の選好を予測するときに、現在の自分の状態を過大に評価して、将来の時点でもその状態が続くと強く思ってしまうという傾向がある。たとえばわかりやすいのは、空腹時にはスーパーで食料品を買いすぎてしまうというよくある現象だ。現在の感情状態や空腹や性欲などの本能に関する状態は持続性が小さいのに、将来時点でもその状態が長く続くと誤って予測するため、後で後悔するような選択をしがちなのである。現在の影が将来に投影されるわけである。

第三に、シーらが「区別バイアス」と呼ぶ傾向である。たとえば、給料は高いが退屈な仕事と給料は安いが面白い仕事のどちらに就くかを決める場合などには、数量的な差（給料の差）は過大評価されやすく、質的な差（面白さの違い）は過小評価されやすいという。そして、どちらを選ぶかというときに考慮される決定効用と、実際に職に就いた後で感じられる経験効用は異なるのである。このために、満足を最大にできない可能性がある。

第四に、前章で述べたように選択肢の多いことが良いのかという問題がある。選択肢が多いと一見満足度は高いように思えるがそうとは限らない。たとえば、抽選でパリ旅行が当たれば嬉しいし、ハワイ旅行でも嬉しい。しかし、パリ旅行とハワイ旅行が選べるとしたら実は満足度が低くなる。パリを選んだ人は、「パリには海がない」と不満を感じ、ハワイを選んだ人は、「ハワイには良い美術館がない」などと不平をもらすのである。

次に、実際に満足を最大にする選択肢がわかったとしても、その通りの選択をするとは限らないという問題がある。まず、本章で述べた「衝動性」あるいは「近視眼性」が好例である。遠い将来の健康を考えて今ダイエットすべきなのに、そしてそれは十分わかっているのに、目の前のケーキに手を伸ばしてしまう。最善の選択肢はわかっているのにそうすることができないのだ。

第二に、ルールによる選択がある。前章で述べたような、多様な選択肢を好む傾向とか、サンクコスト効果の原因となる「無駄にするな」という行動規則である。ヒューリスティクスによる選択もルールによる選択の一種である。

第三に、前章で触れたように、人々は、たとえ満足度を低めるとしても、何らかの理由に基づいて説明できる選択肢を選ぶ傾向がある。シーらはこれを「素朴合理主義」と命名した。「素朴経済主義」と言われる傾向もある。たとえば彼らの実験では、50セントのハート形のチョコレートと、２ドルのゴキブリの形のチョコレートを選ばせると、２ドルの方を選ぶ人が多かった。しかし、実際に食べるときにどちらが満足度が高いか尋ねると、ハート形と言う人が多かったのである。

第四に、やはりシーらが「媒介の最大化」と呼ぶ現象がある。実際の商品ではなく、商品の購入によって得られるポイントとかマイルなどを集めることが目的となってしまうことである。日常よく経験することであるが、彼らは実験によって確かめている。

被験者のあるグループには、楽な課題と労力を要する課題を選ばせて、前者には報酬としてバニラ・アイスクリームが、後者にはピスタチオ・アイスクリームがもらえるとした。別のグループには、楽な課題には報酬として60ポイントを与え、それでバニラ・アイスクリームと交換できるとし、労力のいる課題には１００ポイントを与え、ピスタチオ・アイスクリームと交換できるとした。このポイントは他に使い道はない。

前のグループ（媒介物がない）の大半は、楽な課題を選びバニラ・アイスクリームを得た。しかし、後者の、ポイントを媒介としているグループの大半は労力のいる課題を選んでピスタチオ・アイスクリームを獲得した。しかし、全員にアイスクリームの好みを尋ねると、ほとんどがバニラと答えたのである。この結果は、単なる媒介であるポイントの高い方に惹かれたと考える他はない。

お金もまた媒介に過ぎない。しかし、お金を得ようとして一生懸命働くが、満足や幸福に必ずしも結びつくとは限らないのはよくあることだ。ロバート・フランクは、絶対的な所得水準が幸福感につながらないことについて、豊富な文献やデータから示している。

幸福の研究が最近の経済学や心理学のトピックの一つになっているが、そこでは、人が何を幸福と考えるか、それを達成できるのかといったテーマが中心である。ここで述べたような、人々は満足を最大化できるのか、という問題は幸福研究の重要な一部分なのである。

第8章　他者を顧みる心……社会的選好

「人間はたいてい自己中心に生きるものだ。けれども世間の外で生きることはできない」山本周五郎『ながい坂』（新潮文庫）

「努力して自分の利益を達成したかったら、まず他人のためにすべきだ。自分の利益だけを心掛けると、自分の利益は達成されないものだ」サキャ『格言集』（今枝由郎訳、岩波文庫）

信頼で成り立つ経済

インターネットで現物を見ていないのに商品を買ったことがあるだろう。インターネットを通じた買い物で、販売者に自分のクレジットカード情報を流したことはないだろうか。

通販会社が振り込み用紙を同封して商品を送ってくることもあるだろう。商品がまがい物だったらどうするのか。カード番号が不正に使われることは心配なかったか。会社側は、あなたが代金を払い込まずに商品を着服してしまう心配はなかったのだろうか。

近年、隣近所、集落、小規模企業などでのお互いに顔も素性も十分に知った人たちの間の共同作業や売買などの取引関係はますます減少する傾向にある。海外との取引、インターネットを介した取引などが盛んになるにつれて、よくわからない相手との1回限りの取引はますます頻繁になっている。

すべての人が信頼に値するわけではなくだます人もいるし、それを防ぐ法やさまざまな制度的手法もある。しかし、あらゆる取引において詳細な契約を取り交わすことはできないし、契約が実行されたかどうかの検証も容易ではないから、法や契約によらない信頼関係が重要である。

雇用者と被雇用者の関係では、真面目に働くことと労働者の働きに報いることは細部にわたる契約ではなく、一種の信頼関係によって成立している。商品の売買についてもそうである。商品の品質や配達の条件が守られること、買い手が確実に支払をすることなどは、契約ではなく信頼に依存する部分が大きい。

このような信頼関係は、円滑な経済活動には不可欠である。アローは次のように述べる。「事実上すべての商業取引には信頼の要素が含まれる。……世界の経済的遅滞の多くは相互信頼の欠如によって説明しうる」（アロー　一九七二、３５７頁）。

信頼による取引はなぜ可能であるか、もっと一般的に、人は自分の行動決定にあたって、他の人の行動をどのように評価し、どのように考慮しているのであろうか。

自分自身だけでなく他者の利得をも考慮に入れる選好を、社会的選好という。

本章では人々がどんな社会的選好を持っているのか、そして社会的選好が人々の協力行動にどのような影響を及ぼすのかという点を中心に考えていく。

本題に進む前に、本章でしばしば登場する「利他性」と「利己性」という言葉の意味を少し整理しておこう。利他性とは、自分の物質的利得の減少というコストをかけて、他者の物質的利得を大きくする行為や性質のことをいう。すると、利己性とは、もっぱら自分の利得だけを追求する行為や性質であり、経済人の持っている性質である。

標準的経済学では、利己的な経済人だけが存在することが前提とされている。

公共財ゲーム

あなたの友人が、大きな荷物を持って道路を渡ろうとしている老人を手伝っているのを、あなたが見たとしよう。友人がそのような親切な行動をとるのはなぜだろうか。

いくつか理由は考えられる。老人は友人の親族かもしれない。老人や目撃者であるあなたが友人の名声を高めることを友人が目論《もくろ》んでいるのかもしれない。友人は、将来老人からお返しに親切にされることを期待しているのかもしれない。あるいは、見知らぬ他人を助けることに純粋に喜びを感じているのかもしれない。

他者の心の内を正確に知ることはできないから、このようなことは単なる憶測にすぎないかもしれない。日常の観察や経験からどれが真の理由であるのかをつきとめるのは、なかなか難しい。そこで、さまざまな実験の出番である。実験なら、協力行動に影響を及ぼしそうなさまざまな要因をコントロールすることで、どの要因が重要であるかを見つけることができる。

人の社会的行動を確かめるために「公共財ゲーム」という実験ゲームがよく用いられる。このゲームでは、数人、たとえば4人でグループを作り、各人にたとえば1000円の初期額が与えられる。

各人は、1000円のうちのいくらをグループ（公共）のために支出するかを決定する。実験者は、各人の公共への貢献額を合計して、たとえば2倍し、それを全員に均等に配分する。例として、全員が400円ずつ貢献したとすると、合計1600円の金額を2倍した3200円を4人に分配するから、各人は手元にある600円と、分配額800円の合計1400円を保有することになる。

自分が全く貢献せずに、他の人が出してくれれば、たとえば、自分の貢献額はゼロで他の3人が全額出したら、自分の取り分は2500円になるから、このような「ただ乗り」は魅力的である。

逆に、自分が1000円全額出したのに他の人がゼロだったら、自分の取り分はたった500円であり、初期額より少なくなってしまう。つまり自分の利益が多くなることを目論んで貢献しても意味がない。そこで誰もがフリーライダーとなる誘因を持つ。この場合には、グループの利得額の総計は7000円となる。

一方、全員が全額を公共のために使えば、各人の利得は2000円であるから、グループ全体の利得は8000円となって、フリーライダーがいる場合よりも大きくなる。全員がフリーライドすれば、各人の利得は初期額の1000円のみである。

公共財ゲームは、ちょうど、皆で力を合わせて仕事をすれば大きな成果が得られるが、誰もが他人の働きに期待してサボろうという誘惑があるのと同じ状況である。

また、環境問題、共有地の使用問題なども同じ構造を持つ問題であるから、経済学だけでなく、広く社会で見られる状況である。公共財ゲームは、よく知られた囚人のジレンマ（第2章）の多人数ヴァージョンであることから、社会的ジレンマと呼ばれることもある。

公共財ゲームにおいて経済人はどのように行動するだろうか。当然ただ乗りである。全員がそうであるから公共への貢献額はゼロであり、したがって各人の取り分は初期額と一致することになる。では実際に、このゲームを行なったらどうなるであろうか。上の予想は当たるのだろうか。

あやうい協力関係

公共財ゲーム実験は数多く行なわれているが、おおよそ次のような結果が得られている。このゲームを毎回違うメンバーと10回繰り返して行なうとする。初回は、平均して初期保有額の30～40％の貢献という協力行動が見られるが、協力の度合いは次第に減少し、10回目には10％程度にまで落ち込んでしまう。

また、同じメンバーでゲームを繰り返し行なう場合でも、最初の貢献額は約50％という大きな協力が見られるが、やはり協力は次第に減少し、最終回では15％程度にまで減少する。

この実験結果はいくつかのことを示唆している。まず、すべての人が常に利己的な行動をとるわけではないということである。また逆に完全に利他的な人もいないかあるいはいたとしてもごく少数であることである。そして協力関係は、放っておけば崩壊してしまうもろいものなのだということである。さらに、初回の協力行動を見て人は利他的であるとか、あるいは協力が崩壊した結果だけ見て人は利己的だと判断するのは早計だということである。

以前には、経験による学習によって協力行動が減少するという説明がなされたこともある。最初はゲームの構造がよくわかっていないために間違って協力するが、次第にゲームの仕組みを学習するために貢献額が減ってくるという説明（「混乱仮説」という）である。

しかしアンドレオーニはこの説明では不十分であることを示した。彼は、メンバーを固定したグループで10回繰り返してゲームを行なうと協力は次第に減少するが、その後グループを組み替えて異なるメンバーで同じようにゲームを繰り返すと、再び最初は貢献額が多いが次第に減少することを見出した。したがって、協力は経験による学習によって減少するという説明は当てはまらないことになる。

条件付き協力

公共財ゲームにおける行動のパターンを見てみよう。

フィッシュバッハーらの実験では、約半数は他の人も協力するなら自分も協力するという行動をとった。その中でも全体の約10%の人は、グループの他のメンバーの貢献額（の予想値）に完全に合わせる傾向があり、全体の40%にあたる人はそれよりやや少ない額の貢献をした。30%は完全なフリーライダーであった。14%は、全体の貢献額の平均が初期保有額の半分になるまでは他のメンバーに合わせたが、全体の貢献額の平均がそれを超えると、逆に貢献額をどんどん減らす傾向があった。残りの少数はきわめてランダムな行動をとった。全体の平均以上の額を常に提供するような完全に利他的な人はいなかった。

また、自分以外のメンバーの平均貢献額が多くなると、各人の貢献額も多くなることが確かめられている。つまり多くの人は他の人が協力的ならば自分も協力するという「条件付き協力」者なのである。

さらに、条件付き協力といっても完全ではないことが多く、他のメンバーの貢献額の平均値よりやや少ない額の貢献をするのである。このような弱い条件付き協力者と利己的行動をとる人が多数いる限り、繰り返しの状況ではグループ内の貢献額の平均値がだんだん減少してくること、すなわち協力関係は次第に衰退し、やがて崩壊することは想像に難くない。

処罰の導入

では協力関係はどうすれば成立し、何によって維持されるのであろうか。

協力を促進する制度として処罰の役割が大きいことはよく知られている。日常の経験や観察でも、処罰という制度——必ずしも刑罰や罰金といった処罰ばかりでなく、悪評、村八分といったことも処罰に入る——があれば、処罰を避けるために協力的行動をすることはよく見られる。

公共財ゲームにおいても同様に、処罰を導入すると協力率が劇的に上昇することが知られている。

フェールとゲヒターは、グループの他のメンバーを処罰する、つまり他の人の利得をマイナスすることができるという設定で公共財ゲームを行なっている。ただし、処罰をする方にもコストはかかり、たとえば、処罰として300円の利得を減じるためには、処罰をする人も100円のコストを負担しなければならないというように決められている。もちろん匿名性は保たれ、メンバーが誰であるかは特定されないようになっている。

このゲームでは、4人のプレイヤーが同時に貢献額を決定し、その後各人の貢献額の情報が与えられ、それに応じてプレイヤーを処罰をすることができる。

フェールらは、このような処罰可能なゲームをグループのメンバーを固定して10回行なったところ、初回ですでに70％程度の協力が見られ、それは次第に上昇し4回目以降は90％を超える協力が維持された。毎回メンバーを入れ替えて同じメンバーとは二度と組まないという設定の場合でも、初回は40％程度の協力があり、次第に上昇して10回目には70％程度になった。

処罰を避けるという動機が協力行動を大きく推進させていることがわかる。完全な利己主義者でさえ（だからこそ）、処罰によって自分の利得が減るのを恐れて協力行動をとるのである。

処罰の動機

処罰は頻繁に実行された。フェールとゲヒターによる他の実験では、処罰がある設定とない設定で、それぞれ6回の公共財ゲームが行なわれた。4人のメンバーでグループが構成され、メンバーは毎回入れ替えられた。処罰をするには処罰者もコストを負担しなければならない。

実験の結果、84％は最低1回は処罰を行ない、34％は5回以上行なった。処罰は、グループ内の誰が誰に対して実行してもよいのであるが、処罰された者は非協力者（平均以下の貢献しかしなかった者）が大部分（75％）であり、処罰を行なったのは協力者（平均以上の貢献をした者）が大部分であった。

この実験では、処罰のないゲームを最初に6回行ない、続けて処罰があるゲームを6回行なった。その結果、処罰がないときには平均協力率は初回の55％から6回目の30％へと徐々に減少していったが、処罰があるときには協力率は初回の60％から6回目の85％へと着実に増加していった。

順序を逆にして、最初に処罰のあるゲームを6回行ない、その後処罰がないゲームを6回行なった場合にも同様に、処罰がある場合の方がはるかに大きな協力が見られた。処罰が協力を引き出し、維持させたということができる。

ただし、それまで利己的なフリーライダーであった者が、処罰の導入によって利他者に変わったわけではないことに注意が必要である。処罰の導入によって利得構造が変わり、裏切るより協力する方が自分の利得が増加するようになっただけである。つまり協力が有利なように利得が変化したために利己主義者が協力を選択し、条件付き協力者は他に協力者が多いから自分も協力するようになったのである。

ここで注意すべきは、処罰という行為が必ずしも自分の利得増加に結びつかないことである。毎回メンバーが替わり同じ相手とは二度と出会わないから、ある回で処罰を受けた者がそれ以降の回で貢献額を増やすとしたら、それによって利益を受けるのは処罰をした者ではなく、処罰をされたために貢献額を増やした人と将来出会う他人である。自己の利益には直接結びつかないにもかかわらずコストをかけて処罰を行なうのである。そこでこのような処罰は、他者を利する行為であることから「利他的処罰」と言われることもある。

経済人は、協力もしなければ処罰もしないはずだ。なぜなら、他人も同様に経済人であるとすれば、協力も処罰も自分の利益を増加させないからである。したがって、処罰の機会があるだけではなく、処罰を実行することが協力を達成するためのポイントとなる。

固定メンバーでの公共財ゲームにおいては、一度処罰を受けた者が次回以降で協力する度合いは高くなるが、固定メンバーでの処罰行動は必ずしも利他的と言えない。処罰した者が将来自分の利益が増加することを目論んで処罰するかもしれないからだ。

しかし、フェール等の実験では、固定メンバー条件での被処罰者の協力増加行動と、メンバーを入れ替える条件での被処罰者の協力増加行動にはほとんど差は見られなかったのである。処罰行動にも差はなかった。つまり処罰が自分の利益を増加させることにはつながらない場合でも処罰は行なわれたのである。

処罰は、裏切り抑止、すなわち協力の促進策として行なわれるというより、裏切り行為に対する当然の報いとして行なわれるという社会心理学者の説明と一致している。

では、処罰のコストが高くなったら、処罰は実行されるのだろうか。この疑問に対しては、アンダーソンとパターマンが答を出している。彼らの実験では、処罰のコストが高くなると処罰は減少するという需要の法則に従うことが見出されている。

このように、処罰は私益追求のために行なうとは決して言えないが、どんなコストを支払っても実行するというわけではないから純粋に利他的であると言うこともできず、私益追求の側面を無視することはできない。

第三者による処罰

公共財ゲームにおける処罰の導入は協力を促進させたが、そこではゲームにおける同じグループのプレイヤーどうしによる処罰であった。フェールとフィッシュバッヒャーは、ゲームのプレイヤー以外の第三者が、プレイヤーの行動を観察して処罰することができるという設定で「第三者処罰ゲーム」実験を行なっている。

2人のプレイヤーが囚人のジレンマを行ない、協力または裏切りという手を同時に選択する。ゲームは繰り返されずに1回だけ行なわれる。第三者は、プレイヤーの選択の結果を見てから、コストをかけてプレイヤーを処罰することができる。囚人のジレンマは、2人だけの公共財ゲームであるから、このゲームは第三者の処罰を伴う公共財ゲームとみなすことができる。

実験の結果、囚人のジレンマで裏切りを選んだプレイヤーは、およそ70％が処罰された。特に、相手が協力を選んだのに裏切った者は半数近くが処罰された。これに比べて、双方が裏切りを選択した場合には処罰は20％程度に留まった。

この実験結果もきわめて興味深い。このゲームは反復のない1回限りのゲームであり、第三者を含むプレイヤーの匿名性は保たれているから、第三者が自己の利益を考えて処罰を行なうとはまったく考えられない。それにもかかわらず処罰は実行されたのである。第三者処罰はきわめて利他的な行為といってよい。

処罰と感情

なぜ人は処罰という行為をするのであろうか？　ここでは感情の果たす役割について考えてみよう。

公共財ゲームにおける裏切り行為は、協力者にとって怒りなどの強い感情を喚起するであろうことは想像に難くない。この感情が、処罰行動へと駆り立てるのである。

フェール等は、処罰のある公共財ゲーム実験の後で、フリーライダーに対する怒りや不快感について、次のように二つのケースについて被験者に質問した。

「あなたが16［5］ポイントの貢献をしたとしよう。他のある人は14［3］ポイント、別の人は18［7］ポイントの貢献であった。ところが、四番目の人は2［2］ポイントの貢献しかしなかったとする。実験後に四番目の人に偶然会ったら、この人に対してどんな感情を抱くか」。

このシナリオを読んで、怒りや不快感の程度を1を最弱、7を最強として7段階で評価してもらった。すると、第一のケースでは、レベル6以上の強い怒りを感じた人は47％、レベル5の怒りを感じた人が37％いた。カッコ内に示された第二のケースでは、レベル6以上の強い怒りを感じた人は17％、レベル4か5の怒りを感じた人が81％いた。フリーライダーに対する怒りの程度は、その人の貢献額とグループの他の人の貢献額の差に影響を受けていることが示されている。

さらに、逆に自分がフリーライダーであった場合には、他の人が怒りを感じると思うかという質問に対しては、多くの人がやはり、グループの他のメンバーとの差が大きいほど強い怒りを抱くだろうと予想していた。

先の実験によると、グループの他のメンバーに比べて貢献額が小さいほど処罰されることが多く、処罰も厳しかった（利得が大きく引かれた）。また、処罰を導入すると、それをおそれて貢献額が増加した。この結果は上の質問の結果と完全に整合しているのである。

したがって、フリーライダーに対する怒りの感情が処罰行動を引き起こす重要な要因であると考えられる。また第三者による処罰は、当事者が感じる怒りの感情とは少し異なる一種の義憤の感情がもたらすものであろう。

ただし、処罰が感情によって引き起こされるといっても、感情的な処罰だから非合理的であるとか、望ましくないというわけではない。このような、感情の持つ意義については次章で論じる。

強い互酬性

他の人が協力するから自分も協力するという「条件付き協力」はしばしば「正の互酬性」といわれる。他者が協力するなら自分もするし、非協力的なら自分も協力しないということである。また、非協力的であるならばそれに対して処罰することを「負の互酬性」という。両者を合わせて「強い互酬性」ということもある。協力者には協力を、非協力者には処罰をという行動である。これには他の人が協力しないなら自分もしないという意味も含まれる。善意には善意を、悪意には悪意を返そうという「お互い様」原理あるいは「ギブ・アンド・テイク」の精神である。

互恵性というのは、互いに便宜を図り合うことであるから、ここで言う正の互酬性のみを意味する言葉であり、また、しっぺ返しとか「目には目を、歯には歯を」とは、ここで言う負の互酬性の部分のみを指す言葉である。両者を合わせた語として最適なものはないが、社会学や文化人類学で用いられている「互酬性」という語がぴったりたりする。

行動の意図

人々の行動が他者や社会からどのように判断されるかは、その行動がもたらす結果ばかりでなく行為者の意図にも左右される。「悪意はないから許そう」と言うように。

刑法では、人が死んだという結果は同じであっても、故意によれば殺人罪、過失によれば過失致死罪であり刑罰は大きく異なる。このように行動の結果だけでなく意図が、他者の行動に大きな影響を及ぼすことがある。

意図が明確にわかるゲームとして、アビンクらが考案した「夜盗ゲーム」がある。

このゲームでは、プレイヤーA（泥棒）がプレイヤーB（親分）の命令を受けて仕事（盗み）をする状況を模している。泥棒は、盗みを働いて得たお金をすべて自分のものにすることもできるし、親分に差し出すこともできる。親分は、泥棒の働きに対して報酬を与えることも、処罰することもできるというように、互酬性について探ることができるゲームである。

ゲームのプレイヤーは2人で、ゲームは1回だけ行なわれる。ゲームは二段階に分かれていて、プレイヤーA、Bとも12ポイントずつを初期額として持っている。

まずプレイヤーAはマイナス6以上6以下の整数を1つ選択する。それをaとしよう。aが正ならばその3倍である3aがBに渡される。Aが稼いだ分をBに差し出すという意味である。aが負ならばaポイント（正確にはaの絶対値）をBから奪うことができる。

次にBはaを知った後で、マイナス6以上18以下の整数bを1つ選択する。bが正であれば、BはbをAに与える。つまり、BはAに報酬bを支払うことになる。もしbが負であればBはbポイント（正確にはbの絶対値）を失い、Aは3b失う。つまり、bをコストとしてAから3bを減ずるという処罰である。

このゲームでは、AはBに対してポイントを与えることも奪うこともできる。これに対してBはAの行為に報酬を与えるかあるいは処罰することができる。つまりBの正の互酬性と負の互酬性が同時に調べられるわけである。

フォークらは、行為者の意図が明確に表われる設定で夜盗ゲーム実験を行なって、相手の意図を推測することで人の行動がどのように影響されるのかを探っている。彼らは、上と同じ構造の夜盗ゲームを二つの条件で行ない、それらの結果を比較した。

一つの条件はAの意図が明確になるもので（意図条件）、Aは任意にaを選択することができる。もう一つの条件はaの値がサイコロでランダムに決められるものであり（ランダム条件）、この場合にはAの意図は明らかにされない。

このゲームではもしBが私益追求的であれば、常に$b=0$を選び、Aに対して報酬も懲罰も与えない。なぜならそれらはコストがかかるし、ゲームは1回しか行なわれないからである。プレイヤーBが私益追求的ではないとしても、結果にこだわって相手の意図には無関心であれば、両条件での行動に差はないはずである。

もしBがAの意図だけに関心があるならば、ランダム条件では、Aを処罰もしないし報酬も与えないであろうし、また意図条件では、大きいaには報酬を、小さいaには処罰を与えるはずである。

実験の結果、Bの行動は両条件で大きく異なっていた。BからAへの報酬や処罰が与えられることは、ランダム条件の場合に比べて意図条件の場合の方がはるかに多かった。また、Bのうち、意図条件で利己的に振る舞った（$b=0$を選択した）者は全くいなかったが、ランダム条件では30％が利己的であった。

つまり、多くの人は結果ばかりでなく、相手の意図にも反応したのである。互酬性には結果に対してばかりでなく、相手の意図に対する反応も含まれることになる。したがって、同じ結果であっても、受取側の解釈は異なり、それが違う行動を引き起こすこともある。

マケイブらは、少し異なるゲーム設定で、同様に意図と互酬性の関係を調べている。彼らのゲームでは2人のプレイヤーAとBがいる。

まず、プレイヤーAが自分とBに（20、20）という配分を選ぶか、パスしてBに選択を任せるかを決定する。前者の場合にはそこでゲームは終了する。もしAがパスしてBの順番になれば、Bは（25、25）という平等な配分か、（15、30）という自分に有利な配分かの選択をしてゲームは終了する。このAが自発的に選択ができる条件のゲームと、次のようなAの自発性がない条件との二条件で実験が行なわれた。

二つ目の条件では、Aには選択権はなく、Bが（25、25）という平等な配分か、（15、30）という自分に有利な配分かの選択をしてゲームは終了する。

結果に関する不平等を回避するのが公正であるという仮説に立てば、Bの選択によって生じる利得配分はどちらの条件でも同じだから、Bの選択に差はないはずである。

しかし、実験の結果は違っていた。まず、最初のAが選択できる条件では、37％は（20、20）を選択し、63％はパスしてBに決定を委ねた。決定を任されたBのうち、65％は平等な配分（25、25）を選び、35％が利己的な配分（15、30）を選んだ。

これに対して、Aに選択権がなく最初からBが選択する条件では、平等な配分を選んだのは33％だけであり、67％は利己的な配分を選択した。両条件でのBの選択の差は明らかである。

この理由は、Aの意図をBが理解したかどうかによって説明できる。Aが（20、20）を放棄して、Bに選択を託したということは、平等でかつ2人とも利得額が大きくなる選択肢（25、25）をBが選ぶことを期待している、言い換えればAはBを信頼しているという意図が感じられる。Bはその信頼に応えようとして、多くが（25、25）を選択したと考えられる。

一方、Aに選択権がない条件では、Aの意図あるいはもくろみとは無関係にBは選択ができ、そのため、（15、30）という利己的な配分が多く選択されたと解釈できる。

「世間」とは参照グループのこと

協力や処罰が、それを実行する人の経済的・物質的利益に結びつかないとしたら、いったい人はなぜそのような行動をするのであろうか。

その理由の一つとして考えられているのが、人は公正（フェア）であることを求めるという性質である。何をもって公正とみなすのだろうか。最も一般的に考えられているのは不平等回避性である。すなわち、自分と他者の利得の差がなるべく小さいことをもって公正とみなすという考え方である。他者の利得が参照点となっており、それと比べて自分の利得の差が大きいと不公正と判断されるのである。

ここで他者とは他者一般ではなく、自分と関わりの深い周りにいる人のことである。地域社会や勤務先、学校などの同僚、友人、知人などの人々のことである。このような人々を「参照グループ」という。人が気にかけるのは、このような参照グループに属する他者であって、その他の人はどうでもよい。

隣の家の人が新しい車に買い換えたのを知ったら、少しうらやましいと思うが、セレブが別荘や高級外車を持っているのをテレビで見たら、好奇心はわくが嫉妬心は生じないであろう。別の世界の人なのだ。冒頭に引用した山本周五郎や、第5章冒頭で引用した英国の随筆家ハズリットの言葉の中にある「世間」とはまさにこのような参照グループのことである。

さて、処罰もまた不平等回避の動機に基づいているのかもしれない。しかしフォークらは、処罰のコスト1単位につき被処罰者の利得が1単位差し引かれるという設定で実験を行なった。この設定では、処罰は利得の格差の是正には役立たない。それにもかかわらず処罰は頻繁に行なわれている。

また彼らは、このような処罰条件で、固定メンバーの場合と毎回メンバーが入れ替わる場合でのゲーム実験を行なっているが、両者における処罰行動にはほとんど違いは見られなかった。すなわち、不平等回避性では上手く説明できない処罰行動が見られるのである。

前述のように、結果のみならず行為者の意図も、公正の判断にはきわめて重要な要素である。しかし、意図がない場合にも処罰は生じた。つまり結果に対しても反応する。すなわち、互酬性は、結果と意図の両方の公正に対する判断から成り立っていると考えられる。

評判形成と間接的互酬性

他者に対して善行を施すと、それを受けた当事者ではなくグループの他の人から善意が返ってくることがある。良い行ないをしたという評判が立てば、他の人から良くしてもらえるわけである。このように、当事者ではなく、グループ内の第三者との互酬的関係を間接的互酬性という。善意の行動をした相手から返礼が戻ってくるのは、直接的互酬性ということができる。

間接的互酬性が機能するためには、ある人が良いことをしたことが当事者でない他の人にわからなくてはならない。そこで、評判や名声が重要になってくる。良い人だという評判が立てば、その人は他の人から親切にしてもらえるというのは、日常生活においてもよく見られることである。

「情けは人のためならず」という諺がある。最近この諺を、「情けをかけるのは人のためにならないから、止めた方がよい」と理解する人が増えているという。蛇足ながらつけ加えておくと、他人に対して善行をすると、めぐりめぐって自分に良いことが返ってくるという意味であり、まさしく間接的互酬性のことである。

「情けは人のためならず」

間接的互酬性が協力行動を推進し維持するのに強い力を発揮することを明らかにするために、ヴェデキントとミリンスキーは間接的互酬性ゲームを考案した。

２人のプレイヤーのうち一方が提供者、他方が受領者となり、提供者は一定の初期額を持っている。提供者は、初期額のうちから予め決められた一定額を受領者に寄付するかどうかを決定する。寄付額はたとえば２倍されて受領者に渡される。

１つのグループは数人からなり、メンバーは提供者と受領者の役割がランダムに割り当てられる。ゲームは複数回（たとえば20回）繰り返されるが、しかし同じ相手とは二度と組まないようにされているため、以前に寄付を受けたから返そうという直接的な「お返し」はできないようになっている。

間接的互酬性ゲームの特徴は、プレイヤーが過去にどんな決定をしたかが公開されることである。すべての参加者は、実名は伏せられるが仮名を持っており、ゲームである仮名の持ち主がどんな行動をしてきたのかの履歴が全員にわかるようになっている。つまり、寄付という寛大な行為をしてきた人かそうでないかが全員にわかり、評判（名声）が形成されるのである。

このゲームを実際に行なうと、50〜90％の協力率（寄付する）が得られるが、その回以前に寄付をしてきた人は、他の人から寄付してもらう可能性が非常に大きい。つまり親切な人は、自分が親切に接したのではない他の人から親切に扱われるのである。まさに「情けは人のためならず」。

ミリンスキーらの実験では、寄付者が他の人に寄付したかどうかが公開され、さらに福祉団体であるユニセフに寄付するかどうかも尋ねられた（実験後に実際に寄付された）。最後に学生会の代表者を決める（仮想的）選挙が行なわれた。寄付をした額が多い人ほど寄付をされることも多く、また寄付を多くした人ほど選挙の得票数が多いという相関関係が見られた。良い行ないをすると良い評判が形成され、それが経済的のみならず政治的な立場をも良くするのである。

著名な進化生物学者のリチャード・アレグザンダーは次のように述べる。「多くの互酬性を含む複雑な社会システムにおいては、互酬的な関係で魅力的だと判断されることは、成功のための大きな要素である」（アレグザンダー　一九八七、１００頁）。

間接的互酬性ゲームと公共財ゲーム

ミリンスキーらはさらに工夫した次のような実験を行なった。被験者は６人の固定メンバーからなる10のグループに分けられ、全員に初期保有額として20マルクが与えられた。

この実験では、各グループの中で、間接的互酬性ゲームと公共財ゲームが交互に計20回行なわれるのが大きな特徴である。間接的互酬性ゲームでは、寄付者が２・５マルクを寄付するかどうかを決定し、受領者は４マルク受け取る。公共財ゲームでは一定額（２・５マルク）を寄付するかどうかの決定だけを行なう。寄付総額は2倍されて６人に分配される。

手順としては、まず間接的互酬性ゲーム、次に公共財ゲームというように両ゲームを交互に16回まで行ない、最後の4回は公共財ゲームだけを行なう。さらに、実験は二つの設定に分けられ、5グループには17回目以降は公共財ゲームだけが行なわれることを予め知らせてあるが（既知条件）、残りの5グループには知らせていない（未知条件）。そして重要なことは、間接的互酬性ゲームの時には、すべてのプレイヤーの両ゲームにおけるそれまでの行動、すなわち寄付したかどうかの歴史が公開されることである。もちろんメンバーの匿名性は保たれている。

この実験の結果、16回目までのすべての公共財ゲームにおいて90％以上の協力（寄付をする）が達成された。17回目以降は、残りすべてが公共財ゲームであることを知っているかどうかで劇的な違いが見られた。既知条件グループでは、回を追うごとに協力率はどんどん低下し、20回目には40％弱となった。一方未知条件グループでは協力率は低下したがわずかであった。また、直前の公共財ゲームで協力を拒んだ者は次の間接的互酬性ゲームでは60％の確率で寄付をしてもらえなかった。一方公共財ゲームで寄付をすれば間接的互酬性ゲームでは拒否されるのは20％程度であった。

この結果の意味はわかりやすい。公共財ゲームで寄付をしないと、間接的互酬性ゲームでその情報が公開されて、寄付をしてもらえなくなるのである。

いわば、悪評が立つ（名声が下がる）ことによって利得が少なくなることを恐れて協力するのである。このことは最後の4回で、情報が公開されない公共財ゲームだけが行なわれることを知っているグループと知らないグループでの協力行動の差に明瞭に表われている。既知グループではもう自分の評判を気にする必要はないため協力率は著しく低下するが、未知グループでは、再び間接的互酬性ゲームが行なわれる可能性があると考えるので、名声を維持しようとするのである。

評判形成が協力行動を強く促進することがわかった。寄付をしないということは一種の処罰と考えられる。この場合には、寄付しないという処罰にはコストがかからず、かえって自分の利得を増加させることになるから、より一層効果的である。前述の公共財ゲームにおける処罰には、処罰すべきなのに、コストがかかるから実行せず、他の人が処罰するのを期待してしまう「処罰のただ乗り」という二次のフリーライダー問題が伴う。しかし間接的互酬性ではこの問題は生じないという利点がある。

評判形成自体は、利他心や公正さの表われであると考えることはできない。評判が利得増加につながることを理解しているための利己的行為である。

経済人と互酬人の相互作用

強い互酬性の動機をもって行動する人を「互酬人（ホモ・レシプロカンス）」と呼ぶことにしよう。ここでは、人は経済人か互酬人かということではなく、社会に経済人と互酬人の双方がいたらどんな事態が生じるかについて考えよう。

公共財ゲームのところで見たように、実験においては、経済人と互酬人そしてその他のタイプの人がいることがわかった。そして処罰という制度があると、互酬人が経済人に協力行動をとらせることができるのである。

キャメラーとフェールは最近の論文でこの両タイプの人がいる場合には、彼らの相互作用によって、そしてその時の経済制度によっては、経済人タイプしかいないとする従来の経済学モデルではまったく説明のできない現象が生じることを強調している。

次の例を考えよう。

AとBの二人がそれぞれ財を持っているが、互いに自分の持っている財の価値は10、相手の持っている財の価値は20と評価しているとしよう。互いの財を交換すれば両者とも満足は大きくなる。

今、二人が地理的に離れている所に住んでいるために直接の交換はできず、交換するためには発送するしかないとする。また法的な拘束力を持った厳密な取引契約を交わすこともできないとしよう。この状態は囚人のジレンマと同じ構造である。そこで両者とも経済人であれば、二人とも発送しないことになる。つまり、満足を高める機会を二人とも逃してしまう。両者とも互酬人であって、互いにそれを知っているかそうであると信じていれば、交換はめでたく成立し、両者とも満足は高まる。

では、Bが互酬人でAが経済人であり、互いにそれを知っているとしよう。この囚人のジレンマ・ゲームを同時に行なうとすると、BはAが経済人であることを知っているから発送しないし、Aももちろん発送せず取引は成立しない。経済人Aの存在が互酬人Bに非協力的な行動をとらせたのである。

ところが、この囚人のジレンマを交互に行なうとすると、状況は変わる。AはBが互酬人であることを知っているから発送する。その後Bはもちろん発送する。交換が成立して両者とも満足する。Aが発送するのは私益のためであるが、この場合には、互酬人Bの存在が経済人Aに発送という協力行動をとらせることができるのである。

今度は、AもBも経済人であるが、互いに相手が互酬人であると信じる理由があるとしよう。そして上と同じ交互進行の囚人のジレンマを10回行なうとする。

Aは、相手が互酬人である確率rが0・5より大きいと信じていれば、最終回であっても協力する（発送する）ことが利得を高めることになる。なぜなら、

$$r\times 20+(1-r)\times 0>10$$

だからである。ここで

$$(1-r)\times 0$$

は、相手が経済人である確率（1－r）に財を受け取れないことの価値ゼロをかけたものである。経済人Bは、最終回を除いて財を発送する。途中で発送を止めると、自分が経済人であることをAに知らせることになり、その後の協力は見込めない、つまり利得を得損なってしまうからである。

したがって、経済人であっても、単に相手が互酬人であると信じていれば、協力的関係が築けることになる。互酬人であると信じるためには、互酬人が実際に存在しなければならないから、経済人だけが存在するという前提からは、この結論は導かれない。

以上の例は、制度や組織のありようによって異なるが、互酬人の存在が経済人の行動を変えさせたり、経済人が互酬人を経済人のように行動させる場合があることを意味する。単に経済人の存在だけを前提とする標準的経済学では決して理解できないことである。

処罰の逆効果

処罰がきわめて有効に協力を促進することを見たが、ここでは逆に、処罰が協力を抑制してしまう場合があることについて検討しよう。

公共財ゲームや囚人のジレンマと同様に、社会的な状況での協力関係について実験的に検討できるゲームとして、信頼ゲームがある。

信頼ゲームは、プレイヤーＡがたとえば１０００円の初期保有額を持ち、その中からいくらを拠出するのかを決定する。それが４００円だったとしよう。実験者はその額を３倍してプレイヤーＢに渡す。プレイヤーＢは渡された金額（１２００円）の中から任意の額をＡに返すというゲームである。

プレイヤーＡはＢを信頼するという立場であり、プレイヤーＢは信頼される、あるいは信頼に応えるという立場であって、そこでこのゲームは信頼ゲームと呼ばれている。ちょうど、ＡがＢを信頼して投資を行ない、Ｂは投資の成果の中からＡに返戻《へんれい》するという関係を模したゲームである。

プレイヤーＡの利得は、（初期保有額）マイナス（投資額）プラス（Ｂからの返戻額）となり、Bの利得は、(Aの投資額の3倍) マイナス (返戻額) である。

さて、両者とも経済人であれば、このゲームで何が起こるのかは明白である。プレイヤーBはAに全く返戻しないであろう。全額を自分のものとするはずである。プレイヤーAはそれを予測しているから、最初の投資額はゼロである。したがって、移転は全く起こらず、利得はAが1000円、Bがゼロとなってゲームは終了する。

筆者の実験では、Aは平均して初期額の53%を投資し、Bは受け取った額の30〜40%を返戻した。

フェールとロッケンバッハは、信頼ゲームに処罰の機会を導入した実験を行ない、処罰が協力を抑制する場合があることを見出した。

彼らは処罰の機会のある条件とない条件で、1回限りの信頼ゲーム実験を行なった。処罰の機会がない条件での信頼ゲームは、通常の信頼ゲームと同じである。一方、処罰の機会がある条件では、プレイヤーAは投資をすると同時に、Bからいくら戻して欲しいかの要求を出す。さらに、この要求が満たされないときには、AはBの利得を一定額減らすという処罰をすることができるが、Aはこの処罰を発動するかどうかも同時に宣言するのである。どちらの条件でもBがいくら戻すのかは任意である。

どちらの条件でも、Aの投資額が大きいほど、Bの返戻額も大きいという互酬的行動が見られた。ただしこの実験は1回限りであるから、この行動は将来の利得を期待したものではない。純粋に信頼し、信頼に応えるという互酬性を反映していると考えられる。

さて興味深いのは、条件の違いによるプレイヤーの行動の違いである。プレイヤーAの投資額も、BからAへの返戻額も最も大きかったのは、処罰が可能でありながら、それを発動しないときであり、それらの額が最も小さかったのは、処罰を実際に行なうと宣言したときである。

処罰がない条件でのそれらの額は、両者の中間であった。さらに、Aが処罰可能であるのに自重した場合には、Bのうちゼロの返戻を選択した者はいなかったが、処罰が科された場合には、Bのうち33％はゼロの返戻を選んだ。

また、平均返戻額は、後者では前者の半額以下であった。最終的なプレイヤーAの利得もBの利得も、処罰可能だが発動しない場合が一番多く、処罰無し条件の場合が二番目、処罰発動の場合が最も少なかった。

つまり処罰が可能でありながら、その機会を放棄することが、信頼関係を形成し、信頼に応えようというプレイヤーBの反応を引き出したのであり、処罰は信頼関係を損なってしまうのである。

前述のように、公共財ゲームでは処罰は協力を引き出すための有力な手段であった。しかし信頼ゲームではそうではない。この相違はなぜ生じるのか。公共財ゲームにおいては、フリーライダーは処罰によって自己の利得が減少するのをおそれて協力的となり、またフリーライダーを処罰することは倫理に適《かな》った利他的な行為とみなされる。しかし信頼ゲームにおいては、処罰の実行は、プレイヤーAが自分の利得を増やそうとする利己的で不公正な行為とみなされるためにプレイヤーBは非協力的になり、逆に処罰の機会がありながら実行しないのは、寛大で公正な行為とされ、それがBの協力的行動を引き出すのである。

処罰で低下するモラル

処罰とモラルの関係について興味深い実験がグニーズィとラスティチーニによって行なわれている。子供を預かるデイケア・センターでは約束の時間に親が子供を迎えに来ることになっているが、遅刻者もしばしば見られる。彼らは、イスラエルのいくつかのデイケア・センターを選び、遅刻に対して遅刻時間に応じた少額の罰金を科すことにした。

通常の予測では、遅刻は減少するはずである。ところが、この制度の実施後にはかえって遅刻が増加してしまったのである。この実験は20週行なわれ、4週間経過した後で罰金が導入された。すると、6週後には遅刻は増加しはじめ、7週以降には、遅刻は罰金が無い場合の2倍にもなった。さらに、16週後に再び罰金は科されないことになったが、遅刻は高い水準のままであった。

グニーズィとラスティチーニは、罰金がない場合には、親は遅刻することに対して罪悪感を感じ、その感情が遅刻を防いでいたのであろう、ところが罰金が導入された後は、「時間をお金で買う」という取引の一種と考えるようになり、やましさを感じずに遅刻ができるようになったのではないかと説明している。

罰金を科すことを止めた後でも、遅刻が以前の水準に戻らなかったのは、単に遅刻の価格がゼロになっただけと受け取ってしまうからである。つまり、制裁システムが導入されることで、社会規範やモラルによって規制されていた行動が市場での取引のように考えられてしまうのである。

フランスの詩人ポール・ヴァレリーがこの点を鋭く指摘している。「罰することが道徳心を弱らせてしまう、そのわけは、罰することで罪に償いは終わったと思わせるからだ。罪は罰への恐怖を刑への恐怖におとしめる——要するに罪をゆるすわけだ。そして罪を取引のできる、計量できるものに変えてしまう。値切ることも可能なのである」（東・松田訳、『ヴァレリー・セレクション』上巻、平凡社、２８１頁）。

公共財ゲームで、処罰の導入が協力を増加させたのは、純粋な私益追求が動機である。つまり利得が変わることで協力が引き出された。その背後にあるのはやはり強い互酬性である。協力には協力を、裏切りには処罰を返すことで協力を引き出すことができる。また、信頼ゲームで処罰がかえって協力を減少させたのも、同様に互酬性による。処罰が可能であるのに発動しないのは、善意の行為であり、それには善意をもって返すし、処罰をするぞという脅かしは悪意と受け取られるから、悪意で返すのである。

プレイヤーＡの要求は利己的とみなされるから、処罰されるのである。さらに、デイケア・センターでの罰金が遅刻を増加させたのは、社会規範を市場取引に変えたからである。この場合には個人内部の問題であるから互酬性とは無関係である。

処罰という一つのインセンティブが、多様な効果を持っていることがわかる。これは経済人だけが存在するという前提からは決して導かれない。

53頁で紹介した最終提案ゲーム（最後通牒ゲームと呼ばれることもある）は、簡素だが人々の社会的選好についての示唆に富む実験ゲームである。

おさらいしておくと、このゲームでは、２人のプレイヤー（提案者と応答者）がいるのであった。提案者は初期額（たとえば１０００円）のうちから、任意の金額（たとえば３００円）を応答者に渡すという提案をする。次に、応答者はその提案を受諾するか拒否するかを決める。

受諾すれば提案通りに分配され、利得は提案者７００円、応答者３００円となってゲームは終了する。応答者が提案を拒否した場合には、両者とも利得ゼロでゲームは終了する。

両者とも経済人であったとすると、応答者は１円の提案でもゼロよりはよいから受諾する。提案者はこれを正しく推測して、１円の提案をする。したがって、利得は提案者９９９円、応答者１円となるはずである。

このゲームは簡単で実験がしやすいため、実にさまざまな設定での実験が行なわれている。多くの実験の結果に共通しているのは、提案者の平均的な提案額は45％前後であり（筆者が学生を対象として行なった実験では48％）、最頻値は50％である。また、30％以下の提案のうち半分は応答者によって拒否されている（筆者の実験でも同様）。また、月収の３ヶ月分もの初期保有額で実験が行なわれたこともあったが、結果に大きな相違はなかった。

唯一例外とも言えるのが、ヒルとサリーが行なった自閉症者を被験者とする最終提案ゲーム実験である。提案者となった自閉症者のうちおよそ三分の一はゼロの提案をした。自閉症者は、他者の心を読むのが不得意という特徴があり、応答者が拒否するかどうかを予測できないことが多いのである。皮肉なことに、これが経済人の行動予測に最もよく合致する例である。

提案と拒否の動機

最終提案ゲーム実験における提案者と応答者の行動はどのような動機によるのだろうか。提案者の行動の動機の一つは、公正に対する選好である。およそ半々という提案が公正の考え方に合致するので、公正さを求めて行動するということである。

しかし一方、利得最大化行動によっても説明できる。すなわち、提案者は、応答者が拒否しないと（提案者が）予測する最低の額を提示すると考えれば、ゲーム理論で言う最適反応であってきわめて合理的な行動と考えられる。

ロス等は、学生の被験者の拒否行動から、提案額がどの程度得られるかの期待値を求め、そこから拒否されない最低額を推定している。たとえば、1000円のうちの300円の提案が25%拒否されたとすれば、この提案による利得の期待値は700 × 0.25 = 175円である。そして実際の提案行動がほぼ期待利得を最大化するように行なわれていることを見出した。

一方、応答者の行動はどうだろうか。応答者は不公正と思われる低い提案を拒否する。この行動は、不公正な提案者をコストをかけて処罰することと捉えることができる。

応答者のこの態度は経済的な私益追求とは考えられないが、他に利益を得る者がいないから利他的処罰とも言えない。しかし、提案者の不公正な提案に対する怒り、あるいは提案者のみが多額の利得を手に入れることに対する嫉妬といった感情を考慮に入れれば、合理的な行動だと言うことができる。

ショーとハウザーは、応答者が提案者に対して、自分の気持ち（感情）を表現する機会があるという設定で最終提案ゲーム実験を行ない、その機会がない場合と比較している。

応答者は、提案がされた後で拒否と受諾を選ぶだけではなく、提案者に対する感情を記述して提案者に知らせることができるようになっていた。この実験の結果、感情を表わす機会がある場合の方が、ない場合よりも不公正な提案を拒否する割合が低下した。

つまり、提案の拒否は、感情表現の一方法であって、記述して表現する方法が部分的にその代わりとなる。言ってみれば、不満をぶつけることで不公正に対する怒りが多少は軽減され、そのため拒否が減ったということができよう。応答者の態度は感情によって決定される部分があるということの証明になっている。

日常生活でも、経済的利得は増えないのに、直接相手に抗議したり、不満をぶつけることで満足するということはよく経験する。

最終提案ゲームと意図

最終提案ゲームにおいても、信頼ゲームと同様に提案者の意図が、応答者の拒否行動にきわめて重要な影響を及ぼしていることがわかっている。フォーク等は、提案者の意図を応答者が知ることのできる、次のようなミニ最終提案ゲーム実験を行なっている。

提案者は、自分と応答者に対してたとえば（8、2）という自分に有利な配分か、（5、5）という公平な配分かのどちらかを提案する。提案者の選択肢はこの2つしかない。応答者が受諾すれば提案は実行され、拒否すれば両者とも利得ゼロであるのは通常の場合と同じである。

フォーク等はこの他に、（8、2）と（2、8）というどちらかに偏った2つの配分、（8、

（5，5）ゲーム：	31％，4.44，5.00
（2，8）ゲーム：	73％，5.87，1.96
（10，0）ゲーム：	100％，7.29，1.11

2）と（8、2）という選択の余地がない配分、（8、2）と（10、0）という提案者に極端に有利な配分の合計4通りについて応答者の行動を調べている。

（8、2）はすべてのゲームで共通であるから、対になる配分を特定して、たとえば2つの配分（8、2）と（2、8）から選択して提案するゲームを、（2、8）ゲーム、（8、2）と（5、5）から選択して提案するゲームを、（5、5）ゲームなどと呼ぶことにする。

（8、2）という提案者に有利な配分の持つ意味は、対になる配分がどのようなものであるかによって大きく異なっているのが特徴である。（5、5）ゲームでは、（8、2）は不公正という意味になるだろうし、（2、8）ゲームでは、（8、2）は提案者の選択としては仕方がないとみなされるだろう。（8、2）ゲームでは不公正だが他に選択の余地がなく、（10、0）ゲームでは、（8、2）は不公正だがもう一方より良いことを意味するだろう。

実験の結果、(8、2)という提案の拒否率は、(5、5)ゲームでは44%、(2、8)ゲームでは27%、(8、2)ゲームでは18%、(10、0)ゲームでは9%であった。各ゲームで(8、2)の持つ意味がそのまま反映されていると言える。

また、(8、2)という提案がなされた割合と、その時の(8、2)の期待値、他方の配分の期待値はそれぞれ上のようであった。

提案者もかなり応答者の心をくみ取って、拒否される可能性が少なく、かつ期待利得が大となる提案をすることが多いのである。

この実験では、(8、2)という配分の結果だけではなく、提案者が他に選択肢があるのに(8、2)を提案したということで示される提案者の意図に、応答者が反応したことが示されている。ただ意図ばかりではなく、他の選択肢がない(8、2)ゲームでも18%は拒否されたのであるから、応答者は結果も重視していることがわかる。結果の公正と意図の公正の両方が応答者の態度決定の動機である。

同様に意図が重要なことを示す実験例として、ブラウントはコンピュータによる低額の提案は(応答者はコンピュータによる提案であることを知っている)、人が提案する場合に比べて、拒否がかなり少ないことを見出した。コンピュータによってなされた提案には意図が感じられず、したがって拒否が少ないのであろう。

競争下での取引

互酬人と経済人の相互作用が競争に及ぼす影響を、最終提案ゲームを用いて考えてみよう。この例もキャメラーとフェールによる。

最終提案ゲームで、プレイヤーがある財の売り手と買い手だとしよう。買い手が価格pを売り手に提案する。単純化のために、買い手はその財を１００の価値があるとみなし、売り手はゼロとみなしているとする。買い手はただ１回しか売り手に提案できないとする。

売り手が価格pを受諾した場合のみ取引は成立する。売り手が経済人であれば、$p=1$であっても受諾するはずである。そこで、買い手も経済人であるならば１を提案し、取引は成立する。前に見たように、これは実験ではほとんど生じない例である。

ここで、売り手の側に少しだけ競争の要素を取り入れ、財の売り手が２人になったとする。買い手は再び価格を提案するが、今度は、売り手のうち１人でも受諾すれば取引は成立し、売り手が２人とも拒否すれば成立しない。このような設定で実験すると、ほとんどすべての場合で買い手の提案価格も、売り手が受諾して成立する価格も低下する。

フィッシュバッヒャーらの実験によると、１００の価値のある財の売り手が１人の時には受諾価格は40〜50だったのが、売り手が２人になると10〜25に劇的に減少し、５人になると5〜10にまで落ち込んでしまう。

このような現象はなぜ生じるのであろうか？ 人は公正を求めるという理由では説明できないし、互酬人だけが存在する場合にも説明できない。やはり互酬人と経済人の双方がいるという前提からの説明が当てはまる。

前に説明したように互酬人は、不公正な結果や意図に基づいて処罰を行なう。しかし、経済人と互酬人が混在する場合に競争があると、この処罰という行動が意味を持たない恐れがある。

合理的な互酬人は、売り手の中に経済人がいてどんな価格でも受け入れてしまう確率がゼロではないことを知っている。さらに、売り手の数が増えればその可能性は高くなることもわかっている。もし互酬的な売り手の競争相手である売り手が経済人であって低い提案を受け入れるならば、互酬的な売り手は、不公正な買い手の提案を拒否するという処罰を買い手に与える機会を失うことになる。そこで拒否は意味を持たないことになり、互酬的な売り手もまた低い提案を受け入れることになる。

つまり、経済人の存在が、互酬人を経済人のように振る舞わせることになるのである。

文化で異なる行動傾向

従来行なわれている最終提案ゲーム実験では、被験者は経済先進国の学生が代表的であった。その場合には、上で述べたような典型的な結果が得られ国による差はほとんどない。ではもっと広範な民族や文化の違い、あるいは社会の違いによって、人々の社会的選好は異なるのであろうか？

ジョセフ・ヘンリッチらの人類学者、ロバート・ボイドらの進化生物学者や、キャメラー、フェールを含む行動経済学者からなる17名の研究グループが、さまざまな地域の多くの民族に対して最終提案ゲーム実験を行なうという大がかりな民族誌的調査を実行している。

彼らが調査したのは、4大陸12ヶ国にまたがる15の小規模社会であり、生活方式は狩猟採集、焼畑農業、遊牧、小規模農業などである。具体的には、焼畑農業を主とするマチゲンガ族、アチュア族、キチュア族（ペルー）、ツィメネ族（ボリビア）、アチェ族（パラグアイ）、狩猟採集民であるハドゥザ族（タンザニア）、オウ族、グノウ族（パプア・ニューギニア）、ラマレラ族（インドネシア）、遊牧民であるトルグード族、カザフ族（モンゴル）などである。

興味深いことに、提案額にも受諾・拒否の様子にも、学生を主な被験者とする先進国における実験結果とは大きな差が見られる。

提案額の集団ごとの平均値は、25〜57％と大きくばらついている。拒否に関してはもっと大きな相違がある。オウ族とグノウ族では50％以上の「超公正な」提案がしばしば拒否された。4つの集団では、どんな提案であっても拒否はゼロであった。そのうちアチェ族の平均提案額は50％であったから拒否されないのは自然であるが、ツィメネ族とキチュア族の提案の約半数は30％以下であったが、すべて受諾されたのである。

先に提案者の行動も応答者の行動もある意味で合理的だと述べたが、少数民族の中にはそれでは説明できないパターンが見られる。上の4つの集団の例では、拒否が見られないため、「拒否されない最低額」は特定できない。またグノウ族とオウ族では、公正な提案が拒否されるという行動も見られ、ラマレラ族の提案額は平均57％に上り、合理的な利得最大化からははずれている。

このように少数民族による実験では、提案も拒否も先進国とは大きな差があるが、ヘンリッチらは彼らの経済的・社会的な環境と提案額の間の相関関係を探っている。そして、生産が家族を基本単位として行なわれるのではなく、家族以外の人たちとの協力の度合いが大きいほど、最終提案ゲームでの提案額も大きいこと、つまり社会的協力が重要な集団ほど提案額も大きいことを見出している。

さらに、市場における売買が日常的に行なわれているほど、提案額が大きいことも判明した。この意味で経済的社会的に発展し、それが生活に根ざしている集団ほど、提案額も大きくより公正で協力的な態度が示されたことになる。

ただしこの相関関係がどのような因果関係を意味するのかは定かではない。つまり、生活における協力行動や市場取引の経験のために協力的態度が身につき、その結果、最終提案ゲームにおいて提案額が大きくなるのか、あるいは、このような集団の人々がもともと協力的な性向を持っているために、一方では協力体制が上手くいって市場取引が活発になり、他方では最終提案ゲームにおいて提案額が大きいのかは断定できない。

また、日常生活における贈り物や収穫物の分配に関する慣習が、提案・拒否行動に大きく影響しているということも考えられる。たとえば、オウ族とグノウ族では50％以上の提案がしばしばなされたが、その多くは拒否されている。

彼らの社会では、贈り物をすることで自分の地位を高めようとする慣習があり、また贈り物を受け取ることは将来必ず返礼をする強い義務を負うことを意味し、お返しをしていない負債があると、受け手の地位が低くなるとされている。

また、ラマレラ族では最終提案ゲームでの平均提案額は57%に達した。ラマレラ族は捕鯨で生計を立てているが、捕獲された鯨は、まず実際に捕鯨に参加した人たちや船を造った人たちに分配され、さらに捕獲とは直接関係しなかった人々にも分配されるという寛大な慣習が見られる。

このような日常生活における慣習や規範の違い、すなわち文化の違いが、最終提案ゲームにおける行動の多様性となって表われていることが示唆される。しかし、この大規模な実験で明らかになったことの一つは、経済人仮説が当てはまるような行動をとった集団は皆無だったことである。また年齢、性差、個人の富などの個人的属性と、提案・拒否行動との関連はまったく見出せなかった。

経済学を学ぶと利己的になる？

最後に、「経済学を学ぶと利己的になる」というショッキングな報告を紹介しよう。これは最初、マーウェルとエイムスが明らかにし、その後フランクらが再確認したことである。

まず、マーウェルとエイムスは、経済学専攻者とその他の専攻の学生に対して公共財ゲーム実験を行なった。すると驚くべきことに、経済学専攻者の平均貢献率は初期額の20％しかなかった。その他の専攻者は49％であるから、かなりの差がある。

フランクらは、マーウェルらの研究に触発されて、さまざまな観点から「経済学を学ぶと利己的になる」のかという問題について検討している。

まず、彼らはチャリティなどにお金を寄付したかどうかをアンケート調査した。調査対象は、さまざまな分野の大学教員1245名である。すると、1年間にまったく寄付をしなかった者の割合は、経済学者の9・3％が最高で、専門職課程教員（音楽、教育、ビジネス）の1・1％が最低であった。その他の教員は、2・9〜4・2％であり、経済学者の冷淡さがきわだっている。しかし、ボランティア活動や大統領選挙での投票についてはほとんど差は見られなかった。

次にフランクらは、経済学専攻学生とその他の専攻学生を被験者として1回限りの囚人のジレンマ実験を行なった。

その結果、「裏切り」を選んだ者の割合は、経済学専攻学生60・4％、その他専攻の学生38・8％であった。その他の専攻の学生も授業で囚人のジレンマを学んだ者ばかりであり、

	①1	①2	②1	②2
ミクロA	45.8	41.7	43.8	29.2
ミクロB	33.9	34.8	38.3	25.2
天文学	33.3	23.3	40.0	10.0

実験実施時にも説明を受けているから、無理解や誤解に基づく選択だとは考えにくい。

経済学を学ぶ者にとって憂鬱になる例はまだ続く。次のような仮想的質問に答えてもらった。①「ある小さな会社の経営者がコンピュータを10台注文して届いたのに、請求書には9台分しか請求されていなかった」。①1：この経営者は、コンピュータ販売会社に間違いを指摘して、10台分払うと思うか？ ①2：自分がその立場だったらどうするか？ ②「100ドル入っている封筒を落とした。封筒には住所、氏名が書いてある」。②1：自分が落としたとして、誰かが拾って届けてくれると思うか？ ②2：逆に、自分がそれを拾ったら届けるか？

回答者は3グループある。まずミクロ経済学Aを取っている学生で、教師は標準的経済学、特にゲーム理論、産業組織論を専門とし、授業では囚人のジレンマで裏切りが有利であることや協力の難しさを強調している。次に、ミクロ経済学Bを取っている学生で、教師は、中国の経済発展が専門で、囚人のジレンマは強調しない。最後は、比較のための天文学専攻の学生である。

その結果、それぞれの質問に対する正直ではない回答をした者の割合は、上に示した表のようであった（単位：%）。

経済学を学ぶと利己的になってしまうのだろうか？　あるいは逆に利己的な性向を持つ人が経済学を専門とするということも考えられる。

フランクらは、学年の違いによって囚人のジレンマで裏切りを選ぶ人がどう変化するかを調べた。

それによると、裏切りを選ぶ者の割合は、非経済学専攻1・2年生53・7%、3・4年生40・2%であった。年齢が上がると協力を選ぶ者が多くなるのが一般的傾向であるから、これはそれに合致している。一方、経済学専攻1・2年生73・7%、3・4年生70・0%であって、年齢が上がっても協力を選ぶ者の割合は増加しない。経済学を学ぶと利己的になると言えそうだ。

しかし、経済学者にとって幸いなことに、フランクらのこの結論は完全に支持されているわけではない。たとえば、フライとマイアーはこの結論に否定的な実験結果を報告している。

第9章　理性と感情のダンス……行動経済学最前線

「私たちの文化においては、思考と感情はほとんど無関係の切り離された世界にあるものと、間違って教えられてきた。実際には、思考と感情はつねに、お互いに絡み合っている」M・ミンスキー『心の社会』(安西祐一郎訳、産業図書)

「心には理性《レゾン》が知らない理由《レゾン》がある」パスカル『パンセ』

「感情が人間を支配しているときには理性など手も足も出ないのだ」ダニエル・ゴールマン『EQ――こころの知能指数』(土屋京子訳、講談社)

本書で今まで見てきたように、合理的な推論や冷静な計画による決定が必ずしも上手くいくわけではない。

意外に思われるかもしれないが、より良い意思決定のために重要な役割を果たしているのは感情だということが、最近の心理学や脳神経科学の発展により明らかにされつつある。行動経済学の最前線のテーマも感情の積極的な意義をめぐるものである。

本章ではまず、感情の持っているプラスの側面に光を当て、次に、理性と感情との相互作用について、脳神経科学の方法によって探求しようとする「神経経済学」という新しい研究領域について紹介し、三番目に、第8章で見たような協力行動を支える感情が、進化の力によってどのように形成されてきたのかを見る。

1　感情の働き

われわれは子供の頃からずっと、「感情的になるな」「冷静に判断しろ」「情に溺れるな」などと教育されてきた。また感情が合理的な判断や決定の障害になる事例を挙げるのはたやすいが、まさか逆に感情がなければ合理的な決定ができないなどとは考えてもみなかったかもしれない。経済学を勉強した人でも、教科書や授業で感情に言及されることなどまったくなかったのではないだろうか。

手元にある標準的な経済学の教科書を二十冊ほど調べてみたが、索引に「感情」という項目があるものは一冊しかなかった。その唯一の例外はロバート・フランクの『ミクロ経済学と行動』という教科書（英語、邦訳なし）であり、後述のようにフランクは経済学の世界に感情の重要性を持ち込もうとした先駆者の一人であるから、まったくの例外に属する。総じて、経済学では人の感情など不要なものと考えられている。正確に言えば、選好とは好みのことであるから、感情によって決定されている。つまり標準的経済学にも感情の要素は入っているのである。ただし、人々は一貫性のある安定した選好を持っていると仮定されるだけであって、感情が本質的役割を果たしているわけではない。

経済人は感情に左右されず、もっぱら勘定で動く人々である。経済人は市場は重視するが、私情や詩情には無縁である。金銭に触れるのは好きだが、人の琴線に触れることには興味がないような人々なのだ。

心理学や意思決定理論においても、システムⅡ（第３章）に属する認知や熟慮的思考が重視され、システムⅠに属する感情や情動などの役割はまったく無視されてきたか、あるいは合理的決定の攪乱要因としかみなされてこなかった。

しかし近年、心理学者ロバート・ザイオンスらの研究を契機として判断や意思決定における感情の持つ役割の重要性が評価されつつある。さらに、アントニオ・ダマシオやジョセフ・ルドゥーのような神経科学者によって、感情の持つ積極的な役割、すなわち感情がなければ適切な判断や決定ができないということが解明されつつある。サイモンは早くからこのことを見抜いており、「人間の合理性に関する完全な理論を得るためには、感情が果たす役割について理解しなければならない」（サイモン 一九八三、29頁）と述べている。

モラルに関する感情の研究を専門とする心理学者のジョナサン・ハイトは、感情という犬が主役であり、合理性はその尻尾に過ぎないと言う。いわば、「犬が西向きゃ、尾は東」であって、犬すなわち感情が主導して、尾すなわち合理性は後からついてくるものだと主張する。

「スター・トレック」に登場する、エンタープライズの副長であるヴァルカン人のミスター・スポックとアンドロイドのデータ少佐は、共に感情を持たずにもっぱら理性と合理的計算だけで行動を決定する主体として描かれている。われわれにとってこのようなことは可能なのだろうか？

ヒューリスティクとしての感情

第3章で見たように、人の判断や意思決定はヒューリスティクスに頼って行なわれることが多い。ヒューリスティクスの代表としては利用可能性、代表性、アンカリングと調整などがあった。

ここでは、感情がヒューリスティクとして機能することを見てみよう。ポール・スロヴィックらは一連の考察の中で、感情が確率判断を含む多くの判断や意思決定において、ヒューリスティクとして働くと主張する。

人は選択問題に直面すると、まず選択対象に対して、「良い」か「悪い」かあるいは「快」か「不快」かの感情を直感的に把握し、それをガイドラインにして、あるいはそれによって選択肢の数を絞り込み、その中から最終的な対象の判断を意識的に行なうことがある。

ザイオンスによると、あらゆる知覚には何らかの感情が伴い、「われわれは単に家を見るのではない。きれいな家とか醜い家とか見栄を張った家を見るのである」（一九八〇、155頁）と述べる。さらにザイオンスは、われわれは、さまざまな選択肢のすべての利点、欠点を適切に考慮し、合理的方法で慎重に熟慮して判断を下すように思っているけれども、そのような場合は稀であり、実際には、「Xを選ぶことに決定した」というのは単に「Xが好きだ」と言っているのと同じであり、好きな車を買い、好きな仕事に就き、魅力的な家を買い、後でその選択をさまざまな理由で正当化するのだと主張する。第6章で述べた「理由による選択」の背後には、このような感情の働きがあるのかもしれない。

感情はシステムⅠに属し、迅速かつ自動的に生起する。選択対象を詳しく吟味し、そのメリットとデメリットをさまざまな観点から秤量《ひょうりょう》することに比べれば、対象の感情的印象ははるかに素早く効率的に得られる。問題が複雑で、それについて十分に検討するための時間や認知資源が少ない場合には特にそうである。したがって、感情がヒューリスティクとして機能することになる。

判断や決定は、システムⅠに属する感情や直感と、システムⅡに属する思考との協働で、いわば「感情と理性のダンス」（フィナケーンら）によって行なわれるのである。しかし、場合によっては感情が優ることがある。

感情がヒューリスティクとして機能する例を見てみよう。

原子力や薬品や機械類などについては、リスクと便益は正の相関関係があることが多い。つまり、便益が大きいものはリスクも大きく、逆に便益が小さいものはリスクも小さいのである。

ところが、人々はこの逆の相関関係、つまり便益が大ならリスクも小であり、便益が小ならリスクは大であると考える傾向がある。

スロヴィックらは、農薬のような薬品を用いることに対しては、その活動がもたらすと想定した便益と、その活動が引き起こす可能性があると想定したリスクとの間の関係は、正負の感情の強さと結びついていることを見出した。つまり、ある活動や技術のリスクと便益の判断は、それについてどう考えるかだけでなく、どう感じるかに依存して決まるのである。

人々には、その活動が好きで正の感情をもたらすものであれば、その活動に伴うリスクは小さく、かつ便益は大きいとみなす傾向があり、逆にその活動が嫌いで負の感情をもたらすものであれば、その活動に伴うリスクは大きく、便益は小さいとみなす傾向がある。つまり、便益が大（小）という情報が与えられればリスクは小（大）と推論し、逆に、リスクが大（小）という情報が与えられれば便益は小（大）と推論するのである。

スロヴィックらは、原子力に関して一般の人々がこのような判断をすることを確かめ、さらに英国毒物学会に所属する専門家たちでさえも、毒物のリスクと便益の間にはこのような関係があるとみなすことを示している。

また、フィナケーンとスロヴィックらは、時間が限られている（タイム・プレッシャーがある）場合の人々の判断の仕方を調べている。上と同じ質問を、回答時間を短く制限して行なったのである。すると予想通り、便益とリスクに関する逆相関関係はより強く見られた。つまり、考える時間がないから、感情が優勢となって判断が行なわれたのである。

シフとフェドリキンは、選択に対する感情と思考の影響について印象的な実験を行なっている。彼らは、被験者の学生たちに、2ケタの数字または7ケタの数字を記憶してもらって、そこから違う部屋に移動してその数字を報告するという課題を出した。移動の途中の廊下にはワゴンに載ったチョコレートケーキとフルーツサラダが用意してあり、どちらか好きな方を選んでもらった。面白いことに、2ケタの数字を覚えた学生たちはサラダを、7ケタの数字を覚えた学生たちはケーキを多く選んだのである。アンケートでは、サラダの方がケーキより健康に良いという認識はどちらも同じであった。つまり、7ケタの数字を記憶するという認知的負荷が高い作業をしている場合には感情が優勢となって、より美味しいと思われるケーキが選ばれ、2ケタの数字の記憶では十分に認知資源が残っており、思考によってサラダが選ばれたと考えられるのである。

コミットメント手段としての感情

経済学者のロバート・フランクは、決定を感情に任せることによって、合理的に考えるよりも良い結果がもたらされる場合があることをコミットメント問題の枠組で示した。

コミットメントとは、辞書風に言えば、専心することとか積極的に関わることという意味であるが、経済学で使われる場合にはもっと強い意味を持ち、一つあるいは複数の選択肢を放棄することあるいはそうするというサインであって、それによって自分や他者のインセンティブや期待を変えて、行動に影響を及ぼすことである。つまり、いくつかの選択肢を放棄することで、将来の自分または他者の行動に影響を及ぼそうとすることである。

コミットメントによって解決できる問題をコミットメント問題という。たとえば、禁煙したいと思ったら、友人や家族に禁煙を宣言し、灰皿を捨ててしまい、さらに禁煙に失敗したら高い食事を奢《おご》るという約束を友人とするといった行動、ダイエットのために間食を止めたいのであれば、サイズがひとまわり小さいブランド品の洋服を買って部屋に掛けて毎日眺め、パーティでそれを着た自分がチヤホヤされているところを夢想するといった行動である。貯蓄が苦手な人が、給料天引きの財形貯蓄をしたり、途中で解約すると高い違約金を取られてしまう定期預金をするのもコミットメントである。

コミットメントは、将来の自分の行動を縛ることであるから、第7章で扱った異時点間の選択の一つであり、意志が弱いことを自覚している人々は、自らコミットメントを行なって選好が逆転するのを防ぐこともある。これらの例では、自分自身の行動を縛るのがコミットメントである。

ホメロスの、トロイア戦争を描いた二大叙事詩のうちの一つ『オデュッセイア』には、主人公オデュッセウスが、歌う魔女セイレンの美声に惑わされて自分の船を難破させないように、部下の耳に蠟を塗り込んでセイレンの声が聞こえないようにし、自らの体は部下に命じてマストに縛りつけさせ、セイレンの声は聞こえるが操船できないようにする場面がある。これはコミットメントの代表例であり、ジョン・エルスターなど、コミットメントを論じる者が好んで用いる例である。

シェリングは、窮地に陥った誘拐犯という一風変わった例を挙げている。

誘拐犯が怖じ気づいて人質を解放したいのだが、人質が警察に訴える心配があるので簡単には解放できない。人質は訴えないと約束するが、口先だけの約束かもしれない。そこで、誘拐犯は仕方なしに人質を殺してしまうかもしれない。さて人質としたらどうしたらよいだろうか。

シェリングの提案は一見奇抜である。隠しておかなければならないような秘密があればそれを誘拐犯に告白すればよい。なければ、口に出して言えないような恥ずかしいことを誘拐犯の前でして、それを写真に撮らせればよい。そうすれば、人質は、もし警察に訴えて誘拐犯が捕まると、自分自身の秘密や恥ずかしいことが明るみに出てしまうため、「警察には訴えない」という約束の信憑性が高まるのである。

コミットメント問題の中には、合理的計算という解決法では決して上手くいかないが、感情が見事に解決するものがあるというのが、フランクの主張である。フランクによる次のようなコミットメント問題では、感情が強力な解決手段となる。

あなたが2万円の鞄《かばん》を持っていて、知人がその鞄を強く欲しがっていたとする。知人がそれを盗めば、あなたは告訴するかどうか決めなければならないが、告訴すれば弁護士費用や1日仕事を休まなければならないことで、2万円以上の費用がかかってしまう。これは鞄の値段より高いので、あなたには経済的にはメリットはない。

そこで、あなたが経済的利益だけを追求する人間であり、知人がそのことを知っていれば、知人は鞄を盗むかもしれない。盗めば告訴すると脅しても効果はない。ところが、あなたが経済的利益だけを目指して行動するのではない、標準的経済学風に言えば非合理的な人間であるとしよう。つまり、知人が鞄を盗めばあなたは怒って、多少の経済的犠牲を払っても、知人を訴えるような人間だとしよう。あなたがそのような感情的な人間であることを、知人が知っていれば鞄に手を出すことはないだろう。このような場合には、合理的に金銭的利益だけを追求するのではなく、怒りのような感情に身を任せる人間である方がかえって良い結果を生むのである。

他の例として、あなたが知人とレストランを共同経営しようとしているとしよう。知人は料理のプロであるが経営には素人であり、逆にあなたは経営のことには詳しいが、インスタント・ラーメンすら作れない。2人の力を上手く合わせられれば、レストランは上手くいきそうであるが、2人とも相手を騙す誘因を持っている。あなたには帳簿をごまかし自分の懐にお金を入れる誘因があり、知人は食品納入業者と結託して費用をごまかし、リベートをもらうことができる。どちらか一方だけがごまかしをすれば、その人は大きな利益が得られ、他方は損する。両者とも裏切れば最悪であり、逆に両者とも正直であれば両者とも最大の利益が得られる。

これは前述の囚人のジレンマそのものである。このように共同経営においては、私益追求を徹底すれば両方とも裏切る誘因があるし、逆に強いコミットメントを結ぶことができれば、その方が両者にとって良くなる。

どうすればよいだろうか。やはり裏切ったら絶対に許さない人間であるということを普段から互いに強く印象づけておけばよい。もし裏切ったら少々の犠牲も厭わずに相手を追及するという姿勢を示しておけば、裏切りは防げるのである。ここでも、合理的行動より、感情に任せた非合理的行動の方が良い結果をもたらすのである。

また、長期的な夫婦関係を続けるというコミットメント問題では、愛情が強い解決手段だとフランクは言う。

配偶者を決めることや、結婚生活を維持し、子供をもうけて育てるような長期にわたる事業を合理的計算による契約や約束によって行なうことはきわめて難しい。しかし、愛情を感じる相手を配偶者とすれば、当事者に長期的利益をもたらすことになる。このような愛情に頼る方が、合理的決定より結局有利になる。これがコミットメント手段としての愛情の働きなのである。

フィネアス・ゲージ

一八四八年九月一三日午後四時半、アメリカ・バーモント州で悲劇が起こった。優秀な鉄道工事監督人であるフィネアス・ゲージが、その後の彼の人生を大きく変えることになる事故にあったのだ。

　ゲージの仕事は、鉄道敷設工事現場で工事の障害となる岩石などを爆破して取り除くことだった。彼はその道では有能であり、上司からも信頼されていた。その日もいつものように発破の準備をしていた。手順は、まず岩に穴を掘り、火薬を詰め、導火線を挿入し、さらにそこに砂を入れてから最後に鉄棒で砂を軽く叩き、砂を穴に詰めるのである。ゲージはいつものように火薬と導火線を穴に詰めると、助手に砂を入れるように命じた。その時、誰かが背後から彼に声をかけ、そのため注意が一瞬そがれた。そして、助手が穴に砂を注ぐ前に鉄棒で直に火薬を叩いてしまった。その瞬間、長さ190センチ、重さ6・2キログラムで先が少し細くなった鉄棒が、鋭い音を発してゲージめがけて飛んできた。鉄棒はゲージの左頬から入って大脳の前部を貫通し、30メートル離れたところまで飛んでいった。

　即死ではなかった。それどころか意識もあり、見物人に自分の怪我の様子を説明できた。病院に担ぎ込まれ、治療を受け、感染症と闘いながらも、彼は2ヶ月足らずで退院するまでに快復した。これだけで話が終わるなら、悲劇というよりめったにない幸運な生還話として語り継がれたかもしれない。ゲージの本当の悲劇はここから始まったのだった。

ゲージは人格がすっかり変わってしまった。以前は穏健でエネルギッシュであり、バランスのとれた心を持った敏腕な技師だったのだが、今や、無思慮、無遠慮、移り気で優柔不断な人間になってしまっていた。しかし、左目は失明したが、右目は完全で歩行もでき、両手が器用に使え、会話や言葉にも問題はなかった。肉体的ではなく人格的な問題のみが露呈していた。その後彼は当然のことながらまともな仕事には就けず、各地を転々としながら何とか生活していたが、事故から13年後に死亡した。

前頭葉損傷患者エリオット

アメリカの神経学者であり神経科医であるアントニオ・ダマシオが著書『デカルトの誤謬』（邦訳『生存する脳』）の中で詳しく記述しているのは、彼が直接診察し治療に当たった、現代のゲージというべき患者の数々である。

その中の一人エリオットという患者は商社で働く、有能で同僚の鑑《かがみ》であり、個人的にも社会的にも成功を収めていた人物である。しかし、脳腫瘍が彼の人生を一変させた。腫瘍そのものは外科手術で除去できたが、その際、腫瘍の圧迫によって被害を受けた脳の前頭葉組織の一部も切除された。

手術は成功して、運動、言語能力も知性も損なわれなかった。知能指数は高い水準にあり、論理力、注意力、記憶には何の問題はなかった。学習、言語、計算能力もまったく正常だった。要するに知的側面では何の障害もなかったのである。次に人格テストを受けたが、それにもパスした。

ところが、エリオットは仕事に復帰できなかったのである。問題は決定ができないことであった。仕事をする上で必要なさまざまな決定事項が決められないのである。難しい判断を要する事項ではなく、単にファイルをそろえるとか、順番に並べるとかの簡単な作業もできず、そもそも朝起床して仕事に出る準備からして、人の指示がないとできないのであった。エリオットはまったく正常の知性と人格を備えていながら、適切な決断がまったくできなくなってしまっていたのである。

そして、さらにダマシオが驚いたことがあった。エリオットは、「無感情」になっていたのである。感情表現がなく、感情を無理に抑制しているのでもなければ、感情が表面に出るのを抑えているわけでもなかった。彼は自分の身に起きた悲劇を嘆いたり、苦しんでいるようにも見えず、ダマシオはエリオットと話をしていると、「一見苦しんでいそうなエリオットより私の方が苦しんでいることに気づいた」（訳書95頁）というくらいに、エリオットは無感情だった。悲しみも、いらだちもなく、いつも穏やかであり、そして驚くべきことに、自分自身の感情が病気の前とは変わってしまったことを自覚しているのだ。

ここから、ダマシオの推測が始まる。「情動や感情の衰退がエリオットの意思決定の不調に一役買っているのではないか」（訳書97頁）という可能性である。

ソマティック・マーカー仮説

ダマシオは、ソマティック・マーカー仮説という感情の持つ特別の役割を重視した仮説を提出した。「ソマ」とはギリシャ語で「身体」とか「肉体」という意味であり、内蔵感覚、身体感覚という語感を持つ言葉である。

ソマティック・マーカー仮説とは、大ざっぱな言い方をすれば、推論や意思決定を行なう際には、一種の「身体感覚」が重要な役割を果たすということである。選択をする場合に、選択肢に関する損得勘定を正確に行なう以前に、身体の反応が生じるというのである。

「特定の反応オプションとの関連で悪い結果が頭に浮かぶと、いかにかすかであれ、ある不快な『直感』を経験する。その感情は身体に関するものなので、私はこの現象に『ソマティックな状態』という専門語を付した。……そしてその感情は一つのイメージをマークするので、それをマーカーと呼ぶことにした」（訳書270頁）。

ダマシオは、何かの出来事や、もの、場所などが悪い感情をもたらしたり、逆に良い感情をもたらすことを経験すると、その出来事などが感情と共に記憶される、つまりマークされ、同様の経験をした時に、かすかであれ快や不快を感じるという。

そして、ソマティック・マーカーの働きによって数多くある選択肢の中から直ちに排除されるものが生じ、絞られた少数の選択肢の中から、合理的思考によって、最終的に選択対象が絞られるという。

ギャンブル課題

ダマシオらはソマティック・マーカー仮説を検証するために、模擬ギャンブル実験を行なった。ダマシオが所属していたアイオワ大学（現在は、南カリフォルニア大学所属）で考案されたため、この実験はアイオワ・ギャンブル課題と呼ばれることが多い。それを簡単に見ておこう。

この実験では、プレイヤーとなる被験者の前に、4つのカードの山A、B、C、Dが置かれる。プレイヤーには2000ドルのダミーのお金が渡され、できるだけたくさんのお金を得ることが目的だと告げられる。プレイヤーはカードをめくるごとに、一定の金額が得られるが、山に何枚か混ぜられているカードを引くと、逆に実験者に支払いをしなければならない。このルールは被験者に教えられている。

４つのカードの山A、B、C、Dのうち、AとBは「リスキーな山」であり、カード１枚毎の利得は１００ドルであるが、しばしば高い「罰金」を科すカードが入っている。最終的な期待値はどちらもマイナス25ドルである。一方、山CとDは「安全な山」であり、カード１枚ごとの利得は50ドルと小さいが、罰金も小さく、最終的には25ドルの期待値が得られる。この利得構造はプレイヤーには知らされていない。またカードを１００枚めくるとゲームは終了するが、それも知らされていない。

このゲームを実際に行なった様子は次のようである。

健常者はまず４つの山すべてから一通りめくってみて、利得を確認する。最初は高い利得が得られるAやBの山を選ぶが、次第にそれらでは罰金も高いことを学び、C、Dの山に移行し、その戦略を保持する。健常者は、正確な損得の計算はできなくても、A、BよりC、Dの方が長期的には得であることを、ソマティック・マーカーの働きで直感的に悟るのである。

これに対して前頭葉損傷患者の行動は健常者とはまったく逆であった。はじめに試行はするが、その後はA、Bの山に執着し、結局ゲームの途中で破産することになってしまった。エリオットもこのゲームを行なったが、彼は自分は保守的で危険は好きでないという自己認識がありながら、戦略はA、Bを選ぶことだった。さらに彼は、ゲーム終了後にどの山が良く、どれが悪いかを正確に把握していたのである。

「何をすべきかを知るだけでは不十分であり、何をすべきかを感じる必要がある」とダマシオは述べる。

2　神経経済学

神経経済学とは、脳の活動をさまざまな方法で捉えて、行動の結果だけを見たのではわからない脳の働きを理解することで、人間の意思決定行動についての理解を深めようとする全く新しい研究分野である。

従来、経済学は脳を「ブラック・ボックス」として扱ってきた。何かが入力されれば何かが出力されるが、そのプロセスは問わないという意味である。われわれの多くにとってコンピュータはまさにブラック・ボックスである。

経済学では、個人のインセンティブ、選好、信念がインプットであって、行動がアウトプットであるが、その決定のプロセスを問うことはなかった。しかしこの脳というブラック・ボックスを開けて中を見ることができるのが神経科学であり、その手法に頼るのが神経経済学の特徴である。

神経経済学はかなり新しい研究分野であり、おそらく一九九九年に発表されたプラットとグリムチャーの論文が最初の貢献と思われる（彼らは人間ではなくサルを実験対象としているが）。それからまだ10年も経っていない若い領域でありながら、その進展状況は日進月歩どころか、分進週歩くらいの速さである。

行動経済学陣営の人たちも神経経済学の研究に着手しており、その中には、カーネマン、ヴァーノン・スミスの両ノーベル経済学賞受賞者をはじめ、キャメラー、ローワンスタイン、レイブソン、フェールらの行動経済学の有力メンバーが含まれる。行動経済学の創始者の一人であるセイラーとラビンは神経経済学とは距離を置いているようであるが、理由は定かではない。もちろん、多くの心理学者と神経科学者が研究に加わっていて、この分野の多くの研究は、経済学者、心理学者、神経科学者の共同研究によってなされており、真の学際領域

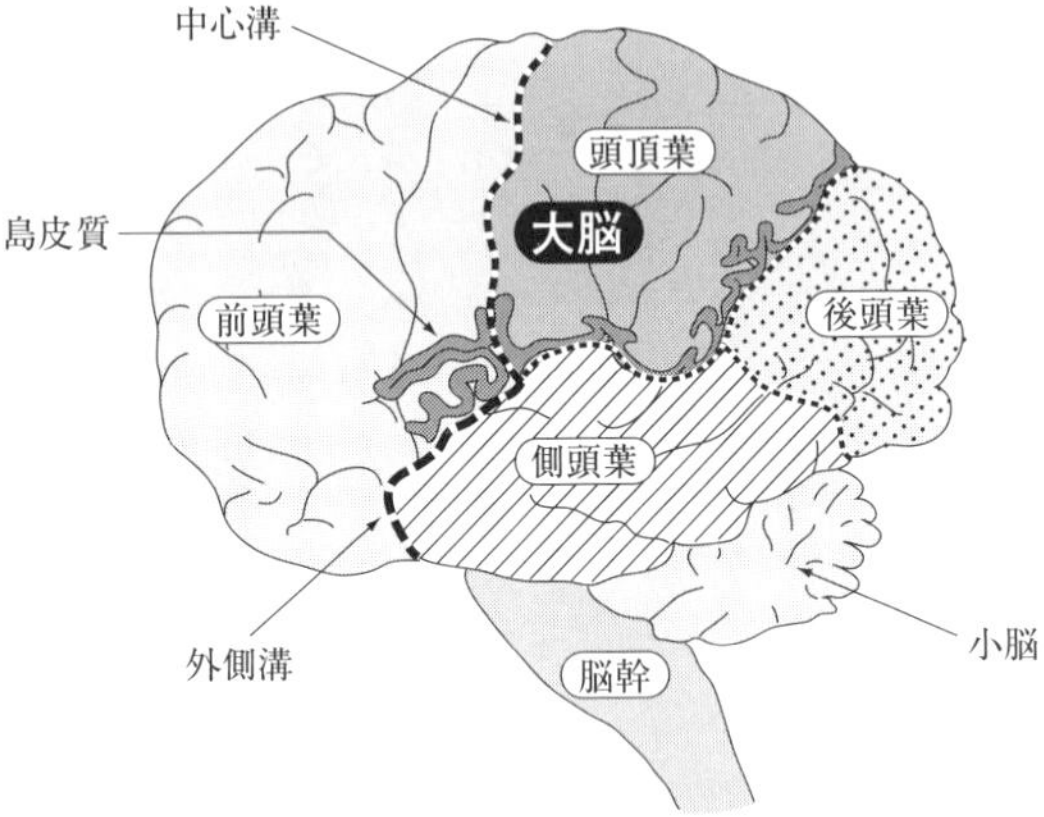

図9-1　大脳皮質

を形成している。

脳のしくみとはたらき

神経経済学について概観するためには、大ざっぱに脳の構造を把握しておく必要がある。図9－1には人の大脳の表面を覆っている大脳皮質が描かれている。左が前方であり、図のように、順に前頭葉、頭頂葉、後頭葉、側頭葉に分かれている。さらに外側溝の深部にあり実際には見えない部分に島《とう》皮質という大脳皮質がある。

また、脳の中心部には小脳と脳幹があり、その周りに図9－2に示されている大脳辺縁系がある。大脳辺縁系の中で特に神経経済学にとって重要な構成要素は、感情や好悪など

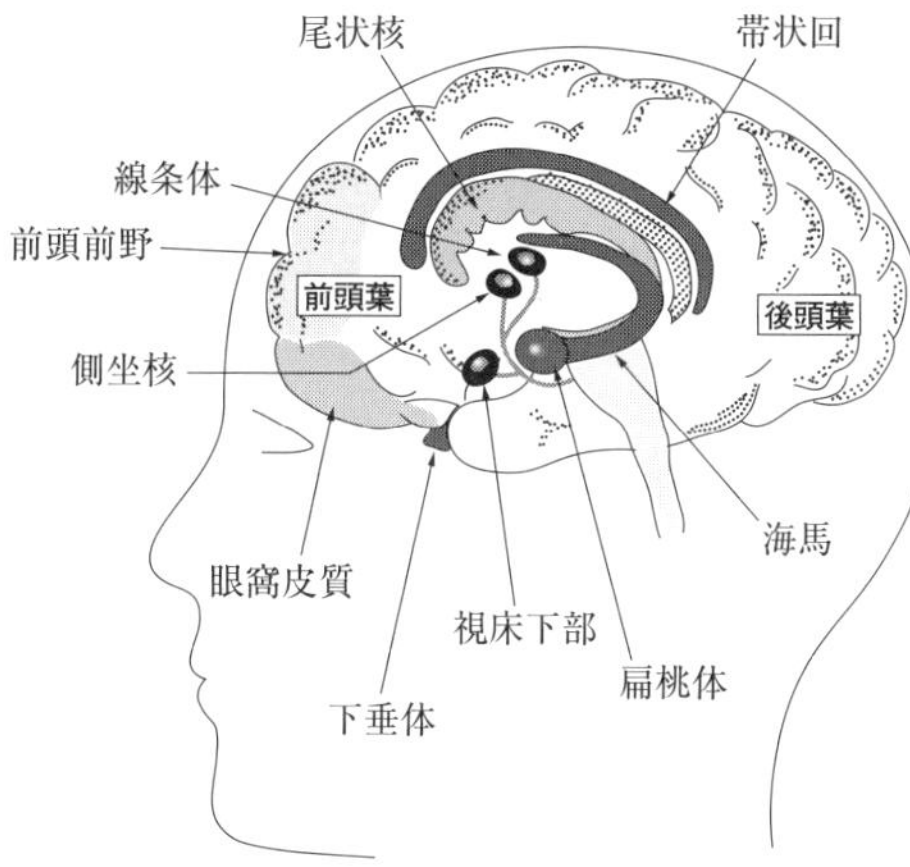

図9-2　大脳辺縁系と大脳基底核

の判断に密接に関わる海馬と扁桃体、帯状回、側坐核である。大脳辺縁系の奥に大脳基底核があり、線条体などが含まれる。

脳の特徴として、「モジュール性」と言われる分業体制がある。大ざっぱに言えば、前頭葉は高次の認知能力や計画などを実行し、頭頂葉は体性感覚を司り、後頭葉は視覚に関する機能を持ち、側頭葉は聴覚や記憶、言語に関する機能がある。ただし分業といっても、各部位がそれぞれまったく別々の仕事をしているわけではなく、さまざまな部位が相互に連携を取り合いながらシステムとして機能している。

神経経済学の対象として特に重要なのは、意思決定に関わる部分であり、思考と感情の双方が関連する。前頭前野の前方および背外側部分、頭頂葉後部は、問題解決や計画などの高度な思考プロセスに深く関わっている。自動的プロセス、特に感情を司るのは、大脳辺縁系、扁桃体と島皮質などの部分であることがわかっている。

また脳内には、報酬系といわれる、快の感覚を生み出すシステムがある。脳幹の腹側被蓋野といわれる部位が刺激されるとそこから側坐核、前頭前腹内側皮質、眼窩前皮質、前帯状回皮質などに情報が伝わり、ドーパミンが放出・受容されて快が生じるとされている。人間は、価値のあるもの、食べ物、セックス、お金、美しいもの、さらにドラッグや面白い漫画でも報酬（快）を得ているが、報酬を得ている場合に活性化するシステムが報酬系である。

神経経済学の方法と対象

神経経済学の研究方法としては、脳の機能を脳の外側から、脳を傷つけることなく観察できる装置を用いた画像解析が主として用いられる。このために使われる装置として「機能的磁気共鳴画像法（ｆＭＲＩ）」と「陽電子断層撮影法（ＰＥＴ）」がある。

これらの装置は脳の血中酸素量や血流量の変化を調べて、人がある行動、たとえば計算とかゲームなどをしている時に、脳のどの部分の血中酸素量や血流量が増えるかを調べるものである。脳は活動に伴って特定部分の血中酸素量や血流量が増加するから、ある行動をした時に、脳のどの部分がよく活動しているのかがわかるのである。つまり、ある行動をする場合に、合理的計算が優勢なのか、感情が支配的なのか、あるいは両者の葛藤が調整されているのかといった、脳の活動の実態がより詳細にわかるのである。

また、ダマシオが行なったように、脳の特定部位の損傷者の行動を、健常者の行動と比較対照することによって、脳の部位による働きがわかることもある。

さらにこのような方法以外に、ホルモン量、皮膚の電気抵抗、心拍数の測定などが単独であるいは組み合わされて用いられている。

神経経済学によって解明されつつある問題領域は主として、効用（報酬）、不確実性の下での選択、時間選好、協力行動などの行動経済学が最も力を注いできた分野である。それらの分野で得られている神経経済学の成果について順を追って簡単に見てみよう。

脳と効用

報酬すなわち効用は脳ではどのように扱われているのだろうか。

神経科学でいう報酬という用語は、経済学の効用という概念とほぼ同義である。経済学の基本概念である効用を「測定する」ということを目指し、ベンサムやジェボンズなどの古典派経済学者が不可能であると断じた領域にメスを入れて、効用の由来や強度を根源的に調べようとするものである。

この場合に、効用の獲得やその予想が脳のどの部分で行なわれているかの特定は、合理性と感情の役割を考える上で重要である。

利得の期待も快

第7章で、人が実際に経験したことから感じる経験効用と、将来の行動を決定するために予測する決定効用は違うのではないかというカーネマンの示唆を取り上げた。この二つの効用は脳の異なる部位で生まれるのかもしれない。

クヌートソンとピーターソンは、経験効用と決定効用では異なる部位が活性化することを確かめている。決定効用とは、将来の効用の予測であるが、貨幣的利得を期待している時には、腹側線条体の主要部分である側坐核が特に活性化するが、実際に利得を得た時には、前頭前内側皮質が活性化する。彼らは、前頭葉は将来の利得に関してあまり関知しないのかもしれず、実際に得た利得の評価をもっぱらしているのではないかと推測する。

さらに側坐核は、利得の期待の場合には活性化するが、損失の予想の場合にはそうではない。したがって、人は、利得と損失に関して同じように反応するのではないというプロスペクト理論の中心的な考え方（損失回避性）が、脳の働きによって生じていると考えられる。

また、実際に利得が得られた場合だけでなく、利得を期待することでも報酬（快）が得られることがわかっている。いわば、効用の予測である。決定効用によっても報酬が得られることを意味している。

貨幣も効用をもたらす

経済学ではふつう、効用をもたらすものは財の消費であって、貨幣そのものは効用をもたらさないとされている。貨幣が価値があるのは、それが効用をもたらすからではなく、それによって財や商品を購入することができるからなのである。またその効用は貨幣をどうやって手に入れたのかにも無関係であるとされている。

しかし、貨幣の入手法によってもたらされる効用が異なることが、ズィンクらの実験で明らかにされた。

彼らは、被験者が自分で努力して貨幣を手に入れた場合と、他から与えられた場合の脳の活動の違いを報告している。それによると、自分で獲得した場合の方が与えられた場合よりも、線条体がはるかに活発に活動することがわかった。

線条体は報酬系の一部である。自分で獲得した貨幣は他から与えられた貨幣より強く快をもたらすことは日常の経験からわかるが、神経科学的な裏付けが与えられたわけである。

リスクとあいまい性

将来に関する状況がリスクの場合とあいまいの場合（第４章）に、人はどのような反応をするのであろうか。

スーとキャメラーらは、確率に関してリスクの状況とあいまいな状況で被験者が選択を行なう場合に、脳のどの部分が活性化するのかをｆＭＲＩを用いて測定した。

まず被験者にはあいまい性回避（第４章）の傾向が見られた。そして、あいまいな状況では、リスクの状況に比べて、前頭葉の最下部にあたる眼窩前皮質、扁桃体、および前頭前背内側皮質が活性化した。

まず、眼窩前皮質の役割は感情と認知的刺激の統合をする部位であり、扁桃体は特に不安などの感情を発信し、前頭前背内側皮質は、扁桃体の活動を調整する部位である。したがって、あいまい性がある場合にこれらの領域が活性化したということは、あいまいな状態が不安感を喚起し、その感情と認知的な判断が葛藤していることを意味する。

一方、あいまいな状況よりもリスク状況でより活性化したのは、腹側線条体の中の尾状核であった。さらに、腹側線条体は期待値が大きくなるとより強く活性化された。あいまい性があると、それだけ利得が得られるという期待が低くなり、快が少なくなっていることが示唆される。

さらにスーらは、眼窩前皮質に損傷を持つ人にも同じ選択実験を行なっているが、彼らはあいまいな状況とリスクの状況で異なる行動を示さなかった。皮肉なことに、彼らの行動が、標準的経済学が前提とする期待効用理論の予測と最もよく合致するのである。

ダマシオらがエリオットに対して行なったギャンブル課題は、まさにあいまい性の下での選択の問題である。前頭葉損傷患者であるエリオットらが良い選択ができなかったのは、あいまいさを回避することができなかったからではないかと推測できる。

異時点間の選択

第7章で見た異時点間の選択の場合のように、近い将来の小さな利得と遠い将来の大きな利得との間の選好逆転現象がなぜ生じるのかについての脳神経的基盤の究明が行なわれており、それら二つを判断する脳の部位が異なることが示されている。

マクルワーとレイブソン等は、被験者が近い将来の小さな利得と遠い将来の大きな利得との間の選択を行なっている時の脳の活動の様子をｆＭＲＩを用いて調べている。

彼らは、近い将来の小さな利得に対しては、腹側線条体、眼窩前内側皮質、前頭前内側皮質がより活性化されることを観察した。これらは、報酬系のドーパミンによって刺激される部位である。直近の利得に対して反応したと言える。

これに対して、すべての選択肢に対して活性化したのは、前頭前外側皮質と頭頂葉であり、高度の認知や計算が行なわれていることが示された。

結局、近い将来の小さい利得と遠い将来の大きい利得に関しては、単純に言えば、感情と認知の対立が生じているわけであり、感情が勝てば前者が、認知が勝れば後者が選ばれることになる。古くから言われている、意志の力が感情的欲求を抑えるという考えが裏付けられたのである。

協力、処罰と快の感情

第８章で見たように、協力行動は、利害の計算と公平感や怒りといった感情の両方によって支えられている。それを明確に裏付けるのが脳の画像解析法による神経経済学的研究である。

サンフェイとリリングらは、最終提案ゲームを行なっている被験者の脳画像をｆＭＲＩを用いて調べている。

それによると、初期額の10～20％というきわめて不公正、不平等な提案がなされた時の応答者は、前頭葉の一部である前頭前背外側皮質、大脳辺縁系の一部である前帯状回皮質、および島皮質が特に活性化したのが観察されている。このうち島皮質は、痛み、嫌気、空腹、喉の渇きなどの不快な情動を経験する時に活性化する部位である。前帯状回皮質は、「管理制御能力」を担当する脳部位であり、脳の他のさまざまな部位からの信号を受け取り、それらの間の対立を調整するところである。おそらく、分配を要求する前頭前背外側皮質と不公平を厭《いや》がる島皮質との間の葛藤を前帯状回皮質が調整したのではないかと彼らは推測している。

また被験者のうち、特に島皮質が強く活性化した者は拒否することがより多かった。さらに、提案者が人間の場合の方が、提案者がコンピュータの場合よりも不公正な提案に際して、より島皮質が活性化する傾向が見られた。このことから島皮質の活性化は社会的文脈で行なわれていることが示唆される。

さらに、前頭前背外側皮質に比して島皮質がより活性化した時には提案は拒否され、逆に前頭前背外側皮質の方が島皮質より活性化した時には、不公正な提案であっても受け入れる傾向が見られた。このことは、意思決定において、感情と認知の相互作用によって決定が行なわれていることの強い証拠である。

リリングらは、繰り返しのある囚人のジレンマ実験を行ない、協力行動における神経活動を調べている。

被験者の相手は、人の場合とコンピュータの場合があった。自分が協力を選んだ時に、相手も協力を選ぶと、線条体、前帯状回皮質、前頭葉の一部である眼窩前皮質が活性化することがわかった。報酬、葛藤の調整、感情を司る部位が機能しているのである。特に、報酬系に含まれる部位（線条体と眼窩前皮質）が活性化するということは、互酬的な協力行動は報酬（快）をもたらすことを示している。

また、協力を選んだ相手が人間の場合と、相手がコンピュータの場合とでは報酬額は同一であっても人間相手の方が活性化の程度が強かった。

もし、金銭的利得のみによって脳が快を感じるのであれば、相手が人間であるかコンピュータであるかは問わないはずである。前者の場合の方がより強く快を感じたということは、単に協力行動が報酬をもたらすことに留まらず、社会的な文脈での共感などに基づく協力行動が特に人間にとって報酬となり快をもたらすのであると推測できる。しかし、この点に関する明確な実証的研究は未だ行なわれていない。

ドゥ・クェルヴァンらはPET画像を用いて、信頼ゲーム（第8章）における処罰に関する脳の活動を調べている。

プレイヤーAは初期額を受け取り、その中から投資する額を決める。実験者はその額を4倍してプレイヤーBに渡し、Bはその一部をAに返すかどうかを決定する。AがBを信頼したのにBが信頼に応えずにAを裏切った時には、AにBを処罰する機会が与えられた。ただし、AがBの利得を実際に減ずる場合と、Aは処罰の意志を示すが、実際にはBの利得を減らさない形式的な処罰の2通りの条件であった。

結果として、処罰をする時には、どちらの条件であっても背側線条体の尾状核が活性化した。この部位は、報酬を予測して意思決定や行動を起こす時に活性化することが知られている。さらに、尾状核がより活性化した被験者は、より多額の処罰を行なった。つまり、モラルや規範を破る者に対して処罰を与えること自体が快をもたらすことが明らかになったのである。

オキシトシンと信頼

最後に、オキシトシンというホルモンが協力行動に及ぼす影響を調べたザックらの研究について見てみる。

ザックは、信頼や信頼に値する（信頼に応える）ことの生理学的研究を行なっている。被験者は信頼ゲームを行なうが、投資額を決めた後で、別室で血液を採取され、血液中のホルモン量が調べられた。その結果が興味深い。信頼を受け、返戻するかどうか決定する側であるプレイヤーBは、プレイヤーAからより多くの額が移された、すなわちより多く信頼された人ほどオキシトシンの血中レベルが高く、またプレイヤーAにより多くの金額を返していたことがわかった。他のホルモンには有意な変化は見られなかった。

オキシトシンは、視床下部にある神経核細胞によって生成され下垂体後葉に蓄えられるホルモンであり、「一般にそれはグルーミングから、運動、性的行動、母性的行動にいたるまで、さまざまなものに影響を及ぼしている。……それが社会的相互作用を促進し、配偶者間の絆を喚起している」(ダマシオ、訳書201―2頁)。オキシトシンは、副交感神経を刺激し、ドーパミンの放出を促進するという働きをする。ザックは、このことが協力行動の生理学的動機となっていると結論する。

コズフェルトとハインリクスらは、オキシトシンの役割を確かめるために面白い実験を行なっている。彼らは、被験者にオキシトシンを鼻から注入した後で、信頼ゲームを行なって、プラシーボ(偽薬)を注入された被験者との行動を比較している。

その結果、オキシトシンを注入された被験者は、プレイヤーAとして相手を信頼する立場の場合には、信頼行動が増加した。ところが、信頼を受けるあるいは信頼に応える立場のプレイヤーBの場合には、行動に差異は見られなかったのである。

オキシトシンを注入された者は、プレイヤーBが特に信頼できると考えたわけではなかった。相手に対する信頼度は、プラシーボを注入された者と大差はなかった。しかし、行動には差があった。したがって、オキシトシンは他者をより信頼するようになるように作用するのではなく、相手に裏切られることのリスクをとりやすくさせるのではないかと、コズフェルトらは推測している。

3　進化の力

最後に、進化と人間行動との関わりについて考えてみよう。われわれの持っている性質の中には、長い過酷な環境を生き延びてきた進化的な性質がある。たとえば、なぜわれわれは感情を持っているのだろうか。

恐怖という感情は、目の前にヘビが現われたというような、じっくりと論理的に考えていたのでは間に合わない、命に関わるような状況の時に、われわれに瞬時に「逃げる」という行動をとらせる優れた装置なのだ。

もともとそのような恐怖感情を持っている人々と持っていない人々がいたとしよう。恐怖感情を持っている人々が持っていない人々よりも長く生き延びることができて、そこで多くの子孫を残すことができるならば、そして恐怖感情が遺伝あるいは学習などの手段で後世に伝えられるのであれば、恐怖感情を持っている人々がどんどん多くなっていく。

ヘビなどの人の命に関わる動物や他者を攻撃する人間もおらず、また災害もない穏やかな自然環境であったなら、恐怖という感情を持っているかどうかは、それほど生死には影響しないかもしれない。そこで、性質の重要性は環境との関連で決まることになる。

われわれを取り巻く環境を生き抜くのにふさわしい性質とそうでない性質があった場合に、ふさわしいすなわち適応している性質を持っている人が生き残り、その性質を子孫に伝えることができるのであれば、その性質を持つ人々が増えることになる。これが進化の道筋である。

第７章で述べた近視眼性は、おそらくかつては適応的であったのだろう。食べ物などの重要な資源がいつでも入手できるのではなく、また腐りやすく保存の効かないものであり、所有権のような法的制度が整っていない場合には、目の前にある資源を直ちに手に入れることは緊急の課題であり、将来にまで延ばすことはできない。したがって、近視眼性は人間に備わった生来の性質であるかもしれない。

しかし、現在の環境では、近視眼性はもはや適応的ではない。同様な例は、糖分に対する欲求にも言える。過酷な環境の中では、生きていく上で必要な糖分を摂れる数少ないチャンスがあったならば、その機会を逃さずに糖分を摂取することが適応的であったであろう。しかし現代では糖分に対する過剰な欲求は適応的とは言えないことになる。

第８章では、協力行動を発生・維持させるためには、感情が強い力を発揮することを見た。

本節では、協力行動を支える感情がどのように進化してきたのかを中心にして、進化が人間の協力行動に及ぼす影響について探る。

協力行動の進化

人間の心や行動も進化の影響を受けている。また適応する環境とは自然ばかりでなく、文化的・社会的な環境も含まれる。

協力行動がそれぞれの社会の文化から強い影響を受けていることは明らかであるが、その場合に感情が重要な役割を果たしていることはあまり着目されていない。以下では、人間の環境を形成する要素のうちの最も重要な一つである文化が、どのようにして協力を生じさせ、それを維持するのかについて考えてみる。

鍵となるのは、協力関係を形成するために必要なさまざまな能力が後世に遺伝的に伝えられるという点と、協力行動という文化が進化するという点である。そこで、遺伝的進化のみならず、社会における文化的進化という側面を考えることがまず重要である。

進化という論理は、遺伝子によらなくても情報を伝えて複製を作るというシステムでは生じうるのである。さらに、遺伝的進化と文化的進化が互いに他方を促進する関係にあることは遺伝子と文化の共進化と言われるが、協力行動の進化も遺伝子と文化の共進化の一例であることを見る。

このテーマは、第8章でおなじみのエルンスト・フェールと、サミュエル・ボウルズとハーバート・ギンティスというサンタ・フェ研究所に所属する精鋭の行動経済学者、さらにピーター・リチャーソン、ロバート・ボイド、ジョセフ・ヘンリッチなどの進化生物学者や人類学者が精力的に展開している最新の話題である。

生物学的適応度と経済的利得

第8章で述べたように、協力行動あるいは利他性とは、自己の利益を減らすというコストをかけて、他の個人または自己の属する集団の平均利益を増加させるような行動あるいは性質のことである。

ここで、利益をどのように考えるのかが重要だ。

進化生物学では利益とは適応度のことであり、簡単に言えば個人が残す子孫の数である。これを経済学的に言い換えれば利得となる。

経済学的意味での利得は進化生物学的意味での適応度と等しくはないし、また人間は適応度を意識して行動しているわけではなく、物質的利益や社会的地位、評判などのさまざまな満足を求めて行動するのであるから、ふつうは両者は一致しないことになる。

しかし、おそらく人類が進化史の多くの時間を過ごしてきた更新世においては、経済学的意味での利得は、生物学的意味での適応度と強い正の相関関係があったと推測できよう。ところが、生物としての人間が進化に要する時間はきわめて長いために、現在でも当時とほとんど変わらないのに比べて、人間が適応してきた自然的・社会的環境は大きく変化してしまった結果、現在では経済的利得と生物学的適応度が正の相関関係にあるとは必ずしも言えない状況になったのである。

しかし、人間の身体・脳・心のうち、進化によって形成された部分は、更新世の環境に適応したままであるといえる。したがって、現在では、経済的利得を最大にしようとする行為が生物学的適応度を最大にするとは限らない。協力行動の分析に当たって進化論に大きく依拠するとしても、適応度最大化の観点のみからでは必ずしも適切に理解できない可能性があり、経済的満足追求の観点が重要となる。

血縁関係と互恵性

進化生物学では、協力行動を説明する二大理論は血縁関係と互恵的利他性である。前者は血縁関係にある者に対しては利他的に振る舞うということである。後者は、第８章で述べた正の互酬性を意味し、自分に物質的利益があるから他者に利他的に行動するという意味である。

これらは、人間の協力行動の説明としては、妥当する部分もあるが不十分であろう。世襲制や同族経営、また遺産相続などの慣習がいまなお広く見られ、批判はあるもののなくなることがないのは、血縁関係にある者に対する一種の利他行動と言えるであろう。しかし、このモデルでは、人間に広く見られる他者との協力行動を説明することはできない。

一方、互恵的利他性によって利己的人間どうしでも協力が生じうることが説明され、繰り返し囚人のジレンマでは、「しっぺ返し」という戦略が成功することがわかった。しかし、互恵的利他性による協力行動の説明では、一回限りの囚人のジレンマにおける、あるいは繰り返しの囚人のジレンマの最終回における協力行動を説明できない。また当事者が二人だけでない複数の参加者による公共財ゲームにおける協力行動を説明することもできないという難点がある。これらは第８章で見た通りである。

文化的進化

血縁や互恵的利他性のような進化生物学における協力行動モデルとは異なり、人間の環境を形成する要素のうち人間社会に最も大きな影響を与えている文化が、どのようにして協力を生じさせるのかについてまず考えよう。

文化とは何かの厳密な定義は他の専門書に譲るとして、ここでは、進化論によって文化や社会を研究している進化生物学者のリチャーソンとボイドによる、文化とは「個体の行動に影響を及ぼすことのできる情報であり、教育、模倣および他の社会的伝達によって、同種の他個体から獲得した情報である」（リチャーソンとボイド 二〇〇五、5頁）と考えればよい。文化的に伝達される情報には、アイディア、知識、信念、価値、スキル、態度さらに技術も含まれる。

文化が進化するためには、遺伝子による進化の場合と同様に、適応、変異（差異）、伝達の三条件が必要である。これらを考慮した文化的進化の大まかな道筋は次のようになる。

まず文化の変異については、人間の社会集団が、地域や時代などによって大きな文化的・行動的差異を有することは多くの人類学や民族誌の研究によって報告されているように、集団間の文化の変異は大きいと言うことができる。

文化の伝達は、通常の進化の道筋とは異なり遺伝的なものでは必ずしもなく、同時代の中で人為的に生じる。文化は、学習、教育、模倣などの手段で、親から子へとまた兄弟、血縁者、友人、同僚間で伝達される。

集団の淘汰

次に、集団の淘汰を考えよう。

非血縁的な人々を含むそれほど大規模ではない二つの集団を考え、一方の集団には何らかの原因で集団の利益となる協力的行動をとる者が多く存在するが、他方の集団には利己的行動をする者が主に存在するとしよう。そして前者（協力的集団）と後者（非協力的集団）が、食料などの資源をめぐって闘争に陥ったとしよう。

協力的集団は闘争時にメンバーが協力的行動をするので、闘争で勝利するために必要な忠誠心、結束力、勇気などが十分にあり、結果として、非協力的集団に対して勝利を収めることが多いであろう。このことは、協力という文化を持った集団が、闘争に勝利を収めて勝ち残り、非協力的文化を持つ集団が闘争によって淘汰され、消滅することを意味する。これは集団の消滅を意味するが、個々の人は生き延びる可能性がある。

　このような集団間の闘争の実例として19世紀から20世紀初頭のスーダンにおけるヌア族とディンカ族の事例がある。またニューギニアにおいても闘争による多数の部族の盛衰が見られるという。

　協力的集団は、闘争という淘汰圧に対して非協力的集団よりもより良く適応したのであり、協力するか否かという文化的変異がもたらす適応の違いによって一方の集団（群）が淘汰されたのである。このプロセスによる淘汰の可能性については、ダーウィン自らが明確に指摘している。少し長くなるが引用してみよう。


「道徳性の高さは、特定の一個人やその子どもたちを、同じ部族の他のメンバーに比べて、ほとんど、またはまったく有利にするものではないが、道徳の水準が上がり、そのような性質を備えた人物の数が増えれば、その部族が他の部族に対して非常に有利になるだろうということは忘れてはならない。愛国心、忠誠、従順、勇気、そして共感の感情をより高く保持していて、たがいに助け合ったり、全員の利益のために自分を犠牲にする用意のあるような人物をたくさん擁している部族が、他の部族に打ち勝つだろうことは間違いない。そして、これは自然淘汰である。いつの時代にも、世界のどこでも、ある部族が他の部族に置きかわってきた。そして、道徳は彼らの成功の一要因であるので、世界のどこでも道徳の標準は向上し、よりよい道徳を身につけた人間の数が増加したのである」（ダーウィン　一八七一、訳書１４５頁）。

このことは、文化が集団レベルの「群淘汰」によって進化することを意味する。群淘汰の考え方は、遺伝子による個体の進化の場合には理論的に成立しないとされている。なぜなら、集団内の非協力的な個人は、協力者にフリーライドすることができ、集団内の協力的な個人はコストをかけて協力行動をするため、非協力者の方が利得が多くなり、協力者に比して相対的適応度が高くなるからである。

かつてもてはやされた「種の保存のために自己犠牲を厭わない麗しいレミングの群れ」という考え方は間違っているのだ。なぜなら、種の保存のために自己を犠牲にする個体の集団の中に、種の保存をしない個体が発生あるいは他の集団から移ってくれば、その個体は適応度が高く、したがって子孫を多く残すようになる。つまり、集団の保存をしない個体の数がどんどん増加するのである。

したがって、群淘汰が生じるのは文化に関してだけであるから、この淘汰は、「文化的群淘汰」と言われることが多い。

文化の変異の維持

文化的群淘汰が生じるためには、集団間の文化の変異とその維持が決定的に重要である。その変異を維持するための重要な働きをしていると考えられる要因が二つある。一つは、文化の伝達の特殊な方法であり、他の一つは協力行動をするという規範に反する者に対する利他的処罰（第8章）である。

この二つが文化的変異を維持するのに役立つことを見ていこう。

まず、文化の伝達において最も重要なのは、模倣つまり真似である。

人は判断や意思決定をする際に合理的に決めるのではなく種々のヒューリスティクスに頼ることは再三述べた。社会で他者の行動を真似る場合には、「成功者を真似る」「権威者を真似る」のヒューリスティクスを用いるが、最もよく使うヒューリスティクは、その集団内で最も多くの人がとっている行動を真似るという「大勢順応ヒューリスティク」である。つまり、「他の人がやっているから自分もやる」ということだ。

サイモンはこのヒューリスティクを「従順性」と呼んでいる。他者の行動を批判的に検討せずにそれに素直に従うという意味である。このヒューリスティクによって文化が伝達されると、他集団からの移民や新たに生まれた子供といった集団への新規参入者があったとしても、他集団との文化の変異は維持され、集団内の文化の変異は小さいままである。文化としての協力関係についても同じである。

二つ目の要因が、協力という規範の逸脱者、つまり裏切り者を処罰することである。処罰されることは、処罰される者にとっては、物質的損失以外に、集団内で評判が悪化したり、配偶者が得られないというコストがかかり、ひいては適応度を減少させることにつながる。そこで処罰されることを避ける傾向が生まれ、それが協力行動を引き出すことになるのは第8章で見た。たとえ処罰者にとってコストがかかったとしても処罰は実行される。このような処罰は、いったん導入されれば、協力という規範を強化する機能を果たし、協力という文化が維持されることになる。

規範の内部化

協力という規範が成立すると、それをさらに強化し、集団の協力体制を維持する機能を果たすのが、「規範の内部化」である。

規範の内部化とは主として社会学で用いられる概念であり、「個人が内面的な裁可行使システムを持つようになり、規範によって禁止されている行為をしたときや、規範によって指令されている行為をしなかったときには、そのシステムが罰を与えること」（コールマン 一九九〇、訳書460頁）と定義される。ここで裁可（サンクション）とは、規範を守る、すなわち正しいとみなされている行為を行なうことに対して報酬を与えること、あるいは規範を犯すつまり正しくないとみなされる行為を行なうことに対して処罰を与えることである。

規範の内部化とは、このような裁可を与えるシステムが、個人の内部に構築されることである。したがって、たとえば、協力という規範を遵守すれば自分自身に報酬を与え、それを守らなければ自分自身に処罰を与えることになる。規範の内部化が成立すると、規範を守ることが、他の目的、たとえば物資的満足などを達成するための手段ではなく、それ自身が目的となる。つまり、規範を守ることが追求すべき目標の一つとなるのである。

このような規範の内部化はいかに生じるのであろうか。

社会学では規範の内部化が作り出される過程は「社会化」と呼ばれ、社会過程において経験や世代間伝達によって形成されるとする。しかし、規範を内部化する能力は、遺伝的に生得的にもたらされる可能性がある。規範の内部化が生得的であることとの間接的証拠として、規範に従うことは人間の普遍特性の一つにも数えられ、ほぼすべての文化において共通に見られることがある。

また、ギンティスは、もしある規範が内部化され、それが私的な適応度を増大させるものであるならば、その内部化を促進する遺伝子が進化しうることを数理モデルを用いて示した。

社会的感情

さて、規範は内部化されたあと、どのようにして自分自身に処罰や報酬を与えるのだろうか。

ここで重要なのが、社会的感情である。主体の協力行動を誘発するような感情のことを特に「順社会的感情」と言う。順社会的感情には、恥、罪悪感、悔恨、怒りなどがあり、それらは自分自身や社会の規準に照らして不正な行為をした時に経験される不快な感覚である。

逆に規範を遵守した時に感ずる快感もある。そのような感情を感じた場合には当然、自分自身の行動に影響を及ぼすであろう。

規範が内部化されれば、規範を遵守した場合には内的報酬として快感情がもたらされ、規範に反した時には内的処罰として不快な感情が喚起される。このような感情は、人の効用関数に変数として入り、物的利得とともに効用を生み、最大化が目標とされる。したがって、簡単に言えば、規範を守らないと不快を感じるから、それを避けるために規範を遵守する、あるいは規範を守ることで快を感じるから規範を守るという決定が、何の自覚もなしに生じるのである。

アダム・スミスは、内部化された生得的な感情が協力行動に及ぼす重要性をすでに指摘している。

「正義を守ることを強制するために、自然は、人間の胸のなかに、それの侵犯にともなう、処罰にあたいするという意識、相応的な処罰への恐怖を、人類の結合の偉大な保証として、うえつけておいたのであって、これが弱者を保護し、暴力をくじき、罪をこらしめることになるのである」（訳書上巻、224頁）。

したがって、規範の内部化とその規範に伴う社会的感情が、協力的規範を維持する強力な力となりうるし、同時に、集団間の闘争といった淘汰圧が弱い場合でも協力行動を推進することが可能となる。第8章のデイケア・センターの例が、規範の内部化とそれに伴う社会的感情が行動に影響を及ぼす好例だ。

また、毎朝気持ちの良いあいさつを欠かさない人や、ちょっとしたことでも丁寧にお礼をする人にそうする理由を尋ねると、「そうしないと気持ちが悪い」とか「習慣になっている」という答がよく返ってくる。つまり、あいさつやお礼をするという規範が内部化され、そうすることで感情的な報酬が得られるのである。内部化されるためには、親の躾《しつけ》や他者の真似といった原因があろうが、いったん内部化されると、それを維持するために感情が大きな役割を果たしているのである。

どんなことに対して怒りや罪悪感などの社会的感情を持つのかは、文化や社会によって異なるかもしれない。しかし、社会的感情を感じる能力は生得的なものなのだ。ちょうど、ピンカーやチョムスキーが主張するように言語を使う能力は生得的であるが、具体的にどの言語を身に付けるかは、親や周りの人々の影響によって決まるのと同様である。

協力を支える生得的能力

協力関係を維持する生得的な能力は、社会的感情以外にもある。

第1章の問題3を覚えているだろうか。次のような問題であった。4枚のカードがあり、表にはアルファベットが、裏には数字が書かれている。今、「母音が書いてあるカードの裏には偶数が書かれていなければならない」という規則が成立していることを確かめるためには、どのカードの反対側の面を確かめなければならないだろうか？　4枚のカードには、「E」「K」「4」「7」と書いてあるのだった。正解は、「E」と「7」であるが、この問題に対する正解率は10％くらいだ。

進化心理学者のレダ・コスミデスとジョン・トゥービーは、このような一般的で抽象的な問題に上手く答えられるような論理能力を、人は持っていないと言う。

そして、問題を次のように変えると正答率が大幅に上昇することがわかった。それは、規則を「アルコールを飲んでいるなら20歳以上である」として、カードを「ビール」「コーラ」「16歳」「24歳」とするのである。「ビール」と「16歳」をめくってみればよい。このようななじみやすい問題に変えると正答率は50％程度まで増加する。

しかし、コスミデスは、この問題で正答率が上がるのは、問題の内容がなじみ深いからではなく、人には、社会的契約（この場合には、「未成年はアルコールを飲んではならない」）を守らない者を見破る能力が備わっているからだと主張する。この能力をコスミデスとトゥービーは、「裏切り者検知能力」と呼んだ。

このことを示すために、次のようなふつうの人にはなじみのない問題でも、裏切り者検知能力のおかげで正答率が高くなることが確かめられた。その問題では、規則を「キャッサバの根を食べるのならば、顔に入れ墨がなければならない」として、カードを「入れ墨がある」「入れ墨がない」「キャッサバの根を食べる」「モロの実を食べる」とした。このケースでは「入れ墨がない」と「キャッサバの根を食べる」が正解であるが、正答率はかなり上昇したのである。

コスミデスとトゥービーは、人には、裏切り者検知能力が備わっていて、それが社会における協力を推進する大きな力となっていると主張する。この能力は無意識的に発動されるが、怒りなどの感情を伴っていると考えられ、人が進化の過程で身につけてきたものである。彼らによれば脳の一部がこの機能を分担しており、それは「裏切り者検知モジュール」と呼ばれ、人間の生得的な性質だとされる。

さらに面白い実験結果が北海道大学の山岸俊男教授の研究グループによって得られた。それは裏切り者は見ただけでわかるということだ。

彼らの実験では、集団のジレンマ実験の終了後に、あるいは手を選択した瞬間に撮影した参加者の顔写真を他の人に見せて判定させたところ、協力者か裏切り者かの判定がかなり正確になされた。特に裏切り者の判定が正確であった。山岸らは、裏切り者検知モジュールには、裏切り者の顔を見分ける能力が組み込まれているのではないかと推測している。「表紙で書物を判断してはならない」という諺がアメリカにあるが、山岸らはそれができるのではないかと言うのである。

他者の心を推測する能力をマインド・リーディングあるいは「心の理論」といい、生得的な能力とされている。この分野の指導者の一人であるサイモン・バロン＝コーエンは「心を読む本能」と表現している。他者の意図を見抜いたり行動を推測することは、自分が協力行動をするかどうかの決定にも、また相手が裏切り者かどうかを見抜くためにも必要である。

心を読む能力は、やはり協力を支える生得的な能力の一つである。たとえば、第2章の図2－2を思い出して欲しい。あの図が顔であり、しかもそれが沈鬱な、悩んでいる顔だと見抜くことができるのは、マインド・リーディング能力のおかげなのだ。アダム・スミスやデヴィッド・ヒュームが社会を形成する基盤として重視した「共感」する力も、マインド・リーディング能力があってこそ発揮される。自閉症者はマインド・リーディングが苦手だと言われているが、そのような人たちの行動が、経済人的であることは第8章で見たとおりだ。

さらに、進化心理学者のロビン・ダンバーは、言語も裏切り者を検知する装置として働くという。彼は、世界にきわめてたくさんの言語や方言があるのは、他人を敵か味方か区別するために必要だからだと主張する。同じ集団に属している人は同じ言語を使うため、他の集団の人が違う言語を使うならば、見分けやすいのである。

鹿児島弁は他地方の人には理解するのが難しい方言として有名であるが、薩摩藩が、他藩の人と自藩の人とを容易に見分けられるようにするために人為的にわざと難しくしたのだという説がある。これが事実ならばダンバーの主張を裏付ける実例である。

人の言語を獲得する能力は生得的であるから、言語もまた協力を促進する生得的な装置の一つと言える。

協力関係を維持するためには、このようなさまざまな能力が必要だということからは、協力関係が人間社会にとって、すなわちその社会に属する個人にとっていかにメリットが大きいか、そして協力関係を作ることがいかに難しいかの両方が示唆される。

遺伝子と文化は共進化する

社会的感情やマインド・リーディング能力のような、協力関係を維持・促進する能力は子孫に遺伝的に伝えられる。そして協力行動は文化的に進化する。つまり、遺伝的および文化的な性質が手に手を取るような形で協力行動は進化し、どちらの性質が欠けても協力行動は進化しないのである。この意味で、協力行動は遺伝子と文化の共進化が生み出したものの一つである。

「氏より育ち」という言葉がある。生まれもった遺伝的な性質よりも、教育などの生後の環境による影響の方が人間形成にとって影響が大きいという意味である。逆に、生得的なものが大部分を決定するという意見もある。ここで主張する遺伝子と文化の共進化とは「氏も育ちも」ということだ。単にどちらも大事だといっているのではなく、両者が補い合ってはじめて適応的な性質が作られるということである。

遺伝子と文化の共進化の例として、身体の頑丈さがある。現代人は初期の人類に比べて身体は頑丈ではないが、それは狩猟のための飛び道具を作る技術の進歩と関連しているとされる。

飛び道具が発明される以前は狩猟のためには頑丈な身体が必要であったが、飛び道具が発明された後は、頑丈な身体を維持するためにはより多くのエネルギーが必要なために、それほど頑丈ではない身体の方がより適応的となった。そこで、身体は以前に比べて頑丈ではなくなったのだ。飛び道具を作る技術という文化と頑丈な身体を作る遺伝子が互いに影響を及ぼしあって、現代人のような身体が進化したのである。

「遺伝子と文化は、しなやかだが壊れない鎖によってつながれている」（ラムズデンとウィルソン『精神の起源について』松本亮三訳、思索社85頁）。

結局、人は合理的か?

感情の働きは大きい。感情が物質と同様に快をもたらすゆえに、人は行動するのである。グリムチャーとドリスは、人間は、生理的な意味での効用最大化を目指しているのではないかと言う。標準的経済学における効用最大化とは異なり、物質的満足だけではなく、感情がもたらす快を含めたいわば総効用を最大にしようとしているというのが、生理的効用最大化である。おそらくそれは人間が進化によって獲得した性質であると考えられる。しかし、生理的効用最大化がなされているという確証はまだ得られていない。

利他的行動は、他者に与えるそれ自体が、また他者が喜ぶことに対して、あるいは「他者と協力する」という規範を守ることに喜びを感じることで生じる。この意味では、自己の満足を追求する結果として利他的な行動が生じるのであるから、言葉の厳密な意味では利己的な行動と言うことができよう。

自分自身の満足がまったく伴わない完全に自己犠牲的な利他行動は未だ観察されていない。

「平均的な人間のおよそ95%は、言葉の狭い意味で利己的である」とゴードン・タロック（一九七六）は述べたが、残りの5%が存在するという証拠はない。

しかしこうは言っても、人の利他的な行動の地位を貶めるものではない。協力行動が社会のメンバーにとって重要であり、そこで協力行動をする者が称賛されるのである。「私欲は諸悪の根元として非難されるが、善行のもととして誉められてよい場合もしばしばある」（ラ・ロシュフコー『箴言集』二宮フサ訳、岩波文庫、93頁）。

要するに、人間は利己的に効用最大化を目指しているということになる。しかしこのことは、標準的な経済人仮説が正しいという意味ではまったくないのは以上見てきたとおりである。

結局、人間は、自分を取り巻く環境や生態に適した決定を行なうという意味での合理性を持っていると言うことができよう。この意味での合理性をヴァーノン・スミスやギゲレンツァは「生態的合理性」と言い、サイモンとフランクは「適応的合理性」と呼んだ。

このような合理性を持つ人間行動に関するいっそうの研究が必要である。行動経済学がそのために強力な方法を提供することができよう。

Henrich, J. and R. Boyd, 1998, The Evolution of Conformist Transmission and the Emergence of Between-Group Differences, *Evolution and Human Behavior*, vol.19, pp.215-241.

Richerson, P. J. and R. Boyd, 2005, *Not by Genes Alone: How Culture Transformed Human Evolution*, University of Chicago Press.

Richerson, P. J., R. T.Boyd and J. Henrich, 2003, Cultural Evolution of Human Cooperation, in: Hammerstein, Peter(ed.), 2003, *Genetic and Cultural Evolution of Cooperation*, MIT Press, pp.357-388.

Simon, H. A., 1990, A Mechanism for Social Selection and Successful Altruism, *Science*, vol.250, pp.1665-1668.

Smith,V. L., 2003, Constructivist and Ecological Rationality in Economics, *American Economic Review*, vol.93, no.3, pp.465-508.

友野典男、2005、「文化的進化と協力行動の源泉」、『明治大学社会科学研究所紀要』、第 44 巻、1 号、229-239 頁

Yamagishi, T., S. Tanida, R. Mashima, E. Shimoma and S. Kanazawa, 2003, You Can Judge a Book by its Cover: Evidence that Cheaters May Look Different from Cooperators, *Evolution and Human Behavior*, vol.24, pp.290-301.

本文中の以下の図版については、著作権者の許可を得て掲載しています。

62 頁　図 2-2

FRANK, R. H. (EDITOR); WHAT PRICE THE MORAL HIGH GROUND. ⓒ2004 by Princeton University Press. Reprinted by permission of Princeton University Press.

131 頁　図 4-3、132 頁　図 4-4

RATIONAL CHOICE IN AN UNCERTAIN WORLD: THE PSYCHOLOGY OF JUDGMENT AND DECISION MAKING (PAPER) by HASTIE, R. /DAWES, R.. Copyright 2001 by SAGE PUBLICATIONS INC BOOKS. Reproduced with permission of SAGE PUBLICATIONS INC BOOKS in the format Other Book via Copyright Clearance Center.

Neural Basis for Social Cooperation, *Neuron*, vol.35, pp.395-405.
Sanfey, A. G., G. Loewenstein, S. M. McClure and J. D. Cohen, 2006, Neuroeconomics: Cross-Currents in Research on Decision-Making, *Trends in Cognitive Sciences*, vol.10, no.3, pp.108-116.
Sanfey, A. G., J. K. Rilling, J. A. Aronson, L. E. Nystrom and J. D. Cohen, 2003, The Neural Basis of Economic Decision-Making in the Ultimatum Game, *Science*, vol.300, pp.1755-1758.
Trepel, C., C. R. Fox and R. A. Poldrack, 2005, Prospect Theory on the Brain? Toward a Cognitive Nueroscience of Decision under Risk, *Cognitive Brain Research*, vol.23, pp.34-50.
Zak, P. J., 2003, Trust, *Journal of Financial Transformation*, vol.7, pp.17-24.
Zak, P. J., 2004, Neuroeconomics, *Philosophical Transactions of the Royal Society of London: B.*, vol.359, pp.1737-1748.
Zink, C. F., G. Pagnoni, M. E. Martin-Skurski, J. C. Chappelow and G. S. Berns, 2004, Human Striatal Responses to Monetary Reward Depend on Saliency, *Neuron*, vol.42, pp.509-517.

9.3

Baron-Cohen, S., 1995, *Mind Blindness: An Essay on Autism and Theory of Mind*, MIT Press.（長野他訳、2002、『自閉症とマインド・ブラインドネス』、青土社）
Bowles, S. and H. Gintis, 2006, Prosocial Emotions, in: Blume, L. E. and S. N. Durlauf(eds.), 2006, *The Economy as an Evolving Complex System, III: Current Perspectives and Future Directions*, Oxford University Press, pp.339-366.
Brown, D. E., 1991, *Human Universals*, McGraw-Hill.（鈴木・中村訳、2002、『ヒューマン・ユニヴァーサルズ：文化相対主義から普遍性の認識へ』、新曜社）
Coleman, J. S., 1990, *Foundations of Social Theory*, Harvard University Press.（久慈監訳、2004/2006、『社会理論の基礎』、青木書店）
Cosmides, L. and J. Tooby, 1992, Cognitive Adaptation for Social Exchange, in: Barkow, Jerome H., L. Cosmides and J. Tooby (eds.), 1992, *The Adaptive Mind: Evolutionary Psychology and the Generation of Culture*, Oxford University Press, pp.163-228.
Darwin, C., 1871, *The Descent of Man and Selection in Relation to Sex*.（長谷川訳、1999/2000、『人間の進化と性淘汰 I，II』、文一総合出版）
Gintis, H., 2003, The Hitchhiker's Guide to Altruism: Gene-Culture Coevolution, and the Internalization of Norms, *Journal of Theoretical Biology*, vol.220, pp.407-418.
Gintis, H., 2004, The Genetic Side of Gene-Culture Coevolution: Internalization of Norms and Prosocial Emotions, *Journal of Economic Behavior and Organization*, vol.53, pp.57-67.
Gintis, H., S. Bowles, R. Boyd and E. Fehr, 2003, Explaining Altruistic Behavior in Humans, *Evolution and Human Behavior*, vol.24, pp.153-172.
Glimcher, P. W., M. C. Dorris and H. M. Bayer, 2005, Physiological Utility Thoery and the Neuroeconomics of Choice, *Games and Economic Behavior*, vol.52, pp.213-256.
長谷川寿一、長谷川眞理子、2000、『進化と人間行動』、東京大学出版会

Pinel, J. P. J., 2003, *Biopsychology*(5th edition), University of British Columbia Press.（佐藤他訳、2005、『バイオサイコロジー』、西村書店）

Shiv, B. and A. Fedorikhin, 1999, Heart and Mind in Conflict: The Interplay of Affect and Cognition in Consumer Decision Making, *Journal of Consumer Research*, vol.26, pp.278-292.

Slovic, P., M. Finucane, E. Peters and D. G. MacGregor, 2002, Rational Actors or Rational Fools: Implications of the Affect Heuristics for Behavioral Economics, *Journal of Socio-Economics*, vol.31, pp.329-342.

友野典男、2005、「感情と協力行動」、『情報コミュニケーション学研究』創刊号、3-25 頁

Zajonc, R. B., 1980, Feeling and Thinking: Preferences Need No Inferences, *American Psychologist*, vol.35, pp.151-175.

9.2

Bechara, A. and A. R. Damasio, 2005, The Somatic Marker Hypothesis: A Neural Theory of Economic Decision, *Games and Economic Behavior*, vol.52, pp.336-372.

Camerer, C. F., G. Loewenstein and Drazen Prelec, 2004, Neuroeconomics: Why Economics Needs Brains, *Scandinavian Journal of Economics*, vol.106, no.3, pp.555-579.

Camerer, C., G. Loewenstein and D. Prelec, 2005, Neuroeconomics: How Neuroscience Can Inform Economics, *Journal of Economic Literature*, vol.43, pp.9-64.

Cohen, J. D., 2005, The Vulcanization of the Human Brain: A Neural Perspective on Interactions between Cognition and Emotion, *Journal of Economic Perspectives*, vol.19, no.4, pp.3-24.

de Quervain, D. J.-F., U. Fischbacher, V. Treyer, M. Schellhammer, U. Schnyder, A. Buck and E. Fehr, 2004, The Neural Basis of Altruistic Punishment, *Science*, vol.305, pp.1254-1258.

Glimcher, P. W. and A. Rustichini, 2004, Neuroeconomics: The Consilience of Brain and Decision, *Science*, vol.306, pp.447-452.

Hsu, M., M. Bhatt, R. Adolphs, D. Tranel and C. F. Camerer, 2005, Neural Systems Responding to Degrees of Uncertainty in Human Decision-Making, *Science*, vol.310, pp.1680-1683.

Knutson, B. and R. Peterson, 2005, Neurally Reconstrucing Expected Utility, *Games and Economic Behavior*, vol.52, pp.305-315.

Kosfeld, M., M. Heinrichs, P. J. Zak, U. Fischbacher and E. Fehr, 2005, Oxytocin Increases Trust in Humans, *Nature*, vol.435, pp.673-676.

McClure, S. M., D. I. Laibson, G. Loewenstein and J. D. Cohen, 2004, Separate Neural Systems Value Immediate and Delayed Monetary Rewards, *Science*, vol.306, pp.503-507.

Platt, M. L. and P. W. Glimcher, 1999, Neural Correlates of Decision Variables in Parietal Cortex, *Nature*, vol.400, pp.233-238.

Rilling, J. K., D. A. Gutman, T. R. Zeh, G. Pagnoni, G. S. Berns and C. D. Kilts, 2002, A

Marwell, G. and R. Ames, 1981, Economists Free Ride, Does Anyone Else?: Experiments on the Provision of Public Goods, *Journal of Public Economics*, vol.15, no.3, pp.295-310.

McCabe, K. A., M. L. Rigdon and V. L. Smith, 2003, Positive Reciprocity and Intentions in Trust Games, *Journal of Economic Behavior and Organization*, vol.52, pp.267-275.

Milinski, M., D. Semmann and H.-J. Krambeck, 2002, Donors to Charity Gain in Both Indirect Reciprocity and Political Reputation, *Proceedings of the Royal Society of London B*, vol.269, pp.881-883.

Milinski, M., D. Semmann and H.-J. Krambeck, 2002, Reputation Helps Solve the 'Tragedy of the Commons', *Nature*, vol.415, pp.424-426.

Nowak, M. A. and K. Sigmund, 2005, Evolution of Indirect Reciprocity, *Nature*, vol.437, pp.1291-1298.

Roth, A. E., V. Prasnikar, M. Okuno-Fujiwara and S. Zamir, 1991, Bargaining and Market Behavior in Jerusalem, Ljubljana, Pittsburgh and Tokyo: An Experimental Study, *American Economic Review*, vol.81, pp.1068-1095.

Wedekind, C. and M. Milinski, 2000, Cooperation through Image Scoring in Humans, *Science*, vol.288, no.5467, pp.850-852.

Xiao, E. and D. Houser, 2005, Emotion Expression in Human Punishment Behavior, *Proceedings of the National Academy of Sciences of the USA*, vol.102, no.20, pp.7398-7401.

第 9 章

9.1

Damasio, A. R., 1994, *Descartes' Error: Emotion, Reason, and the Human Brain*, Putnam.（田中訳、2000、『生存する脳：心と脳と身体の神秘』、講談社）

Frank, R. H., 1988, *Passions within Reason*, Norton（山岸監訳、1995、『オデッセウスの鎖ー適応プログラムとしての感情』、サイエンス社）

Frank, R. H., 2006, *Microeconomics and Behavior*(Sixth Edition), McGraw-Hill.

Finucane, M. L., E. Peters and P. Slovic, 2003, Judgment and Decision Making: The Dance of Affect and Reason, in: Schneider, S. L. and J. Shanteau(eds.), 2003, *Emerging Perspectives on Judgment and Decision Research*, Cambridge University Press, pp.327-364.

Finucane, M. L., A. Alhakami, P. Slovic and S. M. Johnson, 2000, The Affect Heuristic in Judgments of Risks and Benefits, *Journal of Behavioral Decision Making*, vol.13, pp.1-17.

Gazzaniga, M. S., R. B. Ivry. and G. R. Mangun, 2002, *Cognitive Neuroscience: The Biology of the Mind*(Second Edition), Norton.

Haidt, J., 2001, The Emotional Dog and Its Rational Tail: A Social Intuitionist Approach to Moral Judgment, *Psychological Review*, vol.108, no.4, pp.814-834.

Nesse, R. M., 2001, Natural Selection and the Capacity for Subjective Commitment, in: Nesse, R. M.(ed.), 2001, *Evolution and the Capacity for Commitment*, Russell Sage, pp.1-44.

The Foundations of Cooperation in Economic Life, MIT Press, pp.151-192.

Fehr, E. and U. Fischbacher, 2005, Human Altruism: Proximate Patterns and Evolutionary Origins, *Analyse & Kritik*, vol.27, pp.6-47.

Fehr, E., U. Fischbacher and E. Tougareva, 2002, Do High Stakes and Competition Undermine Fairness? Evidence from Russia, Working Paper Series No.120, Institute for Empirical Research in Economics, University of Zurich.

Fehr, E. and S. Gächter, 2000, Cooperation and Punishment in Public Goods Experiments, *American Economic Review*, vol.90, No.4, pp.980-994.

Fehr, E. and S. Gächter, 2000, Fairness and Retaliation: The Economics of Reciprocity, *Journal of Economic Perspectives*, vol.14, No.3, pp.159-181.

Fehr, E. and S. Gächter, 2002, Altruistic Punishment in Humans *Nature*, No.415, 10 Jan, pp.137-140.

Fehr, E. and B. Rockenbach, 2003, Detrimental Effects of Sanctions on Human Altruism, *Nature*, vol.422, 13 March, pp.137-140.

Fehr, E. and B. Rockenbach, 2004, Human Altruism: Economic, Neural, and Evolutionary Perspectives, *Current Opinion in Neurobiology*, vol.14, pp.784-790.

Fehr, E. and K. M. Schmidt, 1999, A Theory of Fairness, Competition, and Cooperation, *Quarterly Journal of Economics*, vol.114, pp.817-868.

Fischbacher, U., S. Gächter and E. Fehr, 2001, Are People Conditionally Cooperative? Evidence from a Public Goods Experiment, *Economics Letters*, vol.71, pp.397-404.

Frank, R. H.,T. D. Gilovich. and D. T. Regan, 1993, Does Studying Economics Inhibit Cooperation? *Journal of Economic Perspectives*, vol.7, no.2, pp.159-171.

Frank, R. H.,T. D. Gilovich. and D. T. Regan, 1996, Do Economists Make Bad Citizens?, *Journal of Economic Perspectives*, vol.10, no.1, pp.187-192.

Frey, B. S. and S. Meier, 2003, Are Political Economists Selfish and Indoctrinated? Evidence from a Natural Experiment, *Economic Inquiry*, vol.41, no.3, pp.448-462.

Gintis, H., 2003, Solving the Puzzle of Prosociality, *Rationality and Society*, vol.15, no.2, pp.155-187.

Gintis, H., S. Bowles, R. Boyd and E. Fehr, 2005, Moral Sentiments and Material Interests: Origins, Evidence, and Consequences, in: Gintis, H., S. Bowles, R. Boyd and E. Fehr(eds.), 2005, *Moral Sentiments and Material Interests: The Foundations of Cooperation in Economic Life*, MIT Press, pp.3-39.

Gneezy, U. and A. Rustichini, 2000, A Fine is a Price, *Journal of Legal Studies*, vol.29, pp.1-17.

Güth, W., R. Schmittberger and B. Schwarze, 1982, An Experimental Analysis of Ultimatum Bargaining, *Journal of Economic Behavior and Organization*, vol.3, pp.367-388.

Henrich, J., R. Boyd, S. Bowles, C. Camerer, E. Fehr and H. Gintis(eds.), 2004, *Foundations of Human Sociality: Economic Experiments and Ethnographic Evidence from Fifteen Small-Scale Societies*, Oxford University Press.

Hill, E. L. and D. Sally, 2003, Dilemmas and Bargains: Autism, Theory-of-Mind, Cooperation and Fairness, Working Paper, University College London.

Alexander, R. D., 1987, *The Biology of Moral Systems*, Gruyter.
Anderson, C. M. and L. Putterman, 2006, Do Non-Strategic Sanctions Obey the Law of Demand? The Demand for Punishment in the Voluntary Contribution Mechanism, *Games and Economic Behavior*, vol.54, pp.1-24.
Andreoni, J., 1988, Why Free Ride? Strategies and Learning in Public Goods Experiments, *Journal of Public Economics*, vol.37, pp.291-304.
Arrow, K. J., 1972, Gifts and Exchange, *Philosophy and Public Affairs*, vol.1, pp.343-362.
Berg, J., J. Dickhaut and K. McCabe, 1995, Trust, Reciprocity, and Social History, *Games and Economic Behavior*, vol.10, pp.122-142.
Blount, S., 1995, When Social Outcomes Aren't Fair: The Effect of Causal Attributions on Preferences, *Organizational Behavior and Human Decision Processes*, vol.63, no.2, pp.131-144.
Bolton, G. E. and Axel Ockenfels, 2000, ERC: A Theory of Equity, Reciprocity, and Competition, *American Economic Review*, vol.90, no.1, pp.166-193.
Camerer, C. F. and E. Fehr, 2006, When Does "Economic Man" Dominate Social Behavior?, *Science*, vol.311, pp.47-52.
Carlsmith, K. M., J. M. Darley and P. K. Robinson, 2002, Why Do We Punish?: Deterrence and Just Desert as Motives for Punishment, *Journal of Personality and Social Psychology*, vol.83, no.2, pp.284-299.
Dufwenberg, M. and G. Kirchsteiger, 2004, A Theory of Sequential Reciprocity, *Games and Economic Behavior*, vol.47, pp.268-298.
Falk, A., E. Fehr and U. Fischbacher, 2000, Testing Theories of Fairness: Intentions Matter, Working Paper No.63, Institute for Empirical Research in Economics, University of Zurich.
Falk, A., E. Fehr and U. Fischbacher, 2003, On the Nature of Fair Behavior, *Economic Inquiry*, vol.41, no.1, pp.20-26.
Falk, A., E. Fehr and U. Fischbacher, 2005, Driving Forces behind Informal Sactions, *Econometrica*, vol.73, no.6, pp.2017-2030.
Fehr, E. and A. Falk, 2002, Psychological Foundations of Incentives, *European Economic Review*, vol.46, pp.687-724.
Fehr, E. and U. Fischbacher, 2002, Why Social Preferences Matter: The Impact of Non-Selfish Motives on Competition, Cooperation and Incentives, *Economic Journal*, vol.112, pp.C1-C33.
Fehr, E. and U. Fischbacher, 2003, The Nature of Human Altruism, *Nature*, vol.425, pp.785-791.
Fehr, E. and U. Fischbacher, 2004, Third-Party Punishment and Social Norms, *Evolution and Human Behavior*, vol.25, pp.63-87.
Fehr, E. and U. Fischbacher, 2004, Social Norms and Human Cooperation, *Trends in Cognitive Sciences*, vol.8, No.4, pp.185-190.
Fehr, E. and U. Fischbacher, 2005, The Economics of Strong Reciprocity, in: Gintis, H., S. Bowles, R. Boyd and E. Fehr(eds.), 2005, *Moral Sentiments and Material Interests:*

Journal of Labor Economics, vol.9, no.1, pp.67-84.

Parfit, D., 1984, *Reasons and Persons*, Clarendon.（森村訳、1998、『理由と人格：非人格性の倫理へ』、勁草書房）

Redelmeier, D. A. and D. Kahneman, 1996, Patients' Memories of Painful Medical Treatments: Real-Time and Retrospective Evaluations of Two Minimally Invasive Procedures, *Pain*, vol.66, no.1, pp.3-8.

Read, D., 2004, Intertemporal Choice, in: Koehler, D. J. and N. Harvey(eds.), 2004, *Blackwell Handbook of Judgment and Decision Making*, Blackwell, pp.424-443.

Read, D., S. Frederick, B. Orsel and J. Rahman, 2005, Four Scores and Seven Years from Now: The Date/Delay Effect in Temporal Discounting, *Management Science*, vol.51, no.9, pp.1326-1335.

Rubinstein, A., 1998, *Modeling Bounded Rationality*, MIT Press.

Rubinstein, A., 2003, "Economics and Psychology"? The Case of Hyperbolic Discounting, *International Economic Review*, vol.44, no.4, pp.1207-1216.

Sagristano, M. D., Y. Trope and N. Liberman, 2002, Time Dependent Gambling: Odds Now, Money Later, *Journal of Experimental Psychology: General*, vol.131, no.3, pp.364-376.

Samuelson, P., 1937, A Note on Measurement of Utility, *Review of Economic Studies*, vol.4, pp.155-161.

Simonson, I., 1990, The Effect of Purchase Quantity and Timing on Variety Seeking Behavior, *Journal of Marketing Research*, vol.27, no.2, pp.150-162.

Strotz, R.H., 1955-56, Myopia and Inconsistency in Dynamic Utility Maximization, *Review of Economic Studies*, vol.23, pp.165-180.

Thaler, R., 1981, Some Empirical Evidence on Dynamic Inconsistency, *Economics Letters*, vol.8, pp.201-207.

Thaler, R. H., 1992, *The Winner's Curse*, Free Press.（篠原訳、1998、『市場と感情の経済学』、ダイヤモンド社）

Thaler, R. H. and H. M. Shefrin, 1981, An Economic Theory of Self-Control, *Journal of Political Economy*, vol.89, no.2, pp.392-406.

Trope,Y. and N. Liberman, 2000, Temporal Construal and Time-Dependent Change in Preference, *Journal of Personality and Social Psychology*, vol.79, no.6, pp.876-889.

Trope,Y. and N. Liberman, 2003, Temporal Construal, *Psychological Review*, vol.110, no.3, pp.403-421.

Trope,Y. and N. Liberman, 2003, Temporal Construal Theory of Time-Dependent Preference, in: Brocas, I. and J. D. Carrillo (eds.), 2003, *The Psychology of Economic Decisions Volume 1: Rationality and Well-Being*, Oxford University Press, pp.235-252.

山田英世、1967、『ベンサム』、清水書院

第 8 章

Abbink, K., B. Irlenbusch and E. Renner, 2000, The Moonlighting Game: An Experimental Study on Reciprocity and Retribution, *Journal of Economic Behavior and Organization*, vol.42, pp.265-277.

Hsee, C. K., J. Zhang, F. Yu and Y. Xi, 2003, Lay Rationalism and Inconsistency between Predicted Experiece and Decision, *Journal of Behavioral Decision Making*, vol.16, pp.257-272.

Kahneman, D., 1994, New Challenges to the Rationality Assumption, *Journal of Institutional and Theoretical Economics*, vol.150, no.1, pp.18-36.

Kahneman, D., 2000, Experienced Utility and Objective Happiness: A Moment-Based Approach, in: Kahneman, D. and A. Tversky (eds.), 2000, *Choices, Values and Frames*, Cambridge University Press, pp.673-693.

Kahneman, D., B. L. Fredrickson, C. A. Schreiber and D. A. Redelmeier, 1993, When More Pain is Preferred to Less: Adding a Better End, *Psychological Science*, vol.4, pp.401-405.

Kahneman, D. and J. Snell, 1992, Predicting a Changing Taste: Do People Know What They Will Like?, *Journal of Behavioral Decision Making*, vol.5, pp.187-200.

Kahneman, D., P. P. Wakker and R. Sarin, 1997, Back to Bentham? Explorations of Experienced Utility, *Quarterly Journal of Economics*, vol.112, pp.375-405.

Laibson, D., 1997, Golden Eggs and Hyperbolic Discounting, *Quarterly Journal of Ecnomics*, vol.112, pp.443-477.

Langer, T., R. Sarin and M. Weber, 2005, The Retrospective Evaluation of Payment Sequences: Duration Neglect and Peak-and-End Effects, *Journal of Economic Behavior and Organization*, vol.58, pp.157-175.

Liberman, N. and Y. Trope, 2003, Construal Level Theory of Intertemporal Judgment and Decision, in: Loewenstein, G., D. Read and R. F. Baumeister(eds.), 2003, *Time and Decision: Economic and Psychological Perspectives on Intertemporal Choice*, Russell Sage, pp.245-276.

Loewenstein, G., 1987, Anticipation and the Valuation of Delayed Consumption, *Economic Journal*, vol.97, pp.666-684.

Loewenstein, G., 1996, Out of Control: Visceral Influences on Behavior, *Organizational Behavior and Human Decision Processes*, vol.65, pp.272-292.

Loewenstein, G. and D. Adler, 1995, A Bias in the Prediction of Tastes, *Economic Journal*, vol.105, pp.929-937.

Loewenstein, G., T. O'Donoghue and M. Rabin, 2003, Projection Bias in Predicting Future Utility, *Quarterly Journal of Economics*, vol.118, pp.1209-1248.

Loewenstein, G. and D. Prelec, 1991, Negative Time Preference, *American Economic Review*, vol.81, pp.347-352.

Loewenstein, G. and D. Prelec, 1992, Anomalies in Intertemporal Choice: Evidence and an Interpretation, *Quarterly Journal of Economics*, vol.107, no.2, pp.573-597.

Loewenstein, G. and D. Prelec, 1993, Preferences for Sequences of Outcomes, *Psychological Review*, vol.100, no.1, pp.91-108.

Loewenstein, G., D. Read and R. F. Baumeister, 2003, Introduction, in: Loewenstein, G., D. Read and R. F. Baumeister(eds.), 2003, *Time and Decision: Economic and Psychological Perspectives on Intertemporal Choice*, Russell Sage, pp.1-11.

Loewenstein, G. and N. Sicherman, 1991, Do Workers Prefer Increasing Wage Profiles?,

Effect, *Journal of Consumer Research*, vol.16, pp.158-174.

Simonson, I. and A. Tversky, 1992, Choice in Context: Tradeoff Contrast and Extremeness Aversion, *Journal of Marketing Research*, vol.29, pp.281-295.

Soman, D. and A. Cheema, 2001, The Effect of Windfall Gains on the Sunk-Cost Effect, *Marketing Letters*, vol.12, no.3, pp.51-62.

Stigler, G. J. and G. S. Becker, 1977, De Gustibus Non Est Disputandum, *American Economic Review*, vol.67, pp.76-90.

Thaler, R. H., 1985, Mental Accounting and Consumer Choice, *Marketing Science*, vol.4, pp.199-214.

Thaler, R. H., 1999, Mental Accounting Matters, *Journal of Behavioral Decision Making*, vol.12, pp.183-206.

Thaler, R. H. and E. J. Johnson, 1990, Gambling with the House Money and Trying to Break Even: The Effects of Prior Outcomes on Risky Choice, *Management Science*, vol.36, no.6, pp.643-661.

Tversky, A. and D. Kahneman, 1981, The Framing of Decisions and the Psychology of Choice, *Science*, vol.211, pp.453-458.

第 7 章

Ainslie, G., 1992, *Picoeconomics: The Strategic Interaction of Successive Motivational States within the Person*, Cambridge University Press.

Ainslie, G., 2001, *Breakdown of Will*, Cambridge University Press.

Benzion, U., A. Rapoport and J. Yagel, 1989, Discount Rates Inferred from Decisions: An Experimental Study, *Management Science*, vol.35, pp.270-284.

Borghans, L. and B. H.H. Golsteyn, 2006, Time Discounting and the Body Mass Index: Evidence from the Netherlands, *Economics and Human Biology*, vol.4, pp.39-61.

Frank, R. H., 2005, Does Absolute Income Matter?, in: Bruni, L. and P. L. Porta(eds.), 2005, *Economics and Happiness: Framing the Analysis*, Oxford University Press, pp.65-90.

Frank, R. H. and R. M. Hutchens, 1993, Wages, Seniority, and the Demand for Rising Consumption Profiles, *Journal of Economic Behavior and Organization*, vol.21, pp.251-276.

Frederick, S., G. Loewenstein and T. O'Donoghue, 2002, Time Discounting and Time Preference: A Critical Review, *Journal of Economic Literature*, vol.40, pp.351-401.

Hausman, J., 1979, Individual Discount Rates and the Purchase and Utilization of Energy-Using Durables, *Bell Journal of Economics*, vol.10, pp.33-54.

Hsee, C. K., F. Yu, J. Zhang and Y. Zhang, 2003, Medium Maximization, *Journal of Consumer Research*, vol.30, pp.1-14.

Hsee, C. K. and R. Hastie, 2006, Decision and Experience: Why Don't We Choose What Makes Us Happy?, *Trends in Cognitive Sciences*, vol.10, no.1, pp.31-37.

Hsee, C. K. and J. Zhang, 2004, Distinction Bias: Misprediction and Mischoice Due to Joint Evaluation, *Journal of Personality and Social Psychology*, vol.86, no.5, pp.680-695.

Experimental Evidence of an Unexpected Disparity in Measures of Value, *Quarterly Journal of Economics*, vol.99, pp.507-521.

Novemsky, N. and D. Kahneman, 2005, The Boundaries of Loss Aversion, *Journal of Marketing*, vol.42, pp.119-128.

Quattrone, G. A. and A. Tversky, 1988, Contrasting Rational and Psychological Analysis of Political Choice, *American Political Science Review*, vol.82, pp.719-736.

Samuelson, W. and R. Zeckhauser, 1988, Status Quo Bias in Decision Making, *Journal of Risk and Uncertainty*, vol.1, pp.7-59.

Van Boven, L., G. Loewenstein and D. Dunning, 2003, Mispredicting the Endowment Effect: Underestimation of Owner's Selling Prices by Buyer's Agent, *Journal of Economic Behavior and Organization*, vol.51, pp.351-365.

第6章

Arkes, H. R. and P. Ayton, 1999, The Sunk Cost and Concorde Effects: Are Humans Less Rational Than Lower Animals?, *Psychological Bulletin*, vol.125, no.5, pp.591-600.

Arkes, H. R. and C. Blumer, 1985, The Psychology of Sunk Cost, *Organizational Behavior and Human Decision Processes*, vol.35, pp.124-140.

Benartzi, S. and R. H. Thaler, 1995, Myopic Loss Aversion and the Equity Premium Puzzle, *Quarterly Journal of Economics*, vol.110, pp.73-92.

Iyengar, S. S. and M. Lepper, 2000, When Choice Is Demotivating: Can One Desire Too Much of a Good Thing?, *Journal of Personality and Social Psychology*, vol.76, pp.995-1006.

Iyengar, S. S. , W. Jiang and G. Huberman, 2003, How Much Choice Is Too Much?: Contributions to 401(k) Retirement Plans, Pension Research Council Working Paper 2003-10, Wharton School, University of Pennsylvania.

Johnson, E. J. and D. Goldstein, 2004, Defaults and Donation Decisions, *Transplantation*, vol.78, no.12, pp.1713-1716.

Kooreman, P., R. P. Faber and H. M.J. Hofmans, 2004, Charity Donations and the Euro Introduction: Some Quasi-Experimental Evidence on Money Illusion, *Journal of Money, Credit, and Banking*, vol.36, no.6, pp.1121-1124.

Read, D., G. Loewenstein and M. Rabin, 1999, Choice Bracketing, *Journal of Risk and Uncertainty*, vol.19, no.1-3, pp.171-197.

Schwartz, B., 2004, *The Paradox of Choice: Why More Is Less*, Harper Collins.

Schwartz, B., A. Ward, J. Monterosso, S. Lyubomirsky, K. White and D. R. Lehaman, 2002, Maximizing versus Satisficing: Happiness Is a Matter of Choice, *Journal of Personality and Social Psychology*, vol.83, no.2, pp.1178-1197.

Shafir, E., P. Diamond and A. Tversky, 1997, Money Illusion, *Quarterly Journal of Economics*, vol.112, pp.341-374.

Shafir, E., I. Simonson and A. Tversky, 1993, Reason-Based Choice, *Cognition*, vol.49, pp.11-36.

Simonson, I., 1989, Choice Based on Reason: The Case of Attraction and Compromise in: Allais, M. and O.Hagen(eds.), 1979, *Expected Utility Hypothesis and the Allais Paradox*, Reidel, pp.27-145.

Baron, J., 2000, *Thinking and Deciding*(3rd edition), Cambridge University Press.

Gonzalez, R. and G. Wu, 1999, On the Shape of the Probability Weighting Function, *Cognitive Psychology*, vol.38, pp.129-166.

Hastie, R. and R. M.Dawes, 2001, *Rational Choice in an Uncertain World: The Psychology of Judgment and Decision Making*, Sage.

Horowitz, J. K. and K. E. McConnell, 2002, A Review of WTA/WTP Studies, *Journal of Environmental Economics and Management*, vol.44, pp.426-447.

Kahneman, D. and A. Tversky, 1979, Prospect Theory: An Analysis of Decision under Risk, *Econometrica*, vol.47, no.2, pp.263-291.

Prelec, D., 2000, Compound Invariant Weighting Functions in Prospect Theory, in: Kahneman, D. and A. Tversky(eds.), 2000, *Choices, Values and Frames*, Cambridge University Press, pp.67-92.

Thaler, R. H., 1980, Toward a Positive Theory of Consumer Choice, *Journal of Economic Behavior and Organization*, vol.1, pp.39-60.

Thaler, R. H., 1987, The Psychology of Choice and the Assumptions of Economics, in: Roth, A. E.(ed.), 1987, *Laboratory Experimentation in Economics: Six Points of View*, Cambridge University Press, pp.99-131.

Tversky, A. and C. R. Fox, 1995, Weighing Risk and Uncertainty, *Psychological Review*, vol.102, no.2, pp.269-283.

Tversky, A. and D. Kahneman, 1991, Loss Aversion in Riskless Choice: A Reference-Dependent Model, *Quarterly Journal of Economics*, vol.106, no.4, pp.1039-1061.

Tversky, A. and D. Kahneman, 1992, Advances in Prospect Theory:Cumulative Representation of Uncertainty, *Journal of Risk and Uncertainty*, vol.5, no.4, pp.297-323.

第5章

Bewley, T. 1999, *Why Wages Don't Fall During a Recession*, Harvard University Press.

Hartman, R. S., M. J. Doane and Chi-Keung Woo, 1991, Consumer Rationality and the Status Quo, *Quarterly Journal of Economics*, vol.106, pp.141-162.

Kahneman, D., J. L. Knetsch and R. H. Thaler, 1986, Fairness as a Constraint on Profit Seeking: Entitlement in the Market, *American Economic Review*, vol.76, pp.728-741.

Kahneman, D., J. L. Knetsch and R. H. Thaler, 1990, Experimental Tests of the Endowment Effect and the Coase Theorem, *Journal of Political Economy*, vol.98, no.6, pp.1325-1348.

Kahneman, D. and C. Varey, 1991, Notes on the Psychology of Utility, in: Elster, J. and J. E. Roemer(eds.), 1991, *Interpersonal Comparisons of Well-Being*, Cambridge University Press, pp.127-163.

Knetsch, J. L.,1989, The Endowment Effect and Evidence of Nonreversible Indifference Curves, *American Economic Review*, vol.79, pp.1277-1284.

Knetsch, J. L. and J.A. Sinden, 1984, Willingness to Pay and Compensation Demanded:

Review, vol.80, pp.237-251.

Kahneman, D. and A. Tversky, 1983, Extensional versus Intuitive Reasoning: The Conjunction Fallacy in Probability Judgment, *Psychological Review*, vol.91, pp.293-315.

Mussweiler, T., B. Englich and F. Strack, 2004, Anchoring Effect, in: Pohl, Rüdiger F.(ed.), 2004, *Cognitive Illusions: A Handbook on Fallacies and Biases in Thinking, Judgment and Memory*, Psychology Press, pp.183-200.

Northcraft, G. B. and M. A.Neale, 1987, Experts, Amateurs, and Real Estate: an Anchoring-and-Adjustment Perspective on Property Pricing Decisions, *Organizational Behavior and Human Decision Processes*, vol.39, pp.84-87.

Polya, G., 1945, *How to Solve It*.（柿内訳、1954、『いかにして問題をとくか』、丸善）

Rabin, M., 2003, The Nobel Memorial Prize for Daniel Kahneman, *Scandinavian Journal of Economics*, vol.105, no.2, pp.157-180.

Rabin, M., 2004, Behavioral Economics, in: Szenberg, M. and L. Ramrattan(eds.), 2004, *New Frontiers in Economics*, Cambridge University Press, pp.68-102.

Shafir, E., I. Simonson and A. Tversky, 1993, Reason-Based Choice, *Cognition*, vol.49, pp.11-36.

Sherman, S. J., R. B. Cialdini, D. F. Schwartzman and K. D. Reynolds, 1985, Imaging Can Heighten or Lower the Perceived Likelihood of Contracting a Disease: The Mediating Effect of Ease of Imagery, *Personality and Social Psychology Bulletin*, vol.11, pp.118-127.

Shiller, R. J., 2000, *Irrational Exuberance*, Princeton University Press.（植草監訳、2001、『根拠なき熱狂』、ダイヤモンド社）

Sloman, S. A., 2002, Two Systems of Reasoning, in: Gilovich, T., D. Griffin and D. Kaheneman(eds.), 2002, *Heuristics and Biases: The Psychology of Intuitive Judgment*, Cambridge University Press, pp.379-396.

Tversky, A. and D. Kahneman, 1971, Beliefs in the Law of Small Numbers, *Psychological Bulletin*, vol.2, pp.105-110.

Tversky, A. and D. Kahneman, 1973, Availability: A Heuristic for Judging Frequency and Probability, *Cognitive Psychology*, vol.4, pp.207-232.

Tversky, A. and D. Kahneman, 1974, Judgment under Uncertainty: Heuristics and Biases, *Science*, vol.185, pp.1124-1131.

Tversky, A. and D. Kahneman, 1982, Judgments of and by Representativeness, in: Kahneman, D., P. Slovic and A. Tversky (eds.), 1982, *Judgment under Uncertainty: Heuristics and Biases*, Cambridge University Press, pp.84-98.

第 4 章

Allais, M., 1952, Fondements d'une Theorie Positive des Chix Comportant un Risque et Critique des Postulats et Axiomes de L'Ecole Americaine, *Econometrie*, vol.15, pp.257-332. (English translation: The Foundations of a Positive Theory of Choice Involving Risk and a Criticism of the Postulates and Axioms of the American School,

主要参考文献

第 2 章

Frank, R. H., 2004, *What Price the Moral High Ground?: Ethical Dilemmas in Competitive Environments*, Princeton University Press.

McKelvey, R. and T. Palfrey, 1992, An Experimental Study of the Centipede Game, *Econometrica*, vol.60, pp.803-836.

三浦俊彦、2002、『論理パラドクス』、二見書房

Vos Savant, M., 1997, *The Power of Logical Thinking*, St Martins Press.（東方訳、2002、『気がつかなかった数字の罠』、中央経済社）

第 3 章

Bargh, J. A., 2002, Losing Consciousness: Automatic Influences on Consumer Judgment, Behavior, and Motivation, *Journal of Consumer Research*, vol.29, no.2, pp.280-285.

Bargh, J. A. and T. L. Chartland, 1999, The Unbearable Automaticity of Being, *American Psychologist*, vol.54, no.7, pp.462-479.

Camerer, C. and G. Loewenstein, 2004, Behavioral Economics: Past, Present, Future, in: Camerer, C., G. Loewenstein and M. Rabin(eds.), 2004, *Advances in Behavioral Economics*, Russell Sage Foundation and Princeton University Press, pp.3-51.

Chapman, G. B. and E. J. Johnson, 2002, Incorporating the Irrelevant : Anchors in Judgments of Belief and Value, in: Gilovich, T., D. Griffin and D. Kaheneman(eds.), 2002, *Heuristics and Biases: The Psychology of Intuitive Judgment*, Cambridge University Press, pp.120-138.

デネット、ダニエル（信原訳)、1987、「コグニティブ・ホイールー人工知能におけるフレーム問題」、『現代思想』、青土社、15 巻、5 号、128-150 頁

Fischhoff, B., 1975, Hindsight ≠ Foresight: The Effects of Outcome Knowledge on Judgment under Uncertainty, *Journal of Experimental Psychology: Human Perception and Performance*, vol.1, pp.288-299.

Gigerenzer, G., P. M.Todd and the ABC Research Group, 1999, *Simple Heuristics that Makes Us Smart*, Oxford University Press.

Gilovich, T., 1991, *How We Know What Isn't So: The Fallibility of Human Reason in Everyday Life*, Macmillan.（守・守訳、1993、『人間 この信じやすきもの』、新曜社）

橋田浩一、松原仁、1994、「情報の部分性」、松岡正剛他、1994、『複雑性の海へ』、NTT 出版、180-195 頁

Kahneman, D., 2003, Maps of Bounded Rationality: Psychology for Behavioral Economics, *American Economic Review*, vol.93, No.5, pp.1449-1475.

Kahneman, D. and S. Frederick, 2004, Attribute Substitution in Intuitive Judgment, in: Augier, M. and J. G.March(eds.), 2004, *Models of Man: Essays in Memory of Herbert A.Simon*, MIT Press, pp.411-432.

Kahneman, D. and A. Tversky, 1972, Subjective Probability: A Judgment of Representativeness, *Cognitive Psychology*, vol.3, pp.430-454.

Kahneman, D. and A. Tversky, 1973, On the Psychology of Prediction, *Psychological*

主要参考文献

複数の章で参照した文献は、初出の章だけ掲出した。

第1章

Arrow, K. J., 1986, Rationality of Self and Others in an Economic System, *Journal of Business*, vol.59.

Camerer, C. F., 1987, Do Biases in Probability Judgment Matter in Markets?, *American Economic Review*, vol.77, pp.981-997.

Camerer, C., 2003, *Behavioral Game Theory: Experiments in Strategic Interaction*, Princeton University Press.

Friedman, M.,1956, *Essays in Positive Economics*, University of Chicago Press.（佐藤・長谷川訳、1977、『実証的経済学の方法と展開』、富士書房）

Gardner, H., 1985, *The Mind's New Science: A History of the Cognitive Revolution*, Basic Books.（佐伯・海保監訳、1987、『認知革命：知の科学の誕生と展開』、産業図書）

Kahneman, D., 2003, Autobiography, Nobel e-Museum,
http://www.nobel.se/economics/laureates/2002/kahneman-autobio.html

Katona, G., 1960, *Psychological Analysis of Economic Behaviour*, Greenwood.（社会行動研究所訳、1964、『消費者行動：その経済心理学的研究』、ダイヤモンド社）

Keynes, J. M., 1936, *The General Theory of Employment, Interest, and Money*.（塩野谷訳、1941、『雇用・利子および貨幣の一般理論』、東洋経済新報社）

Rabin, M., 2002, A Perspective on Psychology and Economics, *European Economic Review*, vol.46, pp.657-685.

Russell, T. and R. Thaler, 1985, The Relevance of Quasi Rationality in Competitive Markets, *American Economic Review*, vol.75, pp.1071-1082.

Selten, R., 1990, Bounded Rationality, *Journal of Institutional and Theoretical Economics*, vol.146, pp.649-658.

Sen, A., 1987, *On Ethics and Economics*.（徳永・松本・青山訳、2002、『経済学の再生：道徳哲学への回帰』、麗澤大学出版会）

塩沢由典、1990、『市場の秩序学』、筑摩書房

Simon, H. A., 1983, *Reason in Human Affairs*, Stanford University Press.（佐々木・吉原訳、1987、『意思決定と合理性』、文眞堂）

Simon, H. A., 1991, *Models of My Life*, Basic Books.（安西、安西訳、1998、『学者人生のモデル』、岩波書店）

Smith, A., 1759, *The Theory of Moral Sentiment*.（水田訳、『道徳感情論』、岩波書店）

Smith, A., 1776, The Wealth of Nations.（水田・杉山訳、『国富論』、岩波書店）

Tversky, A. and Daniel K., 1986, Rational Choice and the Framing of Decisions, *Journal of Business*, vol.59, pp.S251-S278.

Veblen, T., 1899, *The Theory of the Leisure Class*.（高訳、1998、『有閑階級の理論』、筑摩書房）

おわりに

行動経済学は厳密な理論展開やモデル作りが難しいと批判されることがある。標準的経済学は数理モデル化が容易であって厳密性を持っている。したがって標準的経済学の方が優れているという主張もある。しかし、厳密に間違っているよりは、大雑把に正しい方が役に立つ。止まっている時計は一日に二回厳密な時を指すが、一分進んでいる時計は一回も正確な時を刻まない。しかし、どちらが役に立つかは明らかだろう。

本書では行動経済学の政策的意味については十分説明できなかった。政策とは、人間の行動をコントロールし何らかの意味で望ましい方向へ動かそうとするものであるから、効果的な政策立案のためには人間理解が不可欠である。仏教経済学の提唱者であるE・シューマッハーは、「私は靴屋（シューマッハー）という名前なので、よい靴屋は靴づくりの知識を十分もっているだけではだめなことをよく心得ている。足の知識が要るのである」（『スモールイズビューティフル再論』酒井訳、講談社、149頁）と述べた。「靴」を「政策」に、「足」を「人間」に置き換えればよい。政策についての議論は他日を期したい。

ところで、行動経済学を楽しんで頂けただろうか。本書を読んで「行動経済学は面白い」と感じて下さったら筆者にとって実に嬉しいことである。

また、本書中の間違いや説明不十分な点についてご指摘頂ければ幸いである。

本書執筆にあたってお世話になった次の方々に篤く御礼申し上げる。

・まず第一に、筆者の早稲田大学大学院・助手時代の恩師である柏崎利之輔先生、柴沼武先生。長い間の学恩への感謝を込めて。

・本書執筆のきっかけを作って下さった早稲田大学政治経済学部の藪下史郎先生、永田良さん。

・実験に参加したり、いろいろな問題や質問に回答してくれた明治大学情報コミュニケーション学部、短期大学、大学院グローバル・ビジネス研究科の学生の皆さん。

・本書の内容について議論して下さった同僚・友人の方々。

・本書の内容や経済一般に関する筆者のたわいもない話を聞き、鋭い（?・）質問をしてくれた新宿ゴールデン街の飲み仲間の面々。
・素晴らしい脳の図（図9－1、9－2）を描いて下さったイラストレータの橘雅昭さん。
・遅筆な筆者を見捨てずに、上手におだてて最後まで連れてきて下さった光文社新書編集部の古谷俊勝さんと山川江美さん。
・本書の基となった研究に対して研究費の助成をして頂いた明治大学社会科学研究所。
・夜中に執筆して昼間寝ている筆者のわがままな生活ぶりを我慢してくれた父、妻、息子。
皆様、ありがとうございました！

二〇〇六年四月

筆　者

友野典男（とものののりお）

1954年埼玉県生まれ。早稲田大学商学部卒、同大学院経済学研究科博士後期課程退学。2004年～2019年明治大学情報コミュニケーション学部教授。現在、同大学院情報コミュニケーション研究科兼任講師。専攻は行動経済学、ミクロ経済学。著書に『感情と勘定の経済学』（潮出版社）、『50のキーワードで読み解く　経済学教室』（共著、東京図書）他、翻訳書に『慣習と秩序の経済学』（日本評論社）、『ダニエル・カーネマン　心理と経済を語る』（監訳、楽工社）がある。

行動経済学《こうどうけいざいがく》　経済《けいざい》は「感情《かんじょう》」で動《うご》いている

2006年5月20日初版1刷発行
2019年4月25日　24刷発行

編著者 ── 友野典男
発行者 ── 田邉浩司
装　幀 ── アラン・チャン
印刷所 ── 萩原印刷
製本所 ── ナショナル製本
発行所 ── 株式会社光文社
東京都文京区音羽1-16-6（〒112-8011）
https://www.kobunsha.com/
電　話 ── 編集部03(5395)8289　書籍販売部03(5395)8116
業務部03(5395)8125
メール ── sinsyo@kobunsha.com

R＜日本複製権センター委託出版物＞
本書の無断複写複製（コピー）は著作権法上での例外を除き禁じられています。本書をコピーされる場合は、そのつど事前に、日本複製権センター（☎03-3401-2382、e-mail : jrrc_info@jrrc.or.jp）の許諾を得てください。

本書の電子化は私的使用に限り、著作権法上認められています。ただし代行業者等の第三者による電子データ化及び電子書籍化は、いかなる場合も認められておりません。

落丁本・乱丁本は業務部へご連絡くだされば、お取替えいたします。
© Norio Tomono 2006 Printed in Japan ISBN 978-4-334-03354-5

光文社新書